Ehe Goethe im Juli 1797 nach der Schweiz aufbrach, verbrannte er an ihn gelangte Briefe, da er sie »aus entschiedener Abneigung gegen Publikation des stillen Gangs freundschaftlicher Mitteilung« nicht aufbewahrt, noch veröffentlicht wissen wollte. Trotz diesem Respekt vor dem Persönlichen, vor dem Intimen, gehören Briefe zu den wesentlichen historischen Quellen und Dokumenten. Sie umspannen das Wesen einer Persönlichkeit, sie geben Zeugnis von den Ereignissen, wie sie sich nur dem einzelnen darstellen. In ihrer Subjektivität und ihrem Bekennertum gehören auch die Briefe des 20. Jahrhunderts zu den großartigen, der Überlieferung werten Schriftstücken. Sie spiegeln eine Zeit wider, die zu den leidenschaftlichsten und umstrittensten Epochen deutscher Geschichte gehört.

August 1962
Deutscher Taschenbuch Verlag GmbH & Co. KG,
München
Erweiterte Teilausgabe des ›Buches deutscher Briefe‹,
herausgegeben von Walter Heynen, Insel-Verlag 1957
Ausstattung: Celestino Piatti
Umschlagbild: Faksimiles aus Briefen
von Rainer Maria Rilke und Karl Wolfskehl
Gesamtherstellung: C. H. Beck'sche Buchdruckerei,
Nördlingen
Printed in Germany

Deutsche Briefe
des 20. Jahrhunderts

Herausgegeben
von Walter Heynen

Deutscher
Taschenbuch
Verlag

Inhalt

Am Vorabend des Jahrhunderts

Statt einer Einleitung: vier Briefe

Ferdinand Graf von Zeppelin (Konstanz 1838 bis 1917 Charlottenburg) an Graf Alfred von Schlieffen

Der Schwabe, dessen Hinneigung zu neuen Pflügen und Sämaschinen schon in frühester Jugend ein Briefbericht der Mutter festgehalten hat, ist nach einer Soldatenlaufbahn, die ihm sogar den Gesandtenposten in Berlin vorbehalten hatte, gerade über sein mißdeutetes Württembergertum militärisch gestrauchelt: mit zweiundfünfzig Jahren hat er als Generalleutnant den Abschied nehmen müssen, aber nun die Gedanken in die Tat umgesetzt, die ihm 1874 bei einem Vortrag des Generalpostmeisters Stephan über Weltpost und Luftschiffahrt gekommen waren. Schlieffen erfüllte Zeppelins Bitte sofort und entsandte den Hauptmann von Tschudi zu Besprechungen, nachdem allerdings dem sonst so optimistischen Konstrukteur inzwischen unüberwindlich scheinende Bedenken aufgestiegen waren. Hugo Eckener hat darum Zeppelins unabweisbares Drängen und Beharren in dem Jahrzehnt 1890 bis 1900 für das Allererstaunlichste und Bewunderungswürdigste in seinem ganzen Kampfe um das Luftschiff erklärt.

Schloß Girsberg bei Emmishofen
(Kanton Thurgau), 29. Juni 1891

Hochverehrter Herr Graf!

Euer Exzellenz erinnern sich vielleicht eines Gesprächs bei einem Ritte im Tiergarten über lenkbare Luftfahrzeuge. Ich wollte damals meinen Gedanken darüber einen Versuch der Ausführung nicht folgen lassen, weil mir die Zeit zur Bearbeitung fehlte und weil es mir störend gewesen wäre, auch nur vorübergehend für einen Kandidaten des Irrenhauses angesehen zu werden.

Jetzt, wo ich nichts Besseres mehr wirken darf und die Meinung der Menschen nur meiner Person, aber keinem Berufe, in dem ich stünde, mehr wehe tun kann, habe ich jene Gedanken wieder aufgegriffen und ihnen – vorläufig noch in der Zeichnung – Gestalt gegeben.

An das einzige genauer bekannte Beispiel, das französische Militär-Luftschiff in Meudon, anschließend, gebe ich meinen Fahrzeugen den gleichen größten Querschnitt, wie ihn jenes hat, jedoch mit günstigerer Abgleitung der Luft. Um sechsmal schneller fahren zu können als mit der in Meudon erreichten Geschwindigkeit von fünf Metern in der Sekunde, wende ich Maschinen an, welche den sechsunddreißigfachen Widerstand des dort berechneten nicht nur ihrer Kraft nach überwinden, sondern dazu auch durch genügend rasch drehende und eine genügende Fläche zum Abstoß deckende Schrauben imstande sind.

Meine Maschinenfahrzeuge werden, da sie das Material zum Betriebe für zwölf Stunden mit sich führen und infolge einer Einrichtung, welche die gleichmäßige Gasspannung unter verschiedenem Luftdruck ohne Gasverluste ermöglicht, schnelle und weite Reisen ausführen können.

Diese Maschinenfahrzeuge sollen aber in den meisten Fällen nicht allein fahren, sondern es werden ihnen Transportfahrzeuge für Menschen und Frachtgüter angehängt. Dieselben sind vorläufig auf je 500 kg Tragfähigkeit berechnet. Geeignete Vorrichtungen erhalten die gleichmäßige Längsfolge der verbundenen Fahrzeuge. Die Vermehrung des Luftwiderstandes ist eine geringfügige, daher die Bildung eines längeren Zuges wahrscheinlich möglich werden wird.

Meine Erfindung vor anderen Staaten ausnützen zu können, müßte für unsere Armee und Flotte von großer Bedeutung sein. Unter der Voraussetzung freilich, daß die Ausführung des Projekts den Erwartungen einigermaßen entspricht. Das ohne Prüfung anzunehmen, kann ich niemandem zumuten. Vollständig könnte eine Prüfung aber nur geschehen, wenn mir Gelegenheit gegeben wäre, etwaige Einwände durch Erläuterungen oder durch Überwindung wirklicher Mängel mittelst geeigneter Anordnungen zu beseitigen. Da ich die patentierten Petroleum-Motoren von Daimler in Cannstatt anwende, so wäre es zweckmäßig, an Ort und Stelle zu sein, falls solche Einwände auf die Motoren Bezug haben sollten.

Nun ist es mir wohlbekannt, daß ich mich eigentlich sofort der Schar von Luftprojektemachern einzureihen hätte, die alltäglich Erfindungen bei den betreffenden Behörden in Berlin anpreisen. Ich würde außerordentlich dankbar sein, wenn Euere Exzellenz die Güte hätten, aus besonderer Rücksichtnahme mir diesen Schritt dadurch zu ersparen oder erleichternd vorzubereiten, daß Sie einen in den einschlägigen Fragen gut bewanderten Offizier der Luftschiffer-Abteilung mit dem vertraulichen Auftrage, eine Prüfung meines Projektes vorzunehmen, nach Stuttgart abordnen möchten. Ich selbst begebe mich am 1. oder 2. Juli dahin, um den Beginn der Arbeiten bei Daimler einzuleiten. Im Falle gütiger Gewährung meiner Bitte würde der betreffende Offizier mich bei dem Portier des Hotel Marquardt in Stuttgart erfragen können. Briefe und Telegramme übermittelt mir das Postamt Stuttgart; auch wenn ich dort nicht anwesend bin.

Indem ich mir freundlich zu grüßen erlaube, verbleibe ich
mit dem Ausdruck ausgezeichnetster Hochachtung
        Euerer Exzellenz ganz ergebener
        Graf von Zeppelin
        Generalleutnant z. D., General
        à l. s. Sr. Maj. des Königs von Württemberg

Theodor Herzl (Budapest 1860 bis 1904 Edlach [Niederösterreich]) an den Fürsten Otto von Bismarck

Ein Jahr nach diesem Brief, auf den Bismarck – vergrämt über die immer
drückender empfundene Mißachtung, die er wehrlos wie die Abendschatten seines
zu Ende gehenden Daseins hinnehmen mußte – nie zurückgekommen ist, legte
Theodor Herzl seine Gedanken, die er dem Staatsmann entwickeln wollte, in dem
Buch ›Der Judenstaat‹ nieder, durch das er den Anstoß zur Begründung des Zionismus gab; die meisten seiner Zeitgenossen lächelten oder spotteten über sein
Wirken, wie Karl Kraus in seiner Schrift ›Eine Krone für Zion‹ – wenn sie überhaupt Notiz von ihm nahmen. Drei Tage, ehe er diesen Brief der Post übergibt,
schreibt er in sein Tagebuch:»Ich habe öfters befürchtet, irrsinnig zu werden. So
jagten die Gedankenzüge erschütternd durch meine Seele. Ein ganzes Leben wird
nicht ausreichen, alles auszuführen. Aber ich hinterlasse ein geistiges Vermächtnis.
Wem? Allen Menschen. Ich glaube, ich werde unter den großen Wohltätern der
Menschen genannt werden. Oder ist diese Meinung schon Größenwahn?«

19. Juni 1895

Ew. Durchlaucht!

Vielleicht hatten einzelne meiner literarischen Arbeiten das
Glück, von Ew. Durchlaucht bemerkt zu werden. Ich denke:
vielleicht meine Aufsätze über den französischen Parlamentarismus, die im Feuilleton der ›Neuen Freien Presse‹ unter den
Titeln ›Wahlbilder aus Frankreich‹ und ›Das Palais Bourbon‹
erschienen sind.

Gestützt auf diese fragwürdige und geringe Autorität, bitte
ich Ew. Durchlaucht, mich zu einem politischen Vortrage zu
empfangen.

Ich will mir nicht etwa auf diese Weise ein Interview erlisten.
Durchlaucht gewährten übrigens zuweilen einem Journalisten
diese Gunst, und unter andern erfuhr ja auch ein Herausgeber
meiner Zeitung in Wien die Auszeichnung, vorgelassen zu
werden. Aber ich denke an nichts dergleichen. Ich gebe, wenn
es gewünscht wird, mein Ehrenwort, daß ich nichts von dieser

Unterredung in Zeitungen veröffentlichen werde, wie kostbar sie auch für meine Erinnerung werden möge.

Und worüber will ich den politischen Vortrag halten? Über die Judenfrage. Ich bin ein Jude und als solcher ad causam legitimiert.

Euer Durchlaucht haben übrigens schon einmal mit einem ebenfalls mandatlosen Juden, Lassalle, über nicht rein jüdische Angelegenheiten gesprochen.

Und was habe ich zur Judensache vorzubringen? Es ist eigentlich recht schwer, das Wort auszusprechen. Denn wenn ich es heraussage, muß die erste Regung jedes vernünftigen Menschen sein, mich aufs Beobachtungszimmer zu schicken – Abteilung der Erfinder von lenkbaren Luftballons.

Ich glaube die Lösung der Judenfrage gefunden zu haben. Nicht »eine Lösung«, sondern »die Lösung«, die einzige.

Das ist ein sehr umfangreicher, komplizierter Plan. Ich habe ihn, nachdem er fertig geworden, hier zwei Juden mitgeteilt, einem sehr reichen und einem armen; letzterer ist ein gebildeter Mann. Ich will wahrheitsgemäß sagen, daß der Reiche mich nicht für verrückt hielt. Oder tat er nur aus Delikatesse, als ob ich ihm noch gesund vorkäme? Genug, er ging auf die theoretische Möglichkeit ein und meinte nur schließlich: »Dazu kriegen Sie die reichen Juden nicht, die sind nichts wert.« (Ich flehe Ew. Durchlaucht an, dieses Familiengeheimnis nicht zu verraten.)

Beim armen Juden aber war die Wirkung anders. Er schluchzte bitterlich. Anfangs meinte ich – ohne darüber erstaunt zu sein –, daß ich seinen Verstand überwältigt und sein Herz erschüttert habe. Nein! Er hatte nicht als Jude geschluchzt, sondern als Freund. Er war um mich besorgt. Ich mußte ihn aufrichten, ihm schwören, daß nach meiner festen Überzeugung zweimal zwei noch immer vier sei, und daß ich den Tag nicht kommen sehe, an dem zwei parallele Linien zusammentreffen könnten.

Er sagte: »Durch diese Sache machen Sie sich lächerlich oder tragisch!«

Ew. Durchlaucht, lassen Sie sich meinen Plan vortragen! Im schlimmsten Falle ist er eine Utopie, wie man vom Thomas Morus bis Bellamy deren genug geschrieben hat. Eine Utopie ist um so lustiger, je weiter sie sich von der vernünftigen Welt entfernt.

Daß ich aber jedenfalls eine neue, also unterhaltende Utopie mitbringe, wage ich zu versprechen. Diesem Briefe lege ich einen von mir in der ›Neuen Freien Presse‹ vor zwei Jahren publizierten Leitartikel über die »Arbeitshilfe« bei. Nicht als merkwürdige schriftstellerische Leistung schicke ich ihn, sondern weil das Prinzip der Arbeitshilfe einer der vielen Pfeiler ist, auf denen mein Gebäude ruht.

Ich wußte, als ich hier vor zwei Jahren alle diese Anstalten studierte und darüber schrieb, nicht, daß mir das später für die Lösung der Judenfrage dienen würde. Dennoch müßte ich diesen Aufsatz meinem Vortrage vorausschicken. Ich bitte also, ihn vorläufig zur Kenntnis zu nehmen. Es wird ja daraus hervorgehen, daß ich kein Sozialdemokrat bin.

Es wird Ew. Durchlaucht ein leichtes sein, in Hamburg, Berlin oder Wien Erkundigungen einzuholen, ob ich bisher als vernünftiger Mensch galt und ob man mich könne ins Zimmer kommen lassen – bien que ça n'engagerait pas l'avenir. Aber wie ich mir den Fürsten Bismarck vorstelle, brauchen Sie gar keine Erkundigungen mehr, nachdem Sie diesen Brief zu Ende gelesen haben. Wer so in den Gesichtern, in den Eingeweiden der Menschen liest, der versteht auch das Innere einer Schrift. Nur der Mann, der mit seiner eisernen Nadel das zerrissene Deutschland so wunderbar zusammengenäht hat, daß es gar nicht mehr aussieht wie geflickt – nur der ist groß genug, mir endgültig zu sagen, ob mein Plan ein wirklich erlösender Gedanke ist oder eine scharfsinnige Phantasie.

Ist es ein Roman, so genoß ich die Gunst, Ew. Durchlaucht ein wenig zerstreuen zu dürfen, und stillte dabei meine alte Sehnsucht, mit Ihnen einen Augenblick zu verkehren – eine Sehnsucht, die ich ohne eine so bedeutende Veranlassung nie zu äußern gewagt hätte. Ist es aber wahr, habe ich aber recht, so gehört der Tag, an dem ich nach Friedrichsruh komme, in die Geschichte. Wer will es noch wagen, meinen Plan einen hübschen Traum zu nennen, nachdem der größte lebende Staatskünstler seinen Stempel darauf gedrückt hat? Und für Sie, Durchlaucht, ist es die mit allen stolzen Werken Ihres ruhmvollen Lebens in sittlichem, nationalem und politischem Einklange stehende Beteiligung an der Lösung einer Frage, die, über die Juden weit hinaus, Europa quält.

Die Judenfrage ist ein verschlepptes Stück Mittelalter, mit dem die Kulturvölker auf andere als die von mir geplante Weise auch beim besten Willen nicht fertig werden können. Man hat es mit der Emanzipation versucht, sie kam zu spät. Es nützt nichts, plötzlich im Reichsgesetzblatt zu erklären: »Von morgen ab sind alle Menschen gleich.«

Dergleichen glauben nur die Politiker auf der Bierbank und ihre höheren Kollegen, die Kathederschwätzer, die Klubfaselhänse. Und es fehlt den letzteren sogar das Beste jener minder gelehrten Übungen, nämlich das Bier!

Hätte man die Juden nicht lieber allmählich zur Emanzipation aufsteigen lassen und bei diesem Aufstieg sanft oder energisch, je nachdem, assimilieren sollen? Vielleicht! Wie? Man hätte sie durch die Mischehe hindurchsieben können und für einen christlichen Nachwuchs sorgen. Aber man mußte die Emanzipation hinter die Assimilation setzen, nicht davor. Das war falsch gedacht. Jedenfalls ist es auch dafür zu spät.

Drängen Sie die Juden gewaltsam zum Lande hinaus, und Sie haben die schwersten wirtschaftlichen Erschütterungen. Ja, selbst eine Revolution, ausschließlich gegen die Juden gerichtet – wenn so etwas denkbar wäre –, brächte den unteren Schichten auch beim Gelingen keine Erleichterung. Das bewegliche Kapital ist unfaßbarer als je geworden. Es versinkt augenblicklich spurlos im Boden, und zwar in der Erde fremder Länder.

Ich will aber nicht von Dingen reden, die unmöglich, zu spät, sondern die an der Zeit sind. Höchstens ist es noch zu früh – denn an das Romanhafte meiner Ideen glaube ich nicht, bevor ich es aus Ihrem Munde höre.

Ist mein Plan nur verfrüht, so stelle ich ihn der deutschen Regierung zur Verfügung. Man wird ihn benutzen, wann man es für gut findet.

Nun muß ich, als ein Planmacher, mit allen Eventualitäten rechnen. Auch auf die, daß Ew. Durchlaucht mir gar nicht antworten oder meinen Besuch ablehnen.

Dann ist mein Plan ein Roman. Denn klarer als ich in diesem Briefe die Berechtigung des Wunsches, Ew. Durchlaucht meine Lösung vorzutragen, nachgewiesen habe – klarer kann ich auch die Möglichkeit der Lösung selbst nicht nachweisen. Dann bin ich auch beruhigt. Dann habe ich einfach geträumt, wie die Utopisten, vom Kanzler Thomas Morus angefangen bis Bellamy.

Ich bitte Ew. Durchlaucht, die Versicherung meiner tiefen Ehrfurcht und Bewunderung entgegenzunehmen.

Dr. Theodor Herzl
Pariser Korrespondent
der Neuen Freien Presse

Wilhelm Conrad Röntgen (Lennep 1845 bis 1923 München) an Ludwig Zehnder

Dem langjährigen Assistenten gibt der damalige Würzburger Physiker auf dessen Glückwunsch und gleichzeitige Bitte um Überlassung seiner Originalapparate den ersten zusammenfassenden Bericht aus den Tagen vor und nach der umwälzenden Entdeckung. In der Sitzung der Physikalisch-medizinischen Gesellschaft vom 23. Januar 1896 hatte Röntgen auf Hittorf u. a. als Wegbereiter verwiesen und im übrigen vom Zufall gesprochen. Wenn dieser Brief uns auch die näheren Umstände nicht erhellt, so ist er doch ein schöner Beleg für die Bescheidenheit des großen Forschers wie für das sofortige Verständnis der Mitwelt, die in Erkenntnis der weittragenden Ergebnisse durch den Anatomen von Kölliker die Umbenennung der X-Strahlen auf den Namen Röntgens forderte und für Deutschland durchsetzte.

> Physikalisches Institut der Universität Würzburg
> Würzburg, Samstag abend [Erste Hälfte 1896]

Lieber Zehnder!

Die guten Freunde kommen zuletzt: es geht nicht anders. Sie sind aber der erste, der Antwort erhält. Haben Sie vielen Dank für alles, was Sie mir schrieben. Von Ihren Spekulationen über die Natur der X-Strahlen kann ich noch nichts gebrauchen, da es mir nicht zulässig oder günstig erscheint, eine der Natur nach unbekannte Erscheinung durch eine mir nicht völlig einwurfsfreie Hypothese erklären zu wollen. Welcher Natur die Strahlen sind, ist mir ganz unklar, und ob es wirklich longitudinale Lichtstrahlen sind, kommt für mich erst in zweiter Linie in Betracht. Die Tatsachen sind die Hauptsache. In dieser Beziehung hat auch meine Arbeit von vielen Seiten Anerkennung gefunden. Boltzmann, Warburg, Kohlrausch (und nicht am wenigsten), Lord Kelvin, Stokes, Poincaré u. a. haben mir ihre Freude über den Fund und ihre Anerkennung ausgesprochen. Das ist mir viel wert, und ich lasse die Neidhämmel ruhig schwätzen: das ist mir ganz gleichgültig.

Ich hatte von meiner Arbeit niemand etwas gesagt; meiner Frau teilte ich nur mit, daß ich etwas mache, von dem die Leute, wenn sie es erfahren, sagen würden: »Der Röntgen ist wohl verrückt geworden.« Am 1. Januar verschickte ich die Separatabzüge, und nun ging der Teufel los! Die Wiener Presse blies zuerst in die Reklametrompete, und die andern folgten. Mir war nach einigen Tagen die Sache verekelt; ich kannte aus den Berichten meine eigene Arbeit nicht wieder. Das Photographieren war mir Mittel zum Zweck, und nun wurde daraus die Hauptsache gemacht. Allmählich habe ich mich an den

Rummel gewöhnt; aber Zeit hat der Sturm gekostet: gerade vier volle Wochen bin ich nicht zu einem Versuch gekommen. Andere Leute konnten arbeiten, nur ich nicht. – Sie haben keinen Begriff davon, wie es hergegangen ist.

Beiliegend schicke ich Ihnen die versprochenen Photographien. Wenn Sie sie im Vortrag zeigen wollen, so ist es mir recht; doch empfehle ich Ihnen, sie unter Glas und Rahmen zu bringen, sonst werden sie gestohlen!! Ich denke, Sie finden sich mit Hilfe der Bemerkungen wohl zurecht; sonst schreiben Sie. Ich gebrauche einen großen Ruhmkorff, 50 : 20 cm, mit Deprezunterbrecher und zirka 20 A Primärstrom. Mein Apparat, der an der Rapsschen Pumpe sitzen bleibt, braucht einige Tage zum Auspumpen; beste Wirkung, wenn die Funkstrecke eines parallel geschalteten Entladers zirka 3 cm beträgt.

Mit der Zeit werden alle Apparate (mit Ausnahme von einem) durchschlagen. Jede Art, Kathodenstrahlen zu erzeugen, führt zum Ziel, also auch mit Glühlampen nach Tesla und mit elektrodenlosen Röhren. Zum Photographieren brauche ich je nachdem 3 bis 10 Minuten.

Zu Ihrem Vortrag schicke ich Ihnen die Magnetdose, die Holzrolle, den Gewichtsatz und das Zinkblech sowie eine sehr schöne, aus Zürich von Pernet erhaltene Photographie einer Hand. Bitte aber diese Sachen baldmöglichst versichert zurückzuschicken. Haben Sie einen größeren Schirm mit Platinbaryumzyanür?

> Mit bestem Gruß von Haus zu Haus
> Ihr Röntgen

Theodor Fontane (Neuruppin 1819 bis 1898 Berlin)
an Georg Friedländer in Schmiedeberg

Seiner Tochter Mete, der er so gern mit Offenheiten über sich selbst aufwartete, hat er einmal rundheraus bekannt, er habe sich nie für einen großen Kritiker gehalten und wisse, daß er hinter manch anderem zurückstehe: »aber doch muß ich für natürliche Menschen mit meinen Schreibereien ein wahres Labsal gewesen sein, weil jeder die Antwort auf die Frage weiß oder schwarz, Gold oder Blech daraus ersehen konnte; ich hatte eine klare, bestimmte Meinung und sprach sie mutig aus. Diesen Mut habe ich wenigstens immer gehabt.« Es gibt keine schlagendere Bestätigung für die Richtigkeit dieser Selbstcharakteristik als das nachfolgende Schreiben, darin mit einer bis zur Hellseherei sich steigernden Scharfsichtigkeit und mehr als ein Jahrzehnt

vor dem Ende des Kaiserreichs das tragische Menetekel des Wilhelminischen Zeitalters gesehen und in noch nicht hundert Zeilen unvergeßlich einprägsam gedeutet
wird. Daß auch er den Träumen von einer »Demütigung Englands« erlag und von
der Vormacht Deutschlands schwärmte, ohne den Argwohn des übrigen Europas zu
bemerken, gehört zu der Tragik der damaligen öffentlichen Meinung. »Reden aus
hohem Munde« bezieht sich insbesondere auf die vielbesprochene Tischrede Wilhelms II. vom 26. Februar 1897.[1]

Berlin 5. April [18]97
Potsdamerstraße 134.c

Hochgeehrter Herr.

Erschrecken Sie nicht. Daß ich Ihnen beinah umgehend für
Ihren lieben Brief vom 2. danke, hat ganz egoistischerweise
seinen Grund darin, daß ich Schreibezeit habe, während sie
sonst so häufig fehlt. Ich bin seit beinah 4 Wochen zu meinem
größten Leidwesen arbeitsunfähig und dadurch in der ange-
nehmen Lage – vielleicht angenehmer für mich als für andre –
freundliche Briefe mit schrecklicher Promptheit beantworten
zu können. Ich erobere mir dadurch auch Arbeitsmuße für die
gesunden Tage, die hoffentlich bald kommen. Nehmen Sie
diese Bekenntnisse einer schönen Seele freundlich auf.

Ihr Brief, wie immer, ist reich an Stoff; das Hirschberger Tal
bewahrt seinen alten Ruhm oder vielleicht ist es auch nur der
Wächter auf dem Turm, der Lug ins Land-Mann, dem der
Ruhm gebührt. Er sieht das, was die andern nicht sehn.

Sie klopfen an wegen der Reden aus hohem Munde, drin so
viel gesagt und noch mehr verschwiegen wird. Ich komme,
wenn ich dergleichen in meiner guten Vossin lese, jedesmal
ganz außer mir, während ich mich doch von Illoyalität frei
weiß und für vieles, was an »oberster Stelle« beliebt wird, nicht
bloß ein Verständnis, sondern auch eine Dankbarkeit habe.
Was mir an dem Kaiser gefällt, ist der totale Bruch mit dem
Alten, und was mir an dem Kaiser *nicht* gefällt, ist das im Widerspruch dazu stehende Wiederherstellenwollen des Uralten.
In gewissem Sinne befreit er uns von den öden Formen und
Erscheinungen des alten Preußentums, er bricht mit der Rup-
pigkeit, der Poplichkeit, der spießbürgerlichen Sechsdreier-

[1] Die Rede wurde bei dem Festmahl des brandenburgischen Provinziallandtages
gehalten. Der Kaiser nannte seinen Großvater »Wilhelm den Großen«, demgegen-
über man mit allen Mitteln den Umsturz zu verhindern habe. In der gleichen Rede
nannte Wilhelm II. die Ratgeber seines Großvaters »Werkzeuge seines erhabenen
Wollens« – eine Formulierung, von der noch schlimmere Versionen überliefert sind
und die ihm weithin Kritik eintrug. (Vgl. ›Die Reden Kaiser Wilhelms II.‹ hrsg.
von J. Penzler II, 1904, S. 38).

wirtschaft der 1813er Epoche, er läßt sich, aufs Große und Kleine hin angesehn, neue Hosen machen, statt die alten auszuflicken. Er ist ganz unkleinlich, forsch und hat ein volles Einsehen davon, daß ein Deutscher Kaiser was andres ist als ein Markgraf von Brandenburg. Er hat eine Million Soldaten und will auch hundert Panzerschiffe haben; er träumt (und ich will ihm diesen Traum hoch anrechnen) von einer Demütigung Englands. Deutschland soll obenan sein, in all und jedem. Das alles – ob es klug und ausführbar ist, laß ich dahingestellt sein – berührt mich sympathisch, und ich wollte ihm auf seinem Turmseilwege willig folgen, wenn ich sähe, daß er die richtige Kreide unter den Füßen und die richtige Balancierstange in Händen hätte. Das hat er aber nicht. Er will, wenn nicht das Unmögliche, so doch das Höchstgefährliche, mit falscher Ausrüstung, mit unausreichenden Mitteln. Er glaubt das Neue mit ganz Altem besorgen zu können, er will Modernes aufrichten mit Rumpelkammerwaffen; er sorgt für neuen Most, und weil er selber den alten Schläuchen nicht mehr traut, umwickelt er eben diese Schläuche mit immer dickerem Bindfaden und denkt: »nun wird es halten«. Es wird aber *nicht* halten. Wer sich neue weite Ziele steckt, darf sein Feuerschloßgewehr nicht bloß in ein Percussionsgewehr umwandeln lassen, der muß ganz neue Präcisionswaffen erfinden, sonst knallt er vergeblich drauf los. Was der Kaiser mutmaßlich vorhat, ist mit »Waffen« überhaupt nicht zu leisten; alle militärischen Anstrengungen kommen mir vor, als ob man Anno 1400 alle Kraft darauf gerichtet hätte, die Ritterrüstung kugelsicher zu machen, – statt dessen kam man aber schließlich auf den einzig richtigen Ausweg, die Rüstung ganz fortzuwerfen. Es ist unausbleiblich, daß sich das wiederholt; die Rüstung muß fort und ganz andre Kräfte müssen an die Stelle treten: Geld, Klugheit, Begeisterung. Kann sich der Kaiser dieser Dreiheit versichern, so kann er mit seinen 50 Millionen Deutschen jeden Kampf aufnehmen; durch Grenadierblechmützen, Medaillen, Fahnenbänder und armen Landadel, der seinem »Markgrafen durch dick und dünn folgt«, wird er es aber *nicht* erreichen. Nur Volkshingebung kann die Wundertaten tun, auf die er aus ist; aber um diese Hingebung lebendig zu machen, dazu müßte er die Wurst gerade vom entgegengesetzten Ende anschneiden. Preußen – und mittelbar ganz Deutschland – krankt an unsren Ost-Elbiern. Über unsren Adel muß hinweggegangen werden; man kann ihn besuchen wie das ägyptische Museum und sich vor

Ramses und Amenophis verneigen, aber das Land *ihm* zu Liebe regieren, in dem Wahn: *dieser Adel sei das Land*, – das ist unser Unglück, und so lange dieser Zustand fortbesteht, ist an eine Fortentwicklung deutscher Macht und deutschen Ansehns nach außen hin gar nicht zu denken. Worin unser Kaiser die *Säule* sicht, das sind nur *tönerne Füße*. Wir brauchen einen ganz andren Unterbau. Vor diesem erschrickt man; aber wer nicht wagt, nicht gewinnt. Daß Staaten an einer kühnen Umformung, die die Zeit forderte, zu Grunde gegangen wären, – *dieser* Fall ist sehr selten. Ich wüßte keinen zu nennen. Aber das Umgekehrte zeigt sich hundertfältig.

1. Rainer Maria Rilke (Prag 1875 bis 1926 Valmont [Schweiz]) an Leonid Pasternak

Der Maler Leonid Pasternak (dessen liebenswürdige Erscheinung in dem Porträt fortlebt, das wir Lovis Corinth verdanken) hat diesen Brief Rilkes aus Moskau durch ein Bild erwidert, das er von dem russischen Rilke malte. Das Echo auf Brief und Begegnung hat nach Jahrzehnten sein Sohn Boris, der Dichter des ›Doktor Schiwago‹, in seinem autobiographischen ›Geleitbrief‹ aufgefangen und diesen Versuch eines dichterischen Selbstbildnisses dem Gedächtnis Rainer Maria Rilkes gewidmet.

Schmargendorf bei Berlin,
Villa Waldfrieden, am 5. Februar 1900

Sehr verehrter Herr Professor,

immer schon wollte ich Ihnen schreiben, ich verschob es, um Ihnen gleichzeitig mein neues Buch[1] mitsenden zu können, welches heute als Drucksache abgeht und hoffentlich ohne Anstand die Grenze passiert und in Ihre Hände gelangt. Es ist ein Buch mit Versen, zu welchem Heinrich Vogeler, Worpswede (dessen Namen Sie vielleicht kennen), Buchschmuck gezeichnet hat. Vielleicht kann es Ihnen sympathisch sein.

Nun muß ich Ihnen zunächst erzählen, daß Rußland mir, wie ich es Ihnen auch vorausgesagt habe, mehr als flüchtiges Ereignis war, – daß ich seit August vorigen Jahres fast ausschließlich damit beschäftigt bin, russische Geschichte, Kunst, Kultur und nicht zu vergessen: Ihre schöne, unvergleichliche Sprache zu studieren; wenn ich auch nicht sprechen kann, lese ich doch ziemlich mühelos Ihre großen (Ihre so großen –) Dichter! Auch verstehe ich das meiste, was man sagt. Und was für eine Freude ist es, Lermontowsche Verse oder Tolstojs Prosa im Original zu lesen. Wie genieße ich das! Das nächste Resultat dieser Studien ist, daß ich mich ungemein nach Moskau sehne, und wenn nichts Besonderes passiert, bin ich auch am 1. russ. April bei Ihnen, um diesmal länger, als ein Eingeweihter und Wissender, in Ihrem Kreise zu verweilen. Ich will vieles von Rußland schreiben, und wenn ich es bis jetzt nicht getan habe, so geschah es, weil ich mich gründlich dafür vorbereiten wollte und empfand, daß nur ein ganz tiefes Eindringen es möglich macht, diesen Stoff in all seiner Bedeutung darzustellen. – Mit den Wiener Sezessionisten war zunächst auch nichts anzufangen: Dr. Zweybrück trat zurück, und dann wechselte alle Monate

---

[1] ›Mir zur Feier‹. Gedichte. Berlin 1899.

die Redaktion. Auf meinen Vorschlag, ein russisches Heft zu veranstalten, ging man zwar begeistert ein, gab aber so ungenaue Zusicherungen, daß ich nichts beginnen konnte. Und ab 1900 soll ›Ver Sacrum‹ gar nur für die Mitglieder der Gesellschaft bildender Künstler erscheinen. Trotzdem stehen mir jetzt für meine russische Reise andere Organe offen, in denen ich viel von Rußland, das ich wirklich wie eine Heimat liebe, erzählen werde, und auch mit ›Ver Sacrum‹ wird noch etwas zu machen sein, bis die Verhältnisse sich einigermaßen geklärt haben! Ich hätte schon so gerne etwas veranstaltet, aber es ist wichtig, nichts zu überstürzen, wenn man das Fremde hier günstig einführen will. Wie freue ich mich darauf, Sie wiederzusehen. Ohne die Hast meines letzten Dortseins ... Diesmal reise ich wohl auch in die Krim und nach Kiew ... Ich fühle mich angesichts dieser Zukunft wie ein Kind vor Weihnachten. Wie geht es Ihnen, verehrter Professor? Bitte, schreiben Sie mir ein paar Zeilen, – es darf nur Russisch sein! Ob mein Buch ankommt und sonst etwas, – ob Sie noch meiner sich erinnern? Ich tue es oft und gern und mit Dankbarkeit! Dem Prinzen[1] wird – hör ich – ein schönes neues Atelier gebaut ... sagen Sie ihm viele Empfehlungen und daß ich auch ihm gerne mein Buch geschickt hätte, wenn ich nicht wüßte, daß er Deutsch nicht liest! Ich freue mich auf eine Nachricht von Ihnen, verehrtester Herr Professor, und schreibe Ihnen bald wieder, wenn Sie erlauben. Und bitte, schreiben Sie Russisch!

In aufrichtiger Verehrung
Ihr Rainer Maria Rilke

[1] Der Bildhauer Prinz Trubezkoj.

2. Rainer Maria Rilke (Prag 1875 bis 1926 Valmont [Schweiz]) an Gustav Pauli

Mit Erzählungen und Gedichten war der junge Dichter hervorgetreten und hatte nun bei Worpswede in seiner Ehe mit Clara Westhoff einen ersten Ankergrund gefunden, der ihm das »Bauen am Unsichtbaren« ermöglichen sollte. Da mußte der Vater den Zuschuß aufsagen, was die Überlegungen dieses Schreibens heraufbeschwor. Pauli, zu dieser Zeit Direktor der Bremer Kunsthalle, konnte damals helfen, indem auf seine Veranlassung Rilke den Künstlerband über die Worpsweder Maler übertragen erhielt.

Westerwede bei Bremen, den 8. Januar 1902

Mein verehrter Herr Doktor,

die Probe von heute ist abgesagt: da ich mich nicht in die Notwendigkeit finden will, Sie heute nicht zu sehen, schreibe ich Ihnen einige Worte über gewisse Punkte, die ich heute mit Ihnen besprechen wollte.

Wir erhielten gestern, unter Berufung auf Sie, einen Brief von einer Dame, Frau H. P., welche ihre junge Tochter meiner Frau zum Unterricht im Aktzeichnen anvertrauen will; sie fragt nach dem Beginn der Schule, den Bedingungen usw.

Damit ist die Sache von der beabsichtigten Schule wieder in den Vordergrund gerückt: meine Frau wäre, was ihre Gesundheit betrifft, wohl imstande, vom Februar an nach Bremen zu fahren, allein der Umstand, daß sie selbst unsere Kleine, die mit einem unglaublichen Hunger zur Welt gekommen ist, nährt, steht diesem Plan energisch im Wege. Dies habe ich damals bei unserer Vorbesprechung zu erwägen vergessen: Das Nähren des Kindes dauert bis in den August hinein voraussichtlich, und so lange ist meine Frau sehr an unser Haus gebunden. Deshalb haben wir vor, Sie zu fragen, ob es nicht am besten wäre, jene geplante Schule (falls wir das Atelier in der Kunsthalle wirklich benützen dürfen) ganz sicher im Herbst 1902 zur üblichen Zeit zu eröffnen und bis dahin (d. h. etwa vom März oder April ab) Schülerinnen hier draußen anzunehmen. Vielleicht könnte man das zunächst durch Rundschreiben verbreiten, in denen man bereits auf die Begründung jener Kurse im Herbst hinweist und zunächst nur kurz und vorbereitend die Absicht jenes bevorstehenden Unternehmens, auf welches man seinerzeit in ausführlicheren Einladungen zurückkommen müßte, mit der momentanen Aufforderung verbindet.

Wir wollen jenen Brief von Frau P. bereits in diesem Sinne beantworten und sagen, daß meine Frau vom Frühling bis Oktober 1902 einzelne Schülerinnen hier in Westerwede annimmt und von Oktober an die geplanten Kurse in Bremen leiten wird. Falls Sie mir zu den Rundschreiben raten, würde ich Ihnen dieselben gleich zur Ansicht vorlegen und sie dann ehestens versenden.

Und wie wir Ihre liebenswürdige Hilfe in dieser Sache bereits wie etwas Selbstverständliches in Anspruch nehmen, so sei es mir im Anschlusse daran auch verstattet, von einer Angelegenheit zu reden, von der meine liebe Frau teilweise Kenntnis hat, obwohl ihre ganze Schwere und Gewichtigkeit nur mir in meinen einsamen, schlaflosen Nächten zum Bewußtsein kommt.

Mitte 1902 verliere ich durch Familienumstände einen Zuschuß von zu Hause, der nicht groß ist, von dem wir aber doch vorzüglich gelebt haben und (unter mancherlei Sorgen) leben. Was dann werden soll, weiß ich nicht. Seit Wochen habe ich keine einzige Minute der Sammlung unter dem Einfluß dieser neuen überlebensgroßen Angst. Zuerst hoffte ich noch immer, etwas übernehmen zu können, was mir ermöglicht, hier draußen bei meinen Lieben zu bleiben, in dem kaum gegründeten stillen Heim, dessen Stille für meine Arbeit auszunutzen mir nicht gelingen soll. Das Interesse eines Verlegers, der mir ein Jahr stille Arbeit ermöglicht hätte, würde genügt haben, mir die Möglichkeit zu jenen Fortschritten zu bieten, von denen ich weiß, daß ich sie jetzt machen könnte, wenn meine Kräfte gesammelt und meine Sinne in der stillen Welt, die sich mit dem lieben Kinde so wunderschön geschlossen hat, bleiben dürften. Mir war die Heirat, die vom üblichen Standpunkt ein großer Leichtsinn war, eine Notwendigkeit. Meine mit dem zeitlichen Leben so wenig zusammenhängende Welt war in der Junggesellenstube allen Winden preisgegeben, unumschützt, und bedurfte zu ihrer Entwicklung des stillen eigenen Hauses unter den weiten Himmeln der Einsamkeit. Auch las ich bei Michelet, daß das Leben zu zweien einfacher und billiger sei als das von allen Seiten betrogene Dasein und die ausgenützte Existenz des Einzelnen – und glaubte dem lieben Kinde Michelet seinen Glauben gerne nach . . .

Es ist ein Schicksal von großer Grausamkeit, daß ich jetzt, wo alle Bedingungen mich umgeben, die meiner Kunst erwünscht und notwendig waren wie Brot, – wahrscheinlich alles im Stiche lassen muß (denn welcher Ausweg bleibt mir noch!), um von allen Lieben zu allem Fremden fortzugehen. Ich suche mich täglich an den Gedanken des baldigen Fortgehens von allem zu gewöhnen, indem ich ihn allabendlich in immer stärkeren Dosen einnehme. Aber wohin? Welche Arbeit zu tun bin ich fähig? Wo kann man mich brauchen und mich *so* brauchen, daß man mir nicht das zerstört, was doch schließlich mein Leben, meine Aufgabe, ja meine Pflicht bleibt und bleiben *muß*! Mein Vater, in seiner fernen Güte, will mir einen Beamtenposten verschaffen an einer Bank in Prag, – das aber heißt alles aufgeben, ein Ende machen, verzichten, in Verhältnisse zurückkehren, vor deren Nähe ich schon als Knabe angstvoll geflohen bin. Allein seelisch ist das eine solche Resignation, ein Frost, in dem alles sterben müßte. Das ahnt mein guter Vater, der immer Beamter war, nicht und glaubt überhaupt, daß neben einer Kunst wie der meinen jede Beschäftigung Raum hat. Wenn es sich um einen Maler handelte, würde er einsehen, daß eine solche Anstellung die Zerstörung seiner Kunst bedeutete, – meine Tätigkeit könnte ich (so meinte er) immer noch in einigen Abendstunden genügend erfüllen. Und dabei muß gerade ich, der nicht zuviel Kräfte zur Verfügung hat, aus Einheitlichkeit und Versammlung leben und jede Abhaltung und Spaltung vermeiden, welche die Richtung der Resultierenden in dem Kräfteparallelogramm ablenkt, – wenn ich meine (den anderen, auch meinem Vater, so wenig erklärbaren) Ziele erreichen will. Und daß ich das will und es will, obwohl diese Ziele groß sind, ist nicht Hoffart und zeitliche Eitelkeit, die ich mir wähle; wie eine Aufgabe liegt es auf mir, wie ein Auftrag – und in jedem, was mir gelingt, bin ich mehr als irgend jemand der willige und demütige Vollzieher erhabener Befehle, dessen Wappendevise in seinen größten Stunden ›ich dien‹ lauten darf. Und schließlich wäre es doch auch unverantwortlich, im Augenblick, da die Notwendigkeit eines eigenen Verdienstes nahe und energisch an mich herantritt, den Weg zu verlassen, den ich seit Knabenjahren, eigenen Trieben und Sehnsüchten horchend, gegangen bin und die behauenen Bausteine eines Lebens, die nur die Spuren meines Meißels tragen, auf dem alten Bauplatz liegen zu lassen, – um nebenan mit Fabrikziegeln an einem fremden gleichgültigen Hause herzlos mitzubauen, im Tagelohn eines kleinen Mannes.

Hieße das nicht aus dem eigenen Kahn springen, der vielleicht nach einigen starken Ruderschlägen (wenn ich die tun darf) an eigenes Land stößt, und auf einem großen Dampfschiff in Hunderten verloren, weiterfahren, zu einem Gemeinplatz, gleichgültig und banal wie ein Kaffeehausgarten am Sonntagnachmittag?

Ich möchte eher verhungern mit den Meinen, als diesen Schritt tun, der wie ein Tod ist ohne die Größe des Todes.

Handelt es sich nicht vielmehr darum, aus dem, was ich bisher getan, praktische Konsequenzen zu ziehen, einer dichterischen Kunst ein schriftstellerisches Kunstgewerbe zu schaffen, das seinen Mann ernährt? Dieses schriftstellerische Kunstgewerbe *könnte* der Journalismus sein, ist es aber nicht. Die Wege zu ihm sind mir durch meine eigene Abneigung verschlossen oder doch sehr erschwert. Aber es muß noch andere Punkte geben, an denen meine ehrliche Kraft ansetzen kann; freilich, ich bin der letzte, diese Punkte zu finden – ich weiß nicht einmal, wen ich nach solchen Punkten fragen könnte . . .

Wenn sich nicht irgend etwas bietet (eine Mitarbeiterschaft regelmäßiger Art) oder dergleichen, so muß ich wohl im Laufe dieses Jahres fort von Westerwede, und ich denke, ob nicht in Bremen, wo ich als ein Fremder so liebe und vertrauensvolle Aufnahme gefunden habe, irgendeine Stelle wäre, an der ich mich brauchbar erweisen könnte. Macht die Erweiterung der Kunsthalle keine Ergänzung des Personals notwendig, oder ist nicht sonst irgendeine Sammlung oder eine Anstalt, an der ich arbeiten könnte? Mein Doktorat hab ich nicht gemacht, und jetzt ist kein Geld da, um weiter zu studieren; ich glaube, daß mir dieser Titel (den ich wie alle Titel gerne vermieden habe) in diesem Augenblick doch nicht helfen könnte! Wenn es mir gelänge, jährlich eine Reihe von Vorträgen zu halten, und meine Frau die Schule übernähme, vielleicht wäre es dann ja möglich, die ersten schlimmsten Jahre zu überstehen, indem jeder von seinem Verdienst leben könnte. Bei den billigen Bedingungen unseres Bauernhauses und den geringen Bedürfnissen, die wir beide haben, genügte uns zusammen ein Einkommen von etwa 250 Mark monatlich, so daß jeder etwa 125 Mark erwerben müßte.

Sollte das nicht irgendwie möglich sein?

Wenn wir so, ohne unsere eigene Arbeit zu stören, ein Jahr überdauern könnten, ich bin überzeugt, diese Arbeit selbst erstärkte in diesem Jahre dazu, uns auf die Schultern zu nehmen und uns weiterzutragen. – Aber wenn Sie meinen, daß es so auf keine Weise einzurichten sei, darf ich Sie nicht bitten, mir für irgendeine Stadt, in der Sie Verbindungen haben, sei es München oder Dresden oder sonst eine, einen Rat oder ein gutes Wort zu geben, das ich benutzen kann, wenn die Zeit gekommen ist?

Verzeihen Sie, daß ich Ihnen diesen anspruchsvollen Brief schreibe. Seit dem Herbst sind alle meine Tage und Nächte ein fortwährender ängstlicher Kampf mit dem Morgen, und es kommt mir Ihrer Güte gegenüber wie eine Unaufrichtigkeit vor, Ihnen einen Umstand zu verschweigen, den eigentlich jeder wissen muß, der mir wohl will. Und ich weiß, daß Sie das wollen, verehrter und lieber Herr Doktor.

Sollten Ihnen meine Eröffnungen zur Last fallen, so nehmen Sie weiter keine Notiz davon, ohne mir deshalb Ihre freundliche

Gesinnung zu nehmen; ich weiß, daß es eine Rücksichtslosigkeit ist, jemanden vor Torschluß so gewaltsam ins Vertrauen zu ziehen, aber ich bin an dem Punkte, wo ich glaube einmal rücksichtslos sein zu dürfen gegen Menschen, denen ich vertraue: wie man wohl mit brennenden Kleidern oder wenn jemand im Sterben liegt, den Freund weckt, an dessen Schlaf man sonst niemals zu rühren gewagt hätte.

Meine Frau weiß von diesem Brief nur den ersten, ihren Kursus betreffenden Teil – alles übrige ruht auf mir allein, und ich hoffe, ich kann es einen Tag und noch einen Tag weitertragen, bis zu irgendeiner Lösung, – zu der Sie vielleicht einmal helfen können Ihrem herzlich und verehrungsvoll ergebenen

Rainer Maria Rilke

3. Stefan George (Büdesheim 1868 bis 1933 Minusio [Schweiz]) an Hugo von Hofmannsthal

Spiegelt der spätere Briefwechsel zwischen dem Dichter Hugo von Hofmannsthal und dem Komponisten Richard Strauß das Wachsen eines gemeinsamen künstlerischen Werkes, das durch seine Vollendung neue Maßstäbe setzen sollte, so zeigen die wenigen Briefzettel, die zwischen George und Hofmannsthal wie die Geschosse zweier Duellanten hin- und herfliegen, das Scheitern einer menschlichen und geistigen Beziehung. Zwei Möglichkeiten menschlicher Haltung überhaupt und ihre tragische Unvereinbarkeit zeichnen sich hinter den scheinbar sachlich-literarischen Erörterungen ab. Als der dreiundzwanzigjährige Stefan George den noch nicht achtzehnjährigen Gymnasiasten Hofmannsthal im Winter des Jahres 1891 in Wien traf, glaubte er nach seinen Irrfahrten und langem Suchen den Menschen gefunden zu haben, der ihm »neue Triebe und Hoffnungen geben und im Weg, der schnurgrad zum Nichts führt«, aufhalten könnte. Hofmannsthal erwiderte ihm in dem Gedicht ›Einem Vorübergehenden‹:

Du hast mich an dinge gemahnet
Die heimlich in mir sind.
Du warst für die saiten der seele
Der nächtliche flüsternde wind.

Aber er erschrak gleichzeitig vor den ungestümen hochmütigen Forderungen, die der Dichter des ›Algabal‹ an ihn stellte, und entzog sich wieder seinem Einfluß. Wie tief sie sich auch aufeinander angewiesen fühlten, sie wußten sich durch ihr Anderssein geschieden. George war erschüttert und so verletzt, daß Hofmannsthals Vater den Konflikt zwischen dem herrischen Dichter und dem erschreckten Knaben beschwichtigen mußte. Danach war, trotz Hofmannsthals Mitarbeit an Georges ›Blättern für die Kunst‹, keine engere menschliche oder künstlerische Bindung mehr möglich, und es konnte nicht zu jener »in unserem Schrifttum sehr heilsamen Diktatur« kommen, von der die George nach Jahren noch spricht, als er auf einen Brief Hofmannsthals antwortet, in dem ihn dieser – nunmehr verheiratet – in sein Haus in Rodaun bei Wien eingeladen hatte.

lieber Hofmannsthal: Ihr brief voller freundlichkeiten wirkte
auf mich sehr woltätig · nur kann ich ihn nicht in der gleichen
weise beantworten nach einem jahrelangen nur zufällig oder
geschäftlich unterbrochenen schweigen. Wenn ich Ihnen heut
mit allem freundlichen erwidern will was ich über Sie denke so
bin ich nicht weltweise genug Ihnen zu verschweigen was ich
gegen Sie auf dem herzen habe – nicht als ob es weiterer erörterungen oder gar entschuldigungen bedürfte sondern weil auf-
richtigkeit es mir eingiebt . . . Seit unsrer ersten gemeinsamkeit
in den ›Blättern f. d. Kunst‹ empfand ich Sie mir eher ent-
gegenwirkend · bewusst oder unbewusst · wiewol es sich um
nichts handelte als um den eindeutigen kampf des guten wider
das anerkannt schlechte. im ganzen laufe erblickte ich Ihren
namen im bund mit beliebigen schreibmenschen · hingegen
trennte ihn eine auffällige scheu von dem meinen. trotz der
thatsache des zusammenstehens in den ›Blättern‹ und der dich-
terlichen einheit der bestrebung kamen mir bei manchen ge-
legenheiten von höchst erstaunten leuten Ihre eignen und eigen-
händigen verleugnungen zu ohr und gesicht. Ich sprach von
meinen plänen mit grösstmöglicher offenheit und empfing von
Ihnen auch da wo Sie zustimmten rückhaltung und ängstlich-
keit. Suchte ich über diesen oder jenen punkt mich mit Ihnen
persönlich auseinanderzusetzen so waren Sie stets der auswei-
chende sodass ich seit der gründung der Blätter 1892 ausser
jener zufälligen begegnung kürzlich in München niemals mit
Ihnen auch nur ein wort gewechselt habe · Ich war des festen
glaubens dass wir · Sie und ich · durch jahre in unsrem schrifttum eine sehr heilsame diktatur hätten üben können · dass es
dazu nicht kam dafür mach ich Sie allein verantwortlich. Ich
gebe zu dass die art wie ich manchmal von Ihnen aufklärung
verlangte · zu plötzlich war – gewiss war sie immer schmeichel-
haft und ehrend*. mich schmerzte es Sie mit soundsovielen
belanglosen menschen in der gleichen schlachtreihe zu sehen
(und nicht nur *ich* sah so) wobei Sie ohne zu wollen als etwas
geringeres sich hinstellten und angesehen wurden als Sie in
meinen augen waren . . . Heut ist dies nun alles leichter zu vergessen da unsre bestrebungen doch zu einem guten ende geführt wurden und eine jugend hinter uns kommt voll vertrauen
selbstzucht und glühendem schönheitswunsch . .

Damit kann ich zum erfreulichen unwandelbaren übergehen ·
was Sie mir als mensch bedeutet haben und noch bedeuten das

verriet Ihnen wol jede meiner bewegungen und äusserungen als wir zusammen waren · der eifer mit dem ich nach jeder gedruckten zeile von Ihnen greife offenbart meine grosse teilnahme und der tiefe eindruck den Ihre gedichte auf mich machten ist so sehr gleich geblieben dass ich es jedesmal als einen peinigenden verlust erachte wenn in unsren jährlichen dichterturneien der Blätter Ihre verse fehlen . . . Als etwas sehr liebes empfand ich Ihre einladung Sie in Ihrem heim bei Wien zu besuchen · ich lese daraus Ihr gefühl dass wir uns in kunst und dichtung schönes erspriessliches: einziges: zu sagen haben. dazu verknüpfen uns menschen aus dem Süden tiefe und fromme erinnerungen an Ihr land! doch Sie wissen auch dass Ihr besuch bei mir vorausgegangen sein muss! . . . Aber markten wir nicht und halten es so: wenn wir nach einiger zeit eines regeren brief-verkehrs eine gute grundlage geschaffen: so komm ich einmal zu Ihnen · wenn Ihnen der orts-wechsel schwer wird. mein leben ist vorläufig frei genug dass ich jederzeit gehen kann wohin ich will . .

 Auf neue nachrichten von Ihnen hoffend
 Ihr St. George

Mit D'Annunzio inzwischen erledigt · allen dank · ich wollte damals nur wissen ob der übersetzungs-wunsch wirklich von D'A. ausgegangen.

* Sicher sehen wir hierin grundverschieden: Dass es schlechtes schreibtum giebt · ist kein schaden · dass aber diese ansammlungen von schutt mit der anmaassung etwas zu sein (wie sie in den letzten jahren auftauchten) durch *eine* gute beihilfe den schein der berechtigung erwarben: das ist das auflösende schädliche!

4. Oskar von Miller (1855 München 1934) an Minister von Feilitzsch

Oskar von Miller, bahnbrechend in der Ausnutzung der Naturkräfte für die Entwicklung der elektrischen Krafttechnik und Schöpfer des Walchenseewerks, legt hier den Plan seiner größten Lebensleistung vor, der dann von Gelehrten und Technikern am 5. Mai einmütig gutgeheißen wurde: 1906 konnte der Grundstein zum Deutschen Museum gelegt, 1925, am 70. Geburtstag Millers, der Bau feierlich eingeweiht werden.

Euer Hochwohlgeboren!

Als Vorsitzender des Bayerischen Bezirksvereins Deutscher Ingenieure möchte ich mir erlauben, eine Idee in Anregung zu bringen, welche, im Falle ihr die maßgebenden Persönlichkeiten sympathisch gegenüberstehen, anläßlich des in München tagenden Ingenieur-Kongresses zur Verwirklichung gelangen könnte.

Es besteht wohl kaum ein Zweifel, daß die Industrie und die technischen Wissenschaften für die ganze Welt eine stets wachsende Bedeutung gewinnen und daß ihr Einfluß auf allen Kulturgebieten immer mehr und mehr zur Geltung kommt.

Es dürfte daher wohl zu erwägen sein, ob nicht wie für die Meisterwerke der Kunst und des Gewerbes auch für die Meisterwerke der Wissenschaft und Technik eine Sammlung in Deutschland angelegt werden sollte, wie dies bereits in Frankreich und England mit großem Erfolg im Museum des Arts et Métiers und im Kensington-Museum geschehen ist.

Es wäre gegenwärtig wohl noch möglich, viele Instrumente und Maschinen zu vereinigen, welche wichtige Wendepunkte in der Entwicklung der modernen Technik bezeichnen, bevor dieselben zerstreut, verdorben oder vergessen sind.

So könnten die ersten Instrumente von Fraunhofer und Steinheil, die ersten Telephonapparate von Reiß, die ersten Bogenlampen und Dynamomaschinen, die epochemachenden Versuchsapparate für elektrische Strahlen, die ersten Vervollkommnungen der Lokomotiven usw. in historisch bedeutungsvollen Exemplaren oder Modellen noch beschafft werden.

Eine systematisch geordnete Sammlung würde nicht allein ein interessantes und belehrendes Bild von der Entwicklung der Technik und den technischen Wissenschaften geben, sondern sie würde auch dazu beitragen, die kommenden Geschlechter zu begeistern, und ferner sicherlich dazu dienen, den Ruhm des deutschen Vaterlandes zu mehren.

Um dies zu erreichen, müßte sich allerdings ein derartiges Museum von den industriellen Ausstellungen gewöhnlicher Art in gleicher Art unterscheiden wie zum Beispiel das Nationalmuseum von einem Gewerbemuseum.

Die Oberleitung des Museums müßte einer unter staatlicher Mitwirkung und Aufsicht gebildeten Kommission überlassen werden, so daß sich diese Sammlung gleichzeitig zu einer Ruhmeshalle für die hervorragendsten Männer der Wissenschaft und Technik gestalten würde.

Es ist kein Zweifel, daß manche deutschen Städte solch eine Sammlung in ihren Mauern besitzen möchten; wenn irgend möglich, sollten aber doch diese wertvollen Erinnerungen an die technischen Großtaten für alle Zeiten in Bayern und in München verbleiben, um zu zeigen, daß auch Bayern seit jenen Zeiten, da die erste Bahn des Kontinents zwischen Fürth und Nürnberg verkehrte, da die ersten telegraphischen Versuche auf der Sternwarte in München stattfanden, mit in erster Linie unter den deutschen Staaten den Fortschritt in Handel und Industrie zu fördern wußte.

Ich glaube, daß die Verwirklichung dieser Idee in München nicht zu schwierig sein würde. Geeignete Räumlichkeiten wären zunächst wohl im alten Nationalmuseum oder Armee-Museum oder in der Augustinerkirche oder dergleichen erhältlich. Die Beschaffung der Ausstellungsgegenstände wäre im jetzigen Zeitpunkt kaum mit nennenswerten Kosten verknüpft, und für die Unterhaltung der Sammlung könnten die zunächst erforderlichen Mittel durch Beiträge von staatlichen und städtischen Körperschaften, von Vereinen und aus dem Kreise der Industriellen zur Verfügung gestellt werden.

Zur Sammlung von Ausstellungsgegenständen sowie zur Sicherung von Beiträgen für ein derartiges Museum würde der diesjährige Ingenieurkongreß in München eine günstige Gelegenheit bieten, und zwar vor allem dann, wenn zu dieser Zeit unter dem Allerhöchsten Protektorate Sr. Kgl. Hoheit des Prinzen Ludwig die bis dahin gesammelten Schätze zum ersten Mal gezeigt werden könnten.

Um die vorbereitenden Schritte zur Gründung eines solchen Museums, insbesondere den Entwurf einer Denkschrift, die Organisation eines etwa zu gründenden Vereins, die Bitte um Übernahme eines Allerhöchsten Protektorats usw. zunächst im engeren Kreise zu beraten, erlaube ich mir, an Ew. Hochwohlgeboren die ergebenste Bitte zu richten, zu einer Besprechung am Dienstag, dem 5. Mai *a. c.*, nachmittags vier Uhr in dem gütigst zur Verfügung gestellten Sitzungssaale der Königlichen Obersten Baubehörde, Theatinerstraße 21, gefälligst erscheinen zu wollen.

Mit der Versicherung vorzüglicher Hochachtung zeichnet ergebenst

Oskar von Miller,
Vorsitzender des Bayer. Bez.-Vereins
Deutscher Ingenieure

5. Franz Kafka (Prag 1883 bis 1924 Kierling bei Wien) an Oskar Pollak

Die abgründige Erzählung ›Die Verwandlung‹ (1916) hatte bereits aufhorchen lassen, aber erst die posthum veröffentlichten Romane ›Der Prozeß‹ (1925) und ›Das Schloß‹ (1926) brachten dem Dichter Ansehen und Weltruf. Den Geist seines Werkes aufzuschließen, können vor allem die Briefe helfen, besonders die unvergleichlichen ›Briefe an Milena‹, wie denn schon in diesem frühen Bekenntnis an den Schul- und Studienfreund seine eigenwillige Grundhaltung erkennbar wird.

[Prag,] 27. Januar 1904

Lieber Oskar!

Du hast mir einen lieben Brief geschrieben, der entweder bald oder überhaupt nicht beantwortet werden wollte, und jetzt sind vierzehn Tage seitdem vorüber, ohne daß ich Dir geschrieben habe, das wäre an sich unverzeihlich, aber ich hatte Gründe. Fürs erste wollte ich nur gut Überlegtes Dir schreiben, weil mir die Antwort auf diesen Brief wichtiger schien als jeder andere frühere Brief an Dich – (geschah leider nicht); und fürs zweite habe ich Hebbels Tagebücher (an 1800 Seiten) in einem Zuge gelesen, während ich früher immer nur kleine Stückchen herausgebissen hatte, die mir ganz geschmacklos vorkamen. Dennoch fing ich es im Zusammenhange an, ganz spielerisch anfangs, bis mir aber endlich so zu Mute wurde wie einem Höhlenmenschen, der zuerst im Scherz und in langer Weile einen Block vor den Eingang seiner Höhle wälzt, dann aber, als der Block die Höhle dunkel macht und von der Luft absperrt, dumpf erschrickt und mit merkwürdigem Eifer den Stein wegzuschieben sucht. Der aber ist jetzt zehnmal schwerer geworden, und der Mensch muß in Angst alle Kräfte spannen, ehe wieder Licht und Luft kommt. Ich konnte eben keine Feder in die Hand nehmen während dieser Tage, denn wenn man so ein Leben überblickt, das sich ohne Lücke wieder und wieder höher türmt, so hoch, daß man es kaum mit seinen Fernrohren erreicht, da kann das Gewissen nicht zur Ruhe kommen. Aber es tut gut, wenn das Gewissen breite Wunden bekommt, denn dadurch wird es empfindlicher für jeden Biß. Ich glaube, man sollte überhaupt nur solche Bücher lesen, die einen beißen und stechen. Wenn das Buch, das wir lesen, uns nicht mit einem Faustschlag auf den Schädel weckt, wozu lesen wir dann das Buch? Damit es uns glücklich macht, wie Du schreibst? Mein Gott, glücklich wären wir eben auch, wenn wir keine Bücher hätten, und solche Bücher, die uns glücklich machen, könnten wir zur Not selber schreiben. Wir brauchen aber die Bücher, die auf uns wirken wie ein Unglück, das uns sehr schmerzt, wie der Tod eines, den wir lieber hatten als uns, wie wenn wir in Wälder verstoßen würden, von allen Menschen weg, wie ein Selbstmord, ein Buch muß die Axt sein für das gefrorene Meer in uns. Das glaube ich.

Aber Du bist ja glücklich, Dein Brief glänzt förmlich, ich glaube, Du warst nur infolge des schlechten Umgangs unglücklich, es war ganz natürlich, im Schatten kann man sich nicht sonnen. Aber daß ich an Deinem Glück schuld bin, das glaubst Du nicht. Höchstens so: Ein Weiser, dessen Weisheit sich vor ihm selbst versteckte, kam mit einem Narren zusammen und redete ein Weilchen mit ihm, über scheinbar fernliegende Sachen. Als nun das Gespräch zu Ende war und der Narr nach Hause gehen wollte – er wohnte in einem Taubenschlag – fällt ihm da der andere um den Hals, küßt ihn und schreit: danke, danke, danke. Warum? Die Narrheit des Narren war so groß gewesen, daß sich dem Weisen seine Weisheit zeigte. –

Es ist, als hätte ich Dir ein Unrecht getan und müßte Dich um Verzeihung bitten. Aber ich weiß von keinem Unrecht.

Dein Franz

6. Hans Thoma (Bernau [Schwarzwald] 1839 bis 1924 Karlsruhe) an Momme Nissen

Über das Verhältnis von Kunst und Deutschtum hatte sich der alemannische Maler schon in frühen Schaffensjahren Gedanken gemacht. In den achtziger Jahren klagt er dem »Rembrandtdeutschen« Langbehn: »Wenn ich nicht vorübergehend Hilfe aus England gehabt hätte, – der Deutschen wegen hätte ich verhungern können, – sie lassen diese Strafe gern jedem zukommen, der es wagt, ein Deutscher zu sein.« Nun gibt ihm des Langbehn-Biographen Nissen Ruf an die Zeit, die auf den französischen Impressionismus eingeschworen ist, Anlaß, auf seine Art vom Leder zu ziehen.

Karlsruhe, Mai 1904

Ich hatte Ihren Essay: ›Dürer als Führer‹, schon gelesen, als Ihr lieber Brief ankam, und ging mit dem Gedanken um, an Sie zu schreiben, um Ihnen zu sagen, welche Freude ich habe an Ihrer tapfern, mutigen Tat. – Ihr mutiges Wort hat mir sehr wohlgetan einer allgemeinen Einseiferei gegenüber, die sich eifrig bemüht, alle nun einmal doch vorhandenen Gegensätze zu verwischen, – einer Kunstbetrachtungsart gegenüber, die man ebensogut frech wie feig nennen könnte und die sich in allen Kunstblättern breitmacht. – Daß Sie es so gerade aussprechen, was unserer deutschen Kunst not tut, wenn sie nicht alles, was als Hoffnung in ihr liegt, verlieren will, daß Sie dies klar, einfach und deutlich sagen, ja, das ist eben wieder einmal deutsch. – Es ist ja doch schon so weit gekommen, daß man schier verwundert ist darüber, wenn man wieder reines Deutsch hört, aus dem man sogleich auch klug wird, was damit gesagt werden soll, ein Deutsch, das sich, aus der Gesinnung heraus, auch im Wortlaute von selbst zur Klarheit heraus gestaltet. Sogar im Kunstwart, der ja gewiß das Gute aufrichtig anstrebt, steht Ihr Artikel ›fremd‹ da. Wie sonderbar, daß man das ›fremd‹ nennen muß, was eigentlich das Heimatlichste ist!

Sie sagen selber, daß das, was Sie sagen, der Modekunstströmung gegenüber nicht viel nützen werde; aber es handelt sich ja nicht um diese, sondern ein Ruf wie der Ihrige ist eine Stärkung für die, welche als Vereinsamte am Ufer dieser Strömung stehen. – So ein aufmunternder Ruf gibt wieder das Gefühl, daß man doch nicht allein ist und daß man ruhig ausharren darf auf seinem Posten. So ein Ruf ist nicht verloren, und wenn auch nur ganz wenige sind, denen er lieblich klingt.

Es streift schon an das Komische, wenn es nicht gar traurig wäre, daß es in Deutschland fast als Wagnis gilt, wenn man Dürer Führer in der Kunst nennt, – diese doch so selbstverständliche Sache! Manet, Monet, Pissaro, Degas und noch andere darf man Führer in der Kunst nennen, – da würde sogar der Reichstag zustimmen.

Die Errungenschaftshuber glauben eben, daß auch in der Kunst eine Art von mechanischem Fortschritt wichtig und notwendig sei; während die Kunst doch gerade auf einem Stillestehen und Stillesein der menschlichen Seele beruht. – Sie haben in Ihrem Aufsatz ›Momentmalerei‹ hierin das gesagt, was ich meine, so daß wir uns ohne viel Worte verstehen. Woher kommt es nur, daß den Malern Dürer nicht geradeso ein Grundstein ist, wie es Bach den Musikern ist? Welche Einflüsse sind es denn, die den Deutschen das Allerdeutscheste immer wieder verhüllen, auf die Seite schieben? – Wir hätten gewiß noch vieles zu besprechen, wenn wir uns einmal persönlich begegneten.

Es ist sehr richtig, daß Sie das Heroische an Dürer besonders

hervorgehoben haben; als Führer läßt man sich nur Helden gefallen, und mancher moderne Lärmbold der Kunst wird doch
vor dieser Seite Respekt haben, wenn er ihm auch nicht folgen
kann. Wir aber, wir wollen unsere besten Eigenschaften des
deutschen Seins hochhalten, mag der Modestrom fließen, wie
er will, er muß schließlich doch unten durch; wenn man auch
nur hin und wieder einen Deutschen entdeckt, so läßt man den
Mut nicht sinken. *Eine* deutsche Seele wiegt mehr als Dutzende
der schielenden (d. h. über den Rhein), im Irrgarten der Kunst
taumelnden Kavaliere.

7. Hermann Bahr (Linz 1863 bis 1934 München) an George Bernard Shaw

Hermann Bahr, Autor geistvoller Lustspiele und ein Kritiker, dem vom Naturalis-
mus und Impressionismus bis zum Expressionismus und zur katholischen Verinner-
lichung keine neue künstlerische Strömung entging, verweist mit österreichischem
Witz dem irischen Dramatiker seine Paradoxien und Ketzereien.

[9. Oktober 1904]

Lieber Bernard Shaw!

Sie haben sich voriges Jahr einmal über Ihre ›Candida‹ lustig
gemacht. Und über uns in Deutschland, denen sie gefällt. Es
war sehr amüsant, ich mußte lachen, aber ich dachte doch:
schade, daß der arme Mensch sein Stück nicht versteht! Und
ich ließ Ihnen sagen, hoffentlich hat es Ihr Dolmetsch aus-
gerichtet: ich sei gern bereit, es Ihnen zu erklären. Leider haben
Sie versäumt, diesen Sommer in Bayreuth zu sein. Hoffentlich
kommt es aber doch noch dazu, daß wir uns kennen lernen.
Wenn es nämlich wahr ist, was man mir immer sagt, daß Sie
der englische Hermann Bahr sind, ich aber der deutsche Bernard Shaw (ich weiß nicht, für wen das beleidigender ist), wie
nett muß es für beide sein, uns einmal von allen Seiten an-
zugucken, wie die beiden Dromios, der von Ephesus und der
von Syrakus, und ›Halme zu zieh'n ums Seniorat‹. Einstweilen
aber will ich Ihnen doch ein paar Andeutungen machen, damit
Sie endlich wenigstens ungefähr über Ihr Stück orientiert sind.

Sie sind, lieber Shaw, vor allem ein Psychologe. Sie sehen
den Menschen anders als er in den Komödien erscheint. Sie
sehen sich ihn näher an und finden ihn vielfältiger, bunter, ver-

wickelter. Und Sie trauen ihm nicht. Sie haben bemerkt, daß er nie sagt, was er über sich denkt, und daß das, was er über sich denkt, erst recht nicht wahr ist. Und Sie haben bemerkt, daß die Motive, aus welchen er handelt, andere sind, als er zeigt, und andere, als er weiß. Und so, wie Sie nun den Menschen sehen (ich übrigens auch), möchten Sie ihn darstellen (ich auch). Aber Sie können das nicht (ich auch nicht). Das wird wohl gar nicht unsere Schuld sein, sondern die der Zeit, welcher der Mensch durch uns erst von Grund aus fragwürdig gemacht werden muß, bis sie, um sich vor unseren Ironien zu retten, aus Angst die Kraft aufbringen wird, jene neue Form seiner Darstellung zu gewinnen. Einstweilen, das wissen Sie so gut als ich, ist mit unserer Psychologie eine Wirkung auf dem Theater nicht möglich. Da Sie aber zur Wirkung auf die Masse geboren, für die Kanzel zu ehrlich, zum Politiker zu klug sind, bleibt Ihnen doch wieder nichts als dieses so verachtete Theater übrig. Und immer wieder packt es Sie, sich zu sagen: Steck' deine neue Psychologie ein und schreib das alte Stück, wie das Publikum es nun einmal will. Und immer wieder geschieht Ihnen dann dasselbe: die eingesteckte Psychologie kriecht unvermutet plötzlich wieder aus. Ich weiß nicht, ob das mehr tragisch oder komisch ist. Aber es ist Ihr großer Reiz.

Sehen Sie, bei der ›Candida‹, da sagten Sie sich doch offenbar auch: Schreibe das alte, das ewige Stück! So fing's an. Was zieht im Theater? Was auf die Frauen wirkt. Was gefällt den Frauen? Was von ihrer Sache handelt. Was ist ihre Sache? Was sie Liebe nennen. Jene tugendhaften Frauen, welche die Theater beherrschen, haben ein Ideal: ihrem Manne treu zu sein, ohne deswegen ganz auf die Gefühle zu verzichten, die man hat, wenn man ihm untreu ist. Hauptsächlich weil ihnen dies das Leben so selten gewährt, suchen sie das Theater auf, um es hier zu finden. Es war Ihnen also gegeben: eine Frau, die ihren Mann liebt (sonst würden die Frauen sie verachten), die aber in Gefahr der Untreue gerät (sonst würde sie sie nicht interessieren), dies natürlich durch die Schuld des Mannes (eine andere gibt die Frau im Theater nicht zu) und vom höchsten Glanze verlockt (denn nur, wenn Jupiter selbst erscheint, begreift die Frau im Theater, daß eine Frau doch vielleicht einen Augenblick wankt); und sie sollte lange wanken, viel wanken, stark wanken (denn heimlich macht doch dies allein die Lust der Frau am Theater aus), dann aber strahlend siegen (damit die Männer sich schämen), und zwar nicht bloß aus Tugend (die nicht mehr in solchem Kredit und übrigens selbstverständlich ist), sondern aus irgend einem ganz besonders überraschenden Motiv, das wieder einmal die Würde der Frauen recht beweisen würde. Dies alles war Ihnen klar, und es handelte sich also bloß um zwei Dinge: um jenen Jupiter und um dieses Motiv. Jener gelang Ihnen, indem Sie den Liebhaber der Frau zum Höchsten machten, was Sie zu vergeben haben: zum jungen Dichter. Aber auch dieses dachten Sie klug aus: nicht Tugend ist es, was Candida bei ihrem Manne hält, und nicht irgend ein bürgerlich enges, irgend ein romantisch vages Gefühl, auch nicht die Kraft dieses Mannes, nein, gerade seine Schwäche vielmehr: weil er sie braucht, liebt die Frau ihn mehr als den jungen, der es vielleicht verwinden und vielleicht auch ohne sie leben können wird. Shaw, Bernard, Ire! Ich beneide Sie! Wie müssen Sie sich gekrümmt und gebogen haben, als Ihnen dieser infernale Einfall kam! Die Frau bleibt bei dem, der sie nötig hat; an sich selbst denkt doch keine, sie sind schon so! Cousin, kannst Du noch? Und Sie sahen im Geiste die nassen Wangen der verzückten Damen vor sich, die leise nicken würden: Ja, der kennt uns, das ist ein Dichter, der kennt uns genau! Und lachend schliefen Sie an jenem Abend ein, und lachend wachten Sie am nächsten Morgen auf: so gut wird sich bei Ihrem Stücke keiner mehr unterhalten. Und richtig fielen Ihnen die Deutschen herein. Und in dieser Laune war es, da haben Sie sich dann damals über Ihr Stück und über uns lustig gemacht.

Sie vergaßen nur eines, Lieber! Sie vergaßen, daß Sie der Bernard Shaw sind. Ich will Ihnen nämlich etwas verraten, was Sie gewiß überraschen wird: Sie haben viel mehr Talent als Sie wissen. Leute von unserer Art leiden daran, daß sie zu gescheit sind. Das macht sie gegen das eigene Talent ungerecht, und da versuchen sie dann, für das Publikum zu schreiben. Aber das Talent rächt sich: es gelingt ihnen nicht. Verstellen Sie sich nur, es nützt Ihnen nichts, rechnen Sie noch so genau, es stimmt doch nie: denn hinterrücks mischt sich doch Ihr Talent immer ein. Alas, poor Yorick! Wie haben Sie sich gefreut, als Sie jenes Motiv der entsagenden Frau fanden, die nicht ihrem Herzen folgen, sondern dem Bedürftigen gehören will! Die ganze letzte Szene reiben Sie sich vor Vergnügen die Hände, ein ganzes Couplet schießen Sie los, heiliger Dumas, und Frau Candida muß reden und reden und reden, bis auch der letzte Kretin die Pointe fängt! Und dann muß es erst auch der Mann noch einmal ausdrücklich sagen: »Was ich bin, hast Du aus mir gemacht durch die Arbeit Deiner Hände und die Liebe Deines Herzens. Du bist mein Weib, meine Mutter, meine Schwester – Du bist die Summe aller Liebesmöglichkeiten in meinem Dasein!« Und noch nicht genug, dann muß sie noch feierlich den jungen Dichter zum Abschied fragen: »Bin ich Ihnen auch Mutter und Schwester, Eugen?« Und bengalisch steht nun das Weib triumphierend da! Und Sie freuten sich tückisch! Aber indem Sie sich freuten, kroch Ihnen leise Ihr Talent in Ihre Feder, und diese schrieb am Ende noch einen kleinen Satz: »Die Gatten umarmen sich, aber das Geheimnis in des Dichters Herzen, das kennen sie nicht.« Da stutzt man. Das hält einen auf. Das versteht man nicht gleich. Und so denkt man zurück, geht alles noch einmal durch, und nun fällt einem erst allmählich hier ein kleines Wort, dort ein anderes auf, und sie verbinden sich, und schon dämmert es, und plötzlich erinnert man sich, daß über dem Kamin die heilige Marie aus Tizians Himmelfahrt hängt und daß der Autor, indem er Candida zum ersten Mal charakterisiert, ausdrücklich sagt: »Ein kluger Beobachter würde, sie betrachtend, mit einem Mal erraten, daß, wer immer das Bild der Marie-Himmelfahrt über ihren Kamin gehängt hat, ein seelisches Band zwischen den beiden Frauengestalten geahnt haben mag, obwohl niemand, weder ihr Mann noch sie selbst, eines Gedankens fähig wären, der sie mit der Kunst Tizians in Zusammenhang brächte.« Und da hat man es jetzt plötzlich.

Mein lieber Herr, schwindeln Sie doch nicht: Ihr Stück ist wirklich gut! Man merkt es nur nicht gleich, das ist Ihr Trick: so sehr nämlich, als ein anderer sich plagt, um zu zeigen, was er will, quälen Sie sich, Kollege, es zu verstecken, ab. Denn jenes ist doch gar nicht das Motiv der Candida, Sie tun nur so. Diesen höllischen Spaß: Ihrer würdig, daß eine Frau, erotisch, also durch die tiefste Macht der menschlichen Natur angezogen, sich versagen soll: aus Rücksicht, aus Takt sozusagen und für eine hübsche Pose, foppen Sie uns doch nur vor. Nein, das hat sich Ihre Psychologie nicht gefallen lassen. Wenn Candida, statt mit dem lockenden Knaben in die weite Welt zu rennen, bei ihrem Manne bleibt, so ist es der Instinkt des gesunden Weibchens, der sie hält. Nicht weil der Mann gut ist, nicht weil er sie braucht, nicht weil er ihr leid tut – Herr, halten Sie uns für brave Kinder, denen man mit Fabeln kommen muß? Sondern sie bleibt, weil sie mit der Genialität, die Frauen in Berufssachen haben, sogleich begreift, daß sie niemals das Weib für den anderen sein kann, für den Dichter: denn dieser ist größer als sie, er wird das erkennen, und dann ist der Zauber aus. Das ist »das Geheimnis in des Dichters Herzen«. In der germanischen Welt hat das Weib nur so lange Macht über einen Mann, als er es wie ein höheres Wesen, fast eine Heilige fühlt: Candida, das ist: die Schimmernde, die Fleckenlose, die Reine, das ist der Himmel, das sind die Sterne, das ist das ewige Licht. Und diese Candida? Kein Zweifel, daß auch sie eine Heilige ist. Es fragt sich nur, in welchem Himmel. Es gibt einen ersten Himmel und einen zweiten Himmel und so fort bis zum siebenten Himmel. Im siebenten Himmel, Shaw, das wissen Sie, da sind nur die Dichter allein, und aus dem siebenten Himmel muß die Frau sein, vor der Ihr wunderbarer Marchbanks einmal knien wird, wenn es denn schon sein soll, daß ein Dichter jemals kniet. Aber Ihre liebe Candida ist aus einem tieferen Himmel. Weniger alpin. Weit unter tausend Metern. Gut bürgerlich bewohnte Region. Da ist sie die Heilige, die das germanische Männchen braucht. Da schimmert sie. Für die Morells nämlich, für die braven Leute, die Fabier sind, Tugenden predigen und Sonntags die soziale Frage lösen. Da gehört sie her. Und daß sie das weiß, darin so durchaus germanisch, als es die beiden Männer in ihren Gefühlen für das Weib sind, das gibt ihr einen Zug, der einfach sublim ist. Erschrecken Sie nur nicht, denken Sie lieber einmal ruhig darüber nach, Sie finden es dann gewiß auch.

Es wäre nur billig, wenn Sie sich jetzt gleich meine sämtlichen Werke kaufen würden, um sie genau (langsam!) zu lesen. Es gibt da nämlich auch manches, was ich gern endlich einmal erklärt haben möchte. Dies, lieber Vetter, erwartet ganz bestimmt

Ihr herzlich ergebener
Hermann Bahr

8. Friedrich von Holstein (Schwedt/O. 1837 bis 1909 Berlin) an Ida von Stülpnagel

Nicht die Flecken auf der inneren Iris, die Bismarck dem langjährigen unsichtbaren Lenker des Auswärtigen Amts in den neunziger Jahren mit der Treffsicherheit seiner Charakterisierungskunst nachsagte, können hier aus den Briefen der »Grauen Eminenz« sichtbar gemacht werden, – was der Vortragende Rat Holstein in den zahlreichen Briefen an seine Base festgehalten hat, sind naturgemäß vielfach politische

Wetterberichte und Augenblicksbilder, die noch nach Jahren die Schärfe und den Reiz der Unmittelbarkeit nicht verloren haben.

Berlin, 26. November 1904

Liebe Ida!

Meine einzige Entschuldigung ist die sehr viele Arbeit. Gestern früh ließ der Reichskanzler mich schon aus dem Bette holen.

Mit dem Kaiserdiner ging es ganz einfach zu. Als ich zum Vortrag ging, erwartete mich der Adjutant des Reichskanzlers, Herr von Schwartzkoppen, um mir zu sagen: »Ew. Exzellenz sind für heute um sieben Uhr zum Diner mit Sr. Majestät eingeladen. Die Einladung wird eben geschrieben.« Ich erwiderte mit Seelenruhe: »Die Sache erledigt sich dadurch, daß ich keinen Frack besitze.« Nach dem Vortrage sagte ich zu Bülow: »Sie haben die Freundlichkeit gehabt, mich dem Kaiser vorzuschlagen. Ich bin sehr dankbar, kann aber nicht kommen, da ich keinen Frack besitze, wie ich Ihnen das auch schon mal früher gesagt habe.« Er erwiderte: »Ja, das ist mir aber sehr unangenehm. Der Kaiser sagte schon, als ich Sie vorschlug, ›der kommt ja doch nicht‹. Ach was, ich werde da dem Kaiser schreiben, Holstein würde glücklich sein zu kommen, lebt aber seit fünfzehn Jahren zurückgezogen und hat deshalb keinen Frack, dem Kaiser ist das ganz egal.«

So geschah es. Als ich von meinem Mittagessen wieder aufs Amt kam, hatte der Kaiser sagen lassen, ich solle im Überrock kommen.

Der Kaiser war freundlich zu mir. Beim Kommen gab er mir die Hand und machte einen Scherz über den Frack. Ich sagte: »Jaa, Majestät, in sechs Stunden war keiner zu schaffen.«

Während des langen Cercle nach dem Essen hielt ich mich weitab im andern Zimmer. Als der Kaiser sich schließlich setzte, ward ich gerufen. Außerdem saßen Bülow und Tirpitz. Das dauerte etwa dreiviertel Stunden. Am meisten sprach er selber, demnächst ich. Mehrmals richtete ich Fragen an ihn, die er eingehend beantwortete. Beim Abgehen – der Extrazug hatte schon zu warten – gab er Tirpitz und mir die Hand, der übrigen Gesellschaft machte er eine Kollektivverbeugung.

Der Kaiser ist ein großer Konversationskünstler, ähnlich wie der verstorbene Miquel. Nach dem Essen, in der kleinen Gruppe, wurde zum Teil Politik gesprochen. Beim Essen sprach er von unbedeutenden Dingen, denen er aber durch die Art des Vortrags ein gewisses Interesse gab.

Im Halse hat Seine Majestät nichts, er hat eine helle Stimme wie ein Hahn.

Das ist die Geschichte von dem Kaiserdiner, die übrigens an meinem Leben nichts ändert; bei Hofe melden werde ich mich nicht. Ich fürchte, Seine Majestät wird mir das wieder verübeln, aber mit meinen siebenundsechzig Jahren und Krüppelaugen lasse ich die Dinge so, wie sie sind.

Jetzt muß ich mich aber schleunigst für das Amt fertig machen, es ist halb zehn.

Welche enormen Jagdresultate! Hundert Hasen auf der Zehdener Pachtjagd! Es ist unglaublich.

In Eile
Fritz

9. Albert Einstein (Ulm 1879 bis 1955 Princeton, N. J., USA) an Conrad Habicht

Wer der Gelehrte Albert Einstein war, ersieht der Fachmann aus der Fragestellung seiner wissenschaftlichen Vorhaben, die den Sechsundzwanzigjährigen in einer Zeit beschäftigten, die das Geburtsjahr der Relativitätstheorie geworden ist. Wer der Mensch Albert Einstein war, erkennt jeder Leser aus der übermütigen Laune, die ihm diesen Brief an den Freund eingab. Von Geburt war er Deutscher; Haltepunkte seines Schaffens waren die Schweiz (wo er sich am wohlsten fühlte), Böhmen, Deutschland (das ihn durch Max Planck und Walter Nernst 1913 an die Akademie der Wissenschaften nach Berlin berief, wo er wirkte, bis Hitler es ihm unmöglich machte) und schließlich die Vereinigten Staaten (wo er bis zuletzt seinen Forschungen lebte). Sein Werk aber gehört mit seinen Einsichten der ganzen Welt. – Rückblickend auf die Berner Jahre, da er am eidgenössischen Amt für geistiges Eigentum arbeitete, hat er zu dem andern Freund und »Mitglied« der lustigen Akademie »Olympia«, Solovine, geäußert, daß sie »weniger kindisch als jene respektablen« gewesen seien, die er hernach aus nächster Nähe kennengelernt. Tatsächlich ging aus den Versuchen, eine Influenzmaschine zur Messung kleinster Spannungen zu verbessern, in Gemeinschaft mit Habicht der Potential-Multiplikator hervor; vor allem aber erschienen in den ›Annalen für Physik‹ 1905 fünf Arbeiten Einsteins, von denen ihm die in der einen niedergelegte Entdeckung des Gesetzes der photoelektrischen Wirkung 1921 den Nobelpreis eintrug.

[Bern 1905]

Lieber Habicht!

Es herrscht ein weihevolles Stillschweigen zwischen uns, so daß es uns fast wie eine sündige Entweihung vorkommt, wenn ich es jetzt durch ein wenig bedeutsames Gepappel unterbreche. Aber geht es dem Erhabenen in dieser Welt nicht stets so? –

Was machen Sie denn, Sie eingefrorener Walfisch, Sie getrocknetes, eingebüchstes Stück Seele oder was ich sonst noch, gefüllt mit siebzig Prozent Zorn und dreißig Prozent Mitleid, Ihnen an den Kopf werfen möchte? Nur letzteren dreißig Prozent haben Sie es zu verdanken, daß ich Ihnen neulich, nachdem Sie Ostern sang- und klanglos nicht erschienen waren, nicht eine Blechbüchse voll aufgeschnittenen Zwiebeln und Knobläuchern zuschickte. – Aber warum haben Sie mir Ihre Dissertation immer noch nicht geschickt? Wissen Sie denn nicht, daß ich einer von den anderthalb Kerlen sein würde, der dieselbe mit Interesse und Vergnügen durchliest, Sie Miserabler? Ich verspreche Ihnen vier Arbeiten dafür, von denen ich die erste in Bälde schicken könnte, da ich die Freiexemplare baldigst erhalten werde. Sie handelt über die Strahlung und die energetischen Eigenschaften des Lichtes und ist sehr revolutionär, wie Sie sehen werden, wenn Sie mir Ihre Arbeit vorher schicken. Die zweite Arbeit ist eine Bestimmung der wahren Atomgröße aus der Diffusion und inneren Reibung der verdünnten flüssigen Lösungen neutraler Stoffe. Die dritte beweist, daß unter Voraussetzung der molekularen Theorie der Wärme in Flüssigkeiten suspendierte Körper von der Größenordnung 1/1000 mm bereits eine wahrnehmbare, ungeordnete Bewegung ausführen müssen, welche durch die Wärmebewegung erzeugt ist. Es sind Bewegungen lebloser kleiner, suspendierter Körper in der Tat beobachtet worden von den Physiologen, welche Bewegungen von ihnen »Brownsche Molekularbewegung« genannt wird. Die vierte Arbeit liegt im Konzept vor und ist eine Elektrodynamik bewegter Körper unter Benützung einer Modifikation der Lehre von Raum und Zeit; der rein kinematische Teil dieser Arbeit wird Sie sicher interessieren. – Solo[vine] gibt nach wie vor Stunden, doch bringt er sich nicht dazu, das Examen zu machen. Ich bemitleide ihn sehr, denn er führt eine traurige Existenz. Auch sieht er recht angegriffen aus. Ich glaube aber nicht, daß es möglich ist, ihn erträglicheren Lebensbedingungen zuzuführen. Sie kennen ihn ja! –

  Es grüßt Sie Ihr   Albert Einstein

Freundlichen Gruß von meiner Frau und von dem nun ein Jahr alten Pieps-Vogel.

10. Paul Klee (Münchenbuchsee bei Bern 1879 bis 1940 Muralto-Locarno) an Lily Stumpf

Wenn Paul Klee ein Menschenalter nach dem hier abgedruckten Brief an seine Frau schreiben wird: ». . . und ich will Bilder malen, welche uns überdauern« – so steht diese Absicht auch schon zwischen diesen frühen Zeilen an seine Braut, die junge Konzertpianistin. In gleichzeitigen Tagebucheintragungen sagt er: »Ein Leben der Gedanken, streng und bar des heißen Blutes, führte ich bis heute und werde es weiter führen müssen, weil führen wollen . . .« und weiter: »Das letzte am Abend Gemalte enthielt ganz den Klang der Wunder um mich herum.« Wie Planck und Einstein in diesen Jahren die Formeln ihrer umstürzenden Betrachtungen aufgehen, so Klee das Zauberwort für künftige Bildinhalte.

Bern, Mittwoch, 18. Januar 1905

Innigst geliebtes Herz!

Danke Dir herzlich für Deinen lieben Brief; nach ihm zu schließen, hat eine definitive Entscheidung Deines Vaters noch nicht stattgefunden. Wenn sich nun in Trier eine passende Stellung für Dich finden würde, so tust Du recht, die Sache in allem Ernst zu erwägen. Die Lage von Trier ist allerdings gar nicht schlecht, auch mit dem kleinen Ort würdest Du Dich eventuell abfinden, doch bin auch ich der Ansicht, daß es in diesem Fall einer lokalen Verschlechterung darauf ankommt, ob der Gehalt ein einigermaßen sorgloses Dasein verspricht! Ich bitte Dich also, mir alles zu übermitteln, was Dir Näheres mitgeteilt wird.

Und damit ich's nicht vergesse, möchte ich Dir gleich noch sagen, daß Frau Moilliet geneigt ist, die Schwester von Frau von Kaulbach aufzunehmen. Alles weitere geht aus der beiliegenden Karte hervor, die sie uns auf eine Anfrage hin geschickt hat. Die Lage ist still, ländlich, 1/4 Stunde vom Zentrum der Stadt, in der Nähe einer Trambahnstation etc. Die Familie ist sehr anständig, die Frau ein Muster von Wirtschafterin (Prozente haben wir nicht).

Mit meiner Arbeit befinde ich mich vor einer Art Krisis; ich weiß jetzt, daß ich die in den Kopf gesetzten zwölf Blätter bis zum Frühjahr herausbringe und stehe bereits vor der Frage »was dann«? Immer weiter radieren – dazu bin ich nicht einseitig genug, ich denke daher an's Relief und an die Lithographie; die letztere kann man nämlich ganz ähnlich behandeln, mit der Feder und etwas Ton. Das Relief verlangt mehrmals durchgearbeitete Entwürfe, und es hinge davon ab, ob ein solcher zustande käme?

Ich sehe an meinen Stimmungen, wenn ich mir diese Sachlage vergegenwärtige, deutlich in meinen Charakter hinein. Glaubst Du, daß ich mich freute? Ich mache mir brummige Vorwürfe, daß die Krise gerade ein Jahr länger gedauert hat, als ich ursprünglich angenommen hatte; Du weißt ja, als Du zum ersten Mal bei mir in Bern warst, hatte ich die Hoffnung bis zum Frühjahr 10 bis 12 Blätter zu besitzen. Dann ahne ich in der bevorstehenden Veränderung meines Materials neue Kämpfe, Hoffnungslosigkeiten, Tiefstände, Vergleiche, relative Befriedigung, Verzicht auf den höchsten Ausdruck, Unähnlichkeit des Hervorgebrachten mit dem Geträumten und wie die entzückenden Dinger alle heißen.

Übrigens hat mein Komiker II eine hübsche Auflage von fünfzig Exemplaren abgesetzt, Girardet meinte, man könnte noch einmal fünfzig drucken; das ist ganz tröstlich. Denn mit dem Verkupfern, Verstählern möchte ich doch zuwarten, bis es notwendig ist, und bis mir jemand empfohlen werden kann, der das gut macht. Kleiner Lichtpunkt. Anderer Lichtpunkt: daß ich endlich eine Adresse weiß für Zinkplatten (in Zürich) und nicht mehr auf den komplizierten Balmer angewiesen bin. Wie wechselig ist doch das tägliche Leben.

Ein Werk, aus dem ich unsägliche Anregung und Trost (Bejahung meiner Lebensanspannung, mehr durch sein Schicksal, als durch seine eigene Lebensanschauung) schöpfe, sind die Tagebücher von Hebbel. Ich habe den zweiten Band vorgenommen, den ich durchlesen und mit Bemerkungen versehen will. Von Brodinghello habe ich das erste Buch gelesen und lasse ihn einige Zeit ruhen. Es ist kein sehr bedeutendes Werk, aber dadurch interessant, daß er wieder modern geworden, d. h. eigentlich zwei Mal. Die ›Lucinde‹ von Schlegel ist die erste Auferstehung – ich meine mehr allgemein die Zeit der Romantik, die ich in dem Paradies einer Lucinde kenne – und die Gegenwart ist dieser Art wieder zugeneigt; daher die glänzende Ausgabe, die an sich schon ein großer Genuß ist . . . Hebbel ist ganz mein Dichter, den ich nicht nur achte, wie einen Goethe und Shakespeare, sondern wahrhaft liebe, vorzüglich den Menschen. Von den Werken kann ich nur sagen, daß sie mir noch nicht in ihrer ganzen Größe aufgegangen sind, daher für mich noch wachsen werden, vielleicht über alle Literatur hinaus. Den Menschen liebe ich wohl hauptsächlich, weil er groß ist und auch Unrecht litt.

Was ich zu Hermine sage? Es hat mich weder zur Bewunderung noch zur Verachtung hingerissen, überhaupt nicht eigentlich überrascht. Und den schönen Doktor halte ich entschieden für einen halben Trottel. Der nächste wird wohl wieder ebenso hübsch als unbedeutend sein. So ist Hermine, scharf ausgedrückt.

Noch etwas drückt mich: die Erklärung, das verspätete Geschenk betreffend. Bei uns ist es auch Sitte, am Neujahrstag zu bescheren, und als ich die Bücher nicht mehr auf Weihnachten abschicken konnte, behielt ich sie absichtlich zurück, las den Don Juan, ein im einzelnen geniales Werk und schickte sie auf den Neujahrstag. Es ist die Wahrheit. Das Papier ist schlecht im Vergleich zu deutschen Ausgaben, doch ist die Ausgabe praktisch und gut beieinander. Eines Menschen Liebe nach den Geschenken, die er macht, beurteilen, oder gar danach, ob er sie prompt macht oder nicht, ist gering.

Bloesch[1] ist wieder hier, er hat mir das sehr hübsche Rähmchen gebracht, wofür ich Dir herzlich danke. Von Wien wußte er sehr viel zu erzählen; er hat wieder Glück gehabt mit Aufführungen, wie immer. Nach allem habe ich wohl Lust, Wien zu sehen, fürchte aber, daß die Ausgaben nichts Gemütliches an sich haben würden. Dann begreife ich nicht, daß er mitten im Winter ging, er hat doch anscheinend viel gefroren. Die Aufführungen der Oper sollen sehr hoch stehen; die Theaterzettel sehen ganz provinziell aus, oder noch darunter; es steht nicht mal der Name des Dirigenten drauf.

Danke auch für die vielen Musikzeitungen, an denen mich manches fesseln wird, so die Besprechung der ›Sinfonia domestica‹ von Strauß etc. Daß Köln und Wien ebenfalls an Musteraufführungen für die Fremden denken, ist bemerkenswert; ferner las ich eine Kritik von großer Schärfe über die ›Iphigenie in Aulis‹ von Gluck in München.

Diesen Brief habe ich sozusagen in einem Saus geschrieben; ich wollte Dir vielleicht ein Beispiel geben, daß Du mich nicht lange warten lassen sollst! Gerade jetzt in der Zeit, wo sich bei Dir so manches entscheidet. Auf den Bauernball komme ich natürlich nicht, wie ich überhaupt nicht der Mann bin für Überraschungen.

Leb wohl, geliebte Lily, möchte es Dir gegeben sein, Dich bald von allem Schlimmen zu erholen. Um's Fröhlichsein und

---

[1] Dr. Hans Bloesch, Jugendfreund Klees, dem er 1940 in Bern die Trauerrede hielt.

Lachen ist's mir nicht zu tun. Aber um die allgemeine Wohlfahrt, die Menschenwürde und wie die Dinge heißen.

Es küßt Dich innig und zärtlich, Dein Paul.

Der Mann mit dem Flügel hat nicht so übel gedruckt, doch möchte ich ihn nochmals in Arbeit nehmen, wovon ich noch kein Resultat weiß. Geistig ist die Arbeit jedenfalls vom Wertvollsten.

11./12. Fritz Schaudinn (Röseningken 1871 bis 1906 Hamburg) an Elias Metschnikow

Am 3. März 1905 hatte Schaudinn über der Arbeit, die Behauptungen des Protozoisten Siegel zu prüfen, der den Erreger verschiedenster Krankheiten, darunter der Syphilis, gefunden haben wollte, die blassen Spirochäten zuerst gesehen und binnen kurzem die Gewißheit, den Erreger der Syphilis entdeckt zu haben. Seine Schreiben an den großen russischen Forscher des Pasteur-Instituts, der bereits zwei Jahre zuvor diese Krankheit auf Affen übertragen hatte, ohne einen Erreger zu finden, zeigen die Zurückhaltung, wozu ihn die skeptischen Äußerungen der Berliner Medizinischen Gesellschaft mahnten, der er um diese Zeit in einem Vortrag von seinen Beobachtungen Kenntnis gab. Enttäuschung auch war es, die ihn gleich hernach eine Stellung am Hamburger Tropeninstitut annehmen ließ. – Die Anerkennung folgte erst seinem Sarge, indem man eine größere Summe für die unversorgt Hinterbliebenen des verdienstvollen Forschers zusammenbrachte.

Berlin-Halensee, Ringbahnstraße 128,
den 2. Mai 1905

Sehr geehrter Herr Professor!

Mein Freund Kraus schrieb mir, daß Sie Interesse hätten an den von mir an syphilitischen Objekten gefundenen Spirochäten, als Sie bisher diese Gebilde bei Affen und Menschen nicht gefunden hätten. Gestern sandte ich Ihnen ein Präparat von der Basis eines zirka sechs Wochen alten Primäraffektes, in welchem Sie die blassen Spirochäten in ungeheuren Mengen finden werden. Nach meinen bisherigen Beobachtungen finde ich die Spirochäten am reichlichsten in beweglichem typischen Zustande, d. h. so wie in dem Ihnen übersandten Präparat, in der sechsten bis achten Woche nach der Infektion, sowohl in den Hautsklerosen als in den Inguinaldrüsen. Ganz vermißt habe ich sie aber bisher in den sechsundzwanzig untersuchten Fällen (hierunter acht Inguinaldrüsen) überhaupt nicht; zuweilen habe ich erst im dritten Ausstrich nach tagelangem Suchen endlich eine typische Spirochäte gefunden.

Ich wäre Ihnen daher sehr dankbar, wenn Sie mir auch einige Deckglasausstriche von Sklerosen oder Drüsen von Affen zur Untersuchung senden könnten, besonders dankbar wäre ich Ihnen dann aber, wenn genau die Zeit der Infektion angegeben wird. Daß diese blasse Spirochäte spezifisch verschieden ist von den sonst auf den Genitalien vorkommenden Spirochäten, unterliegt heute für mich keinem Zweifel mehr, wenn ich es auch nicht beweisen kann. Meine erste vorläufige Mitteilung erhalten Sie demnächst. Ich habe noch nicht die Separata erhalten.

Die Siegelschen Befunde kann ich nicht bestätigen.

Mit der Bitte, Herrn Kollegen Mesnil sowie Dr. Lesage, dem ich für seine Amöbenpräparate sehr danke, zu grüßen, bin ich mit vorzüglicher Hochachtung

Ihr ergebener
Fr. Schaudinn

Berlin-Halensee, den 8. Mai 1905

Sehr verehrter Herr Professor!

Herzlichen Dank für Ihren Brief und das neue Präparat. Es ist unbedingt die richtige typische *Spirochaete pallida*. So schön und kräftig entwickelt find ich sie auch nur in den frischen Stadien der Sklerosen und Drüsen. Jetzt habe ich sechsundzwanzig Fälle von Lues und bisher stets, wenn oft auch sehr spärlich, die typische Spirochäte gefunden; oft ist sie so zart und fein, daß es mir Mühe kostet, sie aufzufinden. Ich hoffe, daß es Ihnen auch noch gelingen wird, sie in den Fällen, wo Sie sie bisher vermißten, aufzufinden. Ich wäre sehr gerne bereit, die Präparate, in denen Sie keine finden, auch noch genau durchzusuchen, insbesondere auf die etwaigen sehr kleinen Ruhestadien. Hier in Berlin glauben manche Leute (speziell Dr. Siegel), daß meine Spirochäten überall im Farbstoff vorkommen und von mir bei der Färbung hinzugebracht sind. Da wäre es sehr gut, wenn Sie Ihre ersten Menschenbefunde auch bald publizieren würden, um so mehr, als hier Lassar, wie ich höre, auch anfängt, bei Affen danach zu suchen. Meine beiden ersten Mitteilungen sende ich Ihnen und dem Herrn Kollegen vom Institut Pasteur gleichzeitig. Auf die Affenbefunde bin ich außerordentlich gespannt. Ich persönlich hege jetzt die feste Zuversicht, daß die Spirochäte etwas mit der Syphilis zu tun hat.

Mit ergebenstem Gruß
Ihr Fr. Schaudinn

13. Sigmund Freud (Freiburg/Mähren 1856 bis 1939 London) an Carl Gustav Jung

Aus dem Sommer 1900 stammt Freuds rhetorische Frage an Wilhelm Fliess, ob er glaube, daß sich an seinem Wiener Wohnhause dereinst eine Marmortafel finden werde, weil hier am 24. Juli 1895 sich dem Doctor Sigmund Freud das Geheimnis des Traumes enthüllte. Ein Menschenalter später kann Thomas Mann feststellen, daß Freuds Psychoanalyse längst über den engeren medizinischen Bezirk hinaus eine Weltbewegung geworden ist, die alle Gebiete des Geistes und Wissens ergriffen hat. Und als er ihn dann zu seinem achtzigsten Geburtstage grüßt, nennt er auch C. G. Jung (1875–1961), den klugen, aber bald abtrünnigen Sprößling seiner Lehre. Als Freud sich drei Jahrzehnte zuvor diesem einfallsreichsten und zupackendsten seiner Jünger mitteilte, hatte er nicht bedacht, daß gerade die Größe des Erwählten einen Eigenwuchs voraussetzte, der zu selbständiger Fortführung des Erreichten drängen mußte. Ohne den schon nach wenigen Jahren vollzogenen Bruch hätte Jungs eigenes Schaffen nie die Ausmaße erreicht, welche die Psychologie zur Kosmologie weiteten.

Hotel Wolkenstein in Sankt-Christina,
Gröden, 18. August 1907

Lieber Herr Kollege

Die Verarmung meiner Persönlichkeit durch die Unterbrechung unseres Verkehrs hat also erfreulicherweise ein Ende. Selbst faul und in der Welt mit den Meinigen vagierend, weiß ich Sie wieder bei der Arbeit, und Ihre Briefe werden mich wieder an das mahnen, was uns beiden das Interessanteste geworden ist. Verzweifeln Sie nicht; es war wohl nur so eine Redensart in Ihrem Schreiben. Es ist gleichgültig, ob man im Augenblick von den offiziellen Repräsentanten verstanden wird. In der Masse, die noch namenlos dahinter sich verbirgt, finden sich doch Personen genug, die verstehen *wollen* und die dann plötzlich hervortreten, wie ich es oft erfahren habe. Man arbeitet doch wesentlich für die Geschichte, und in dieser wird Ihr Vortrag in Amsterdam als ein Markstein ausgezeichnet sein. Das, was Sie das Hysterische in Ihrer Person heißen, das Bedürfnis, den Menschen Eindruck zu machen und auf sie Einfluß zu nehmen, was Sie so sehr zum Lehrer und Wegweiser befähigt, wird auf seine Rechnung kommen, auch wenn Sie dem herrschenden Modeurteil keine Konzession gemacht haben. Wenn es Ihnen dann in noch ausgiebigerem Maß gelungen sein wird, in die gärende Masse meiner Ideen Ihre persönlichen Fermente einzutragen, wird zwischen Ihrer und meiner Sache kein Unterschied mehr bestehen.

Ich bin nicht wohl genug, um die geplante Septemberreise nach Sizilien, wo um diese Zeit der Scirocco uneingeschränkt herrschen soll, zu wagen, und weiß daher nicht, wo ich die nächsten Wochen verbringen werde. Bis Ende August bleibe ich hier, mit Bergpartien und Edelweißpflücken beschäftigt; vor Ende September kehre ich nicht nach Wien zurück. Es ist im ganzen sicherer, wenn Sie mir zunächst unter meiner Wiener Adresse schreiben, da die Sommerpost im Gebirge sehr unverläßlich ist. Mein kleines Taschennotizbuch weist nicht eine einzige Eintragung seit vier Wochen auf, so gründlich sind alle intellektuellen Besetzungen entleert. Doch bleibe ich sehr dankbar, wenn Sie mich an etwas erinnern werden.

Deutschland wird sich an unserer Sache wohl erst dann beteiligen, wenn irgendein Oberbonze sie feierlich anerkannt hat. Vielleicht wäre der kürzeste Weg, den Kaiser Wilhelm, der ja alles versteht, für sie zu interessieren, haben Sie Verbindungen, die so weit reichen? Ich nicht. Vielleicht riecht Harden, der Herausgeber der ›Zukunft‹, die zukünftige Psychiatrie aus Ihren Arbeiten heraus? Sie sehen, ich bin hier sehr zum Scherzen aufgelegt. Ich hoffe, daß Ihnen der aufgezwungene Urlaub von der Arbeit all die Erholung gebracht hat, die ich hier durch beabsichtigte Fernhaltung zu erreichen hoffe.

Ihr stets herzlich ergebener
Dr. Freud

14. Christian Morgenstern (München 1871 bis 1914 Meran-Untermais) an Margareta Gosebruch von Liechtenstern

In der allgemeinen Vorstellung lebt Christian Morgenstern vornehmlich als der Dichter der ›Galgenlieder‹ und des ›Palmström‹, aber jene merkwürdige Zickzack-Wellenlinie, die er dem Freunde Kayssler einst aufzeichnete, um den ruhelosen Rhythmus seines Lebens anzudeuten, das »Verzwickte, Vertrackte und oft geradenwegs Schauerliche« als seine Art, Menschen wie Palmström und Korff in die Literatur einzuführen, läßt seine Wandlungen ahnen. Es ist der Anschluß an Rudolf Steiners Anthroposophie, der sich hier im Brief an die Lebensgefährtin ankündigt.

Obermais, 17. Oktober 1908
(zwischen 2 und 3 Uhr früh)
Deine letzten Zeilen sind so verhalten traurig, was ist denn wohl nur? Ich fühle, daß wenn wir uns fern bleiben, mein Leben all seine Wärme verlieren wird. Du bist seine Wärme, Du sei seine Wärme. Du weißt ja nicht, wie nahe ich der Gefahr lebe, wirklich eines Tages wie Sanct Franciscus, »in der Luft

zu schweben«. Ich wage mich an zu Ungeheures, Menschen-
unmögliches. Du darfst meine letzten Gedanken nie bis ans
Ende zu denken versuchen, mußt sie nur so hinnehmen und
mit der Stimmung weiterleben, die sie Dir etwa auslösen. Denn
meine Gedanken sind an und für sich unerträglich. Warum ich
sie nicht unterdrücke, kann ich nicht völlig sagen, es liegt wohl
im Wesen des Religiösen, daß es, wenn es sich einmal auf den
Weg gemacht hat, nicht mehr Halt machen kann. Vor allem
aber sind solche Menschen wie ich von Zeit zu Zeit nötig, sonst
würde der mystische Charakter der Erde, der Welt, des Lebens
vergessen werden … davon reden tun freilich viele, aber es
leidenschaftlich erleben, und dazu dem noch vollen Ausdruck
verleihen können – diese schmerzliche Gnade ist wohl nur
wenigen vorbehalten, nur wenigen – Opfern. Nun, ich will
mich mit diesem Wort nicht endgültig bestimmen. Ich hoffe
und glaube aufrichtig, daß mein Leib eher zerbrechen wird als
mein Geist, und dann ist ja alles gut. Und ich bekenne Dir: seit
ich dann und wann fühle und gefühlt habe, wie gut mir bei Dir
sein könnte und wie dann nichts mehr zu wünschen übrig wäre,
wie mir aber wohl, sei es aus inneren oder äußeren Gründen,
kaum je so gut werden wird, – bin ich noch bereiter zu gehen.
Und was Du in Deinem letzten Briefe ausgesprochen, das wirst
Du auch in meinen Versen finden. Eben heute habe ich jene
zwei Lieder abgeschrieben, die ich damals, an dem Sonntag in
Überetsch empfing. Es sind mir fast die liebsten von allen. Aber
wer will denn, wer will denn wissen, was Wahrheit ist. Nun,
jedenfalls werde ich nicht aufhören, zu ringen. Du aber bewahre mir ja immer Deinen Glauben und laß ihn nur immer
tiefer werden, von allen Worten unabhängiger, wort-loser. Bei
meinem Glauben und Unglauben sieh nie zu sehr das Wort an;
nicht, als ob ich nicht jedes abwöge und bitterernst meinte,
aber ich glaube nicht an irgend eine Wahrheit-an-sich der
Worte.

15. Friedrich Haase (1825 Berlin 1911) an Albert Bassermann

Ob die Geschichte des Ifflandringes auf Wahrheit beruht, ob legendäres Ranken-werk den schönen Gedanken, den jeweils größten Schauspieler auszuzeichnen, über-sponnen hat – einerlei: der Brief des berühmten Virtuosen an eine der lautersten Per-sönlichkeiten, die je von der Bühne herab auf die Menschheit gewirkt haben, bleibt ein ehrendes Zeugnis für den Schreiber wie für den Empfänger.[1]

[1909]

Lieber Herr Bassermann!

Wenn Sie diese Zeilen nebst Beilage erhalten, bin ich in dem Lande, von des »Bezirk kein Wanderer wiederkehrt«!

Ich habe öfter den Versuch gemacht, Ihnen näherzukom-men, es war jedoch nicht zu ermöglichen. »Wahr ist es, und es ist schade – und schade, daß es wahr ist!«

Da nun für meine persönliche Wertschätzung der Künstler alle Zeit von dem Menschen getrennt blieb, so stehe ich nicht an, Ersterem, der meine aufrichtige Hochschätzung besaß, den beifolgenden Ring übersenden zu lassen, den ich mit Stolz lange Jahrzehnte hindurch besaß und trug. Es ist ein Ring, der auf seiner Fläche das Porträt Ifflands enthält, das in Eisen ge-schnitten und von vielen Diamanten eingefaßt ist. – Iffland gab diesen Ring bei seinem letzten Gastspiel in Breslau dem jungen, damals in seiner höchsten künstlerischen Blüte stehen-den Ludwig Devrient. Dieser schenkte ihn vor seinem Tode seinem Neffen Emil Devrient, der ihn seinem Verwandten Theodor Döring vererbte, und von diesem erhielt ich – Fried-rich Haase – ihn mit dem kategorischen Wunsche, ihn nur dem Schauspieler bei meinem Ableben überlassen zu wollen, den ich zur Zeit für eine solche Ehrengabe als Würdigsten erachtete.

Ich erfülle nun hiermit die Order meines geliebten unver-geßlichen Freundes und übergebe diesen historisch geworde-nen Ring Albert Bassermann, weil er unter den bekannt-gewordenen deutschen Bühnenkünstlern aus gar mancherlei Gründen augenblicklich mir am bedeutsamsten erscheint, die-sen Schmuck zu empfangen.

[1] Bassermann gab den Ring an das Museum des Staatstheaters in Wien. Er kam dann am 19. 10. 1954 auf Grund eines Beschlusses des Kartellverbandes deutsch-sprachiger Bühnenangehöriger an Werner Krauß und, seiner ausdrücklichen Bestim-mung gemäß, nach dessen Tod am 20. Oktober 1959 an den jetzigen Träger Josef Meinrad.

Nehmen Sie somit diesen Ring, lieber Herr Bassermann, tragen Sie ihn, bleiben Sie immerdar der seltenen Auszeichnung würdig, vererben Sie ihn ebenfalls rechtzeitig demjenigen Bühnenkünstler, den Sie zur Zeit für den geeignetsten erachten werden, und erinnern Sie sich zuweilen freundlich Ihres alten Kameraden.

16. Else Lasker-Schüler (Elberfeld 1869 bis 1945 Jerusalem) an Karl Kraus

Als Prinz von Theben, Jussuf oder Tino von Bagdad hat Else Lasker-Schüler, der »schwarze Schwan Israels«, in Balladen und lyrischen Melodien die Flügel ihrer Seele weit in die Märchenländer des Orients hinein ausgespannt. Karl Kraus hat für ihre Dichtung geworben und Franz Marc ihre Botschaften in bunten Bildkarten mit Rubinbergen, Traumfelsen und verwunschener Tierwelt kongenial erwidert.

24. August [19]09

Herzog von Wien, sehr lieber Dichter.

Vielleicht war es der Regen oder gar der Sand des Meeres, der auf dem Couvert die Bleistiftschrift auslöschte: Ich schrieb: daß ich gerade Ihren Brief bekommen hätte, im Begriff den meinen in den Kasten zu werfen. Eine andere Geschichte wäre es, Sie hätten meinen Brief nicht bekommen, darin ich Ihnen vielmals für alles danke? Sie sind ein guter Herzog, und die Leute in Wien können sich freuen. Aber daß ich das auf einen halben Bogen schreibe, kommt davon, ich habe keinen ganzen mehr und Abend ist es und Sonntag. Und zwei Essays entstanden schon acht Seiten lang und breit – ich schreibe wieder für Tageszeitungen – Bulus Mohamed Hassan will alles von mir gekauft haben, was ihm gefällt, und ich muß mich schon seinen Neigungen fügen, er wird Pascha, auch hat er schon den Elephantenorden mit dem Rubin und die zweireihige, junge Krokodilzahnkette (für seine Jugend ein Ereignis). Bis jetzt kann er nur auf dem Esel reiten und ich kann mir wohl denken, daß das Reiten auch Ihnen Freude verschafft; wenn man sein Herz rauschen hört, das übertönt alle Meere. Ich habe in der Wüste mit den Beduinen manchen Hengst geraubt – und ich würde Ihnen gerne einen schenken. Die arabischen Schimmel sind tanzende Vögel, verzauberte Prinzen, wiehernde Märchen. Ich muß ganz laut weinen, ich glaube Sie hören das – ich möchte nämlich wieder das Rauschen meines Herzens hören, das hört man ja nur, wenn es vor Freude springt, ich möchte wieder in die Wüste zu den Königen die auf Raub ausgehn. Waren Sie schon auf einer Straußenjagd? Sie müssen die Tiere mal laufen sehn, und wenn die Sonne ihnen nacheilt, sehen sie aus wie Goldwolken auf der Erde. Sie glauben mir doch wenn ich Ihnen sage, daß ich 25 Strauße in Bagdad besaß, ich schwöre es Ihnen, daß ich Ihnen die volle Wahrheit sage. Nun bin ich ja auch nicht gerade ganz arm – ich habe den Ring den Joseph von Egypten trug als er sich seinen Brüdern zu erkennen gab. Wenn Sie wieder nach dieser fremden kühlen Stadt aus Ziegelstein kommen, werde ich Ihnen alles zeigen. Den Ring Josephs werden Sie sich lange ansehen, in jedem Stein sieht man die Welt tot und lebendig; er hat so viele Steine wie die mageren und fetten Kühe zusammen zählen. In Bagdad sagte mir mal eine Zauberin, ich hätte viel Tausendjahre als Mumie im Gewölbe gelegen und sei nicht mehr und nicht weniger als Joseph, der auf arabisch Jussuf heißt. Ich meine ja auch es wandeln sich die Lebenden mit den Toten, nur daß Könige und Prinzessinnen sich mit ihresgleichen wandeln und kennen Sie Jemand der vornehmer war wie Joseph von Egypten, Jakobs und Rahels Sohn den man in die Grube warf – immer trug er den lammblutenden Rock. Sie werden sich seinen Ring lange ansehn und von ihm einen Abend träumen. Ich bin gerade so traurig wie Joseph von Egypten, lieber Herzog.

Tino.

17. Walther Rathenau (1867 Berlin 1922) an eine Dame

Aus dem neuen Wirtschaftsgebiet, das der Vater aus der angewandten Elektrotechnik geschaffen hatte, wuchsen dem Sohn, der bald über hundert in- und ausländische Großwirtschaftsunternehmungen kontrollierte, die Kräfte, 1914 mit der organisatorischen Zusammenfassung der Kriegswirtschaft der deutschen Heeresleitung den ihr fehlenden wirtschaftlichen Generalstab an die Seite zu stellen und nach dem verlorenen Krieg der jungen Republik als Außenminister seine Einsichten zu leihen, um mit gleichberechtigter Beteiligung Deutschlands »Gerechtigkeit und Würde der westlichen Welt« zu wahren. Ein reiches schriftstellerisches Werk gibt von alledem Zeugnis, aber nur in seinen Briefen lüftet sich zuweilen das Geheimnis um den großen Einsamen, am greifbarsten vielleicht in dem nachfolgenden ganz unsentimentalen Schreiben an eine Dame.

Ihr schöner, ernster Brief bewegt mich und begleitet mich seit gestern.

In Schreiberhau, auf dem Weg nach Agnetendorf, habe ich in vollkommener Wahrheit Ihnen gesagt, was mich den Menschen problematisch macht, und was selbst die, die mich am meisten lieben, zwingt, mich zu fürchten und zu hassen. Das erste ist, daß ich keinem Menschen ganz gehören kann. Ich bin im Besitz von Mächten, die, gleichviel ob sie mich zum Guten oder zum Bösen führen, ob sie mich im Spiel oder Ernst beherrschen, mein Leben bestimmen. Es kommt mir so vor, als ob ich nichts aus mir heraus willkürlich tun kann, als ob ich geführt werde, sanft, wenn ich mich füge, rauh, wenn ich widerstehe.

Verfolge ich mein vergangenes Leben, so finde ich äußere Wahrzeichen nicht außer in meinen Gedanken, die – ich weiß nicht, ob stärker oder schwächer – mir immerhin anders erscheinen als die der andern (die für meinen Blick sich meistens gleichen), und die mir im realen Leben manche seltsame Erfüllung, im geistigen Leben manche neue Lösung gegeben haben. Aber auch meiner Gedanken bin ich in keiner Weise Herr; Sie selbst kennen die verzweifelten Zeiten meines Verlöschens.

Zum zweiten: Es ist wahr, daß mein Empfinden polyphon ist. Die Melodie schwebt klar als Diskant über den Stimmen, aber sie ist fast niemals unbegleitet. Und im Baß, im Tenor, da rollen andere Klänge, zuweilen sich fügend, zuweilen im reinen Gegensinn des Gesanges. Ich kenne unvergleichlich Größere, ja Große, denen ich das gleiche Spiel aus jedem Wort und Gedanken nachfühle: hierin finde ich mich nicht vereinsamt. Ja, zuweilen will es scheinen, als sei es gerade diese Kraft oder Schwäche, die einer Muschel gleicht, die das ganze Brausen der Welt, verloren zwar, widertönen läßt. Indessen das reine Schalmeienspiel einer einfacheren Empfindung mir einförmig, lieblich und etwas flau erscheint.

Deshalb nun werden die Menschen an mir irre, weil sie aus diesem Stimmengewirr keine Melodie erkennen. Aber ich erkenne sie und weiß, daß sie da ist, und daß sie alles leitet.

Der Beweis aber ist der: wenn alles trügt, so trügt das Leben nicht. Betrachten Sie mein Leben. Kennen Sie ein anderes, ernsteres, entsagenderes? Und das liegt wohl nicht an Unempfindlichkeit und Stumpfheit. Es liegt auch nicht an irgend etwas, das ich will. Denn ich will nichts. So sehr ich mein Inneres zerquält habe, ich habe nie Weltliches gefunden, das ich will. Ich will, was ich muß, sonst nichts. Und was ich muß, das sehe ich wie ein nächtlicher Wanderer mit der Laterne nur wenige Schritte voraus. Daß dieses mein Leben ein Opfer ist, das gutwillig und freudig den Mächten gebracht wird, nicht um Lohn noch um Hoffnung, das darf ich sagen und das wissen Sie selbst; daß mir die Liebe der Menschen dabei zerbrochen ist, das weiß ich und empfinde es hart.

Wenn ich nun gesagt habe, daß Ihr Leben ein Spiel ist, so meint das nicht, es sei frivol, sondern vielmehr, es sei kein Opfer. Sie sind um Ihrer Schönheit und Ihres Griechentums willen geschaffen worden, und meinem Nordseegeblüt konnte nur dies eine Licht geschenkt werden und kein anderes.

Bleiben Sie, was Sie sind, und bleiben Sie mir, was Sie mir sind. Adieu, ich verreise heute nach Köln. Leben Sie wohl!

Ihr W.

18. Wilhelm Raabe (Eschershausen 1831 bis 1910 Braunschweig) an den Verlag G. Grote

Schon gelegentlich seines siebzigsten Geburtstags hatte Raabe auf die gleiche Frage nach neuem Schaffen abgewehrt: »Der Tintengloria hätten wir ja wohl genug, und der Lorbeerschatten braucht nicht so dicht zu werden, daß er der letzten Abendsonne den Weg zu dem kahlen Schädel des Alten versperrt.« Aber wenn er sich gelegentlich ein dickeres Fell gegenüber der Mißachtung bei Kritik und Leserschaft hat zusprechen wollen, so zeigt gerade dieser Brief, wie schmerzlich ihn die Verkennung seiner dichterischen Lebensarbeit beeindruckt hat.

Braunschweig, 13. Juli 1910

Hochgeehrter Herr Doktor!

Vor allem herzlichen Dank für Ihren so freundlichen und ehrenvollen Brief! Leider haben Sie nicht bedacht, daß Sie ihn an einen alten, kranken, arbeitsmüden Mann schrieben. – In acht Wochen trete ich in mein achtzigstes Lebensjahr, krank bin ich seit dem August 1909 und jetzt schon über ein Vierteljahr durch ein beschwerliches Leiden fest an die Stube gebannt. Da sieht es schlimm aus um eine neue Produktion, die doch einem großen Publikum, das niemals viel von mir hat wissen wollen, gefallen möchte! Ich habe eben kein Glück, weder in meinem Volk (außer den Besten!) noch im Buchhandel gehabt.

Inwiefern ich selber daran schuld gewesen bin, weiß ich recht wohl! – Es ist ein Kampf ums Dasein gewesen vom dreiundzwanzigsten Lebensjahre an, – ein Kampf, der sich jetzt ins achtzigste hineinzieht. Die äußerlichen Ehren, die dem Greise immer mehr zuteil werden, tun es doch nicht allein.

Ein redendes Beispiel für mein literarisches Schicksal ist mir ganz besonders der ›Horacker‹. Als ich das Manuskript vor vierunddreißig Jahren, Anno 1876, Ihrem Herrn Vater zusendete, bekam ich umgehend einen freudigen Brief: »Hunderttausende würden mit ihm ihre Freude an dem Buch haben«, – und das Resultat? Es fiel tot und ist auch heute noch eine Leiche, obgleich es nach der Literaturgeschichte »zum eisernen Bestande« der deutschen Humoristik gehören soll.

Die abgerissenen Fäden in ›Altershausen‹ für Ihren Zweck wieder aneinander zu knüpfen, wird sich nicht machen lassen, es ist ein bitteres Ding, das ich in den Jahren 1899 und 1900 im Grunde für mich allein zu spinnen begonnen hatte.

Daß es dem jüngsten Sprößling gut geht, freut mich sehr: gestern feierte ich im Kreise meiner Kinder und Enkel den fünfundsiebzigsten Geburtstag meiner Frau. Da konnte man wieder einmal sehen, wie die Alten immer kleiner werden und die Jungen sich in die Höhe recken!

Mit den aufrichtigsten Wünschen für Ihr Haus und mit freundlichem Gruß

Ihr ergebener Wilh. Raabe

Diesen Brief heben Sie auf; er kann im nächsten Jahr schon ein »literarisches Dokument« geworden sein.

19. Georg Heym (Hirschberg 1887 bis 1912 Berlin) an John Wolfsohn

›Umbra vitae‹ haben Dichterfreunde seine nachgelassenen Gedichte (1912) betitelt, und schon Jahre bevor er beim Schlittschuhlaufen im Wannsee ertrank, hatte er geschrieben: »Ich bin von dem grauen Elend zerfressen, als wäre ich ein Tropfstein, in den die Bienen ihre Nester bauen. Ich bin zerblasen wie ein taubes Ei, ich bin wie alter Lumpen, den die Maden und die Motten fressen. Was Sie sehen, ist nur die Maske, die ich mit so viel Geschick trage.« Aber so viel Anfälligkeit bot auch Durchlässigkeit für neue Erkenntnisse, und auch das wußte Heym recht genau: »Ich glaube, daß meine Größe darin liegt, daß ich erkannt habe, es gibt wenig Nacheinander. Das meiste liegt in einer Ebene. Es ist alles ein Nebeneinander.« Und wieder ein paar

Monate danach – er ist nun ein Dreiundzwanzigjähriger – lautet seine Einsicht: »Baudelaire, Verlaine, Rimbaud, Keats, Shelley. Ich glaube wirklich, daß ich von den Deutschen allein mich in die Schatten dieser Götter wagen darf, ohne vor Blässe und Schwachheit zu ersticken.« Solche Meinungen haben ihm weder Mit- noch Nachwelt verargt: mit Benn und Trakl, Stadler und Kafka hat er die Konturen seiner Zeit gezeichnet.

> Charlottenburg, Neue Kantstraße 12.
> 2. September [19]10.

Lieber Herr Wolfsohn.

Zuerst einmal meinen besten Dank für den mitgenommenen (sprich: aus Versehen in den Händen behaltenen) Van Gogh.

Ich finde, daß dieser mir vielleicht noch adaequater ist wie Hodler. Denn er sieht alle Farben so, wie ich sie sehe. Ich habe beim Lesen mir so und so oft gesagt: Donnerwetter, genau so würdest Du ein Gedicht machen: Die Matrosen vor der Sonnenscheibe. Die lila Kähne. Der Sämann in einem unendlichen Feld etc. Nur: daß Malen sehr schwer ist. Und Dichten so unendlich leicht, wenn man nur Optik hat. Wobei nur gut ist, daß das so wenige wissen.

Ich sende Ihnen 5 Gedichte. z. Teil bekannte, zum Teil unbekannte.

20. Max Liebermann (1847 Berlin 1935) an Alfred Lichtwark

Einen beweglichen Abriß erlebter Kunstgeschichte bietet der Meister des Impressionismus in diesem Schreiben, das zugleich die Arbeitsweise großer Maler zeigt, aber vor allem die Stetigkeit des Unbeirrbaren gegenüber den Modeschwankungen der Tagesauffassung ins rechte Licht setzt.

> Wannsee, 5. Juni 1911

Verehrter Freund!

Ihr Brief vom 31. 5. hat mich ganz besonders erfreut, und ich wollte ihn sofort abends, nachdem ich ihn in der Frühe erhalten, beantworten. Aber die Abende sind im Garten so schön, daß ich mich nicht entschließen konnte, mich an den Schreibtisch zu setzen, und so gehts die acht Tage hindurch, so daß ich die Stille des zweiten Feiertags benutze, – selbst die brave Luise, *le cœur simple*, schläft noch – um morgens zu tun, was mir abends nur durch Sie (da Sie mir die Liebe zum Garten durch Ihre tätige Mitarbeiterschaft an ihm so vergrößert haben) unmöglich wird.

Also was den Christus oder richtiger Jesus im Tempel betrifft, so habe ich ihn in München von Ende Dezember 1878 bis April 1879 gemalt. Ich kam von Venedig, wo ich zwei Monate war, nach München, um ein paar Tage dort zu bleiben, und aus den paar Tagen wurden – – – – – sechs Jahre. Die Idee zum Bilde reicht bis 1876 zurück, wie zahlreiche Zeichnungen in meinen Skizzenbüchern beweisen, und die ich Ihnen mal zeigen werde, wenn Sie mal nach Berlin kommen. Dann malte ich 1877 die Studie in der Synagoge zu Amsterdam, – jetzt im Besitze von Schulte, und während meines Aufenthaltes in Venedig die dortige Synagoge aus dem XVI. Jahrh. – auf dem Bilde an der Treppe erkenntlich. Das Bild fing ich, wie gesagt, in München an und zwar als erstes, was ich dort malte. Die Modelle nahm ich aus den christlichen Münchener Spitälern. Da Juden sehr wenig posieren, und auch aus einem anderen Grunde, der mir bei der Wahl der Modelle zeitlebens von Jugend an maßgebend geblieben ist. Die Juden schienen mir zu charakteristisch; sie verleiten zur Karikatur – in welchen Fehler mir Menzel verfallen zu sein scheint. Vor vielen Jahren, als ich Mommsen für Sie malen sollte, sagte ich Ihnen glaub ich dasselbe. Mommsen war zu sehr der deutsche Professor aus den Fliegenden Blättern, der überall den Regenschirm stehen läßt. Der Jesus ist nach einem italienischen Modell gemalt. – Ich bin der Überzeugung geworden, daß Rembrandts Modelle meistens Christen waren: das Accentuieren des Seelischen hat zur Annahme geführt, daß er meistens Juden gemalt hätte, z. B. auf der sogenannten Judenbraut sind Hendrickje und sein Sohn Titus dargestellt. Rembrandt malte den Geist der Juden, während Menzel ihr Äußerliches wiedergab, grade so wie Leibl und Defregger mit den Tirolern es machten. Der erstere ihn malerisch, d. h. innerlich, der andere, Defregger, ihn literarisch, d. h. in diesem Sinne äußerlich auffaßten.

Ich habe Ihnen wohl erzählt, wie ich durch das Bild, das um zehn Uhr in der Ausstellung der Jury unterlag, am Abend berühmt wurde, so daß ich mich in der »Allotria« zu Gedon, Lenbach, Wagmüller d. i. zu den Göttern setzen durfte, wie Zügel meinte, daß seit fünfzig Jahren kein solch Meisterwerk in München gemalt sei, daß der Prinzregent das Bild aus der Ausstellung entfernen wollte, daß sich eine zweitägige Debatte im Bayrischen Abgeordneten-Haus daranschloß (und nur dem damaligen Centrumführer habe ichs zu danken, daß ich damals nicht gekreuzigt wurde); wie ich durch das Bild Leibl kennen lernte, und da mir Lenbach riet, der Wut des Pöbels mich durch die Flucht zu entziehen, wie ich wieder Dachau, wohin ich ging, für die Malerei entdeckte. *Habent fata sua tabulae.* Stöcker behauptete, daß das Bild ihn zu seiner Judenhetze veranlaßt hätte, was meine Glaubensgenossen mich schwer büßen ließen, indem es wohl fünfzehn Jahre dauerte, bis sie wieder meine Bilder kauften. Die ekelhaftesten Zeitungsfehden schlossen sich daran, und während ich, von all dem Radau, den man jetzt angesichts des Bildes kaum mehr begreift, angeekelt, mir vornahm, nie mehr ein biblisches Sujet zu malen, war der Jesus der Anlaß der neureligiösen Malerei geworden.

Ich werde übrigens in nächster Zeit Herbst, der ein paar Wochen nach mir nach München kam, und mit dem ich Tag und Nacht zusammen war, schreiben, da mich auch Hancke um Näheres über die damalige Zeit bat, damit er mir aus seinem vortrefflichen Gedächtnis – das wohl auch objektiver sein wird – mitteilen möge, wie's damals gewesen ist. Jedenfalls in der Kneipe war ich der Herrgottsschinder und wohl auch für einen Teil der Künstlerschaft – zugleich war ein Bild, Jesus im Tempel von Zimmermann, ausgestellt, das damals unendlich viel mehr Success hatte, während es heut total vergessen ist. –

N. B. Zimmermann, der mich auf der Straße gesehen hatte, ohne mich zu kennen, bat mich, ihm für sein Bild zu sitzen (was meine obige Bemerkung beweist). Aber für die Lenbach, Leibl, Gedon war ich auch einer geworden, während man meine Erfolge in Paris bis dahin einfach ignoriert hatte und alles, was ich seit den Gänserupferinnen gemalt hatte (Ludwig Pietsch pries mich bei meinem Auftreten, um mich später um so wilder anzugreifen; seit zehn Jahren bin ich wieder der Meister), einfach für Dreck, natürlich der Jesus inclusive, erklärte.

Ryparophage (*sic*, soll wohl *Ryparograph* sein) war noch das gelindeste der Schimpfwörter, die mir an den Kopf geworfen wurden.

Ausdrücklich will ich noch bemerken, daß ich erst nach Vollendung des Bildes die Lithographie Jesus im Tempel zu Gesicht bekam und zwar schickte sie mir – Pächter, mit dem ich dadurch in Berührung kam, was um so weniger merkwürdig, als Menzels Jugendwerke erst in den achtziger Jahren wieder bekannt wurden. Duranty, der Freund Zolas und damals Redakteur des *Beaux-Arts illustrées*, früher der *Gazette Des Beaux-*

Arts – schrieb einen Artikel, der endete *L. est et sera un maître* und er schenkte die Zeichnung, die ich für seinen Artikel machte, einem seiner Freunde, Proust, bei dem sie Degas sah. Und als ich vor zwölf oder dreizehn Jahren zum ersten und einzigen Male Degas mit Tschudi besuchte, empfing er mich mit Worten des höchsten Lobes über den Jesus und sagte, durch die Zeichnung wäre er angeregt worden, überall nach meinen Arbeiten zu spähen.

Ich bin ins Erzählen gekommen, das Alter ist geschwätzig, so daß ich mir die Beantwortung Ihrer Bemerkungen über meinen Garten auf nächstens aufheben muß. Sonst ginge der Brief heut auch noch nicht ab. Jedenfalls danke ich Ihnen für Ihr Interesse, ohne dies wäre mein Garten nicht so schön geworden.

Gestern beehrte mich Hodler auf der Reise nach Hannover.

Mit bestem Gruß Ihr sehr ergebener
M. Liebermann

21. Hugo von Hofmannsthal (Wien 1874 bis 1929 Rodaun bei Wien) an Richard Strauß

Die Gemeinschaft des Dichters mit dem Komponisten reicht von der ›Elektra‹ (Uraufführung 1909) über den ›Rosenkavalier‹ (1911), die ›Ariadne auf Naxos‹ (1912), die ›Josephslegende‹ (1914), die ›Frau ohne Schatten‹ (1919), ›Die Ägyptische Helena‹ (1928) bis zur ›Arabella‹ (1933). Der uns überkommene Briefwechsel ist mit seinen Strudeln und Klippen ein unvergängliches Dokument ihres künstlerischen Zusammenschlusses und gewährt Einblick in die Absichten, mit denen der Dichter dem Tonschöpfer zu geheimsten Offenbarungen zu verhelfen trachtet. Aus solchem Bemühen will sein Schreiben über die ›Ariadne‹ verstanden sein.

Aussee, Obertressen [Juli 1911]

Mein lieber Doktor Strauß!

Ich will es offen sagen, daß mich Ihre sehr dürftigen und kühlen Worte über die fertige ›Ariadne‹, verglichen mit der freundlichen Aufnahme jedes einzelnen Aktes des ›Rosenkavaliers‹, die mir als eine der wesentlichsten Freuden in jener Sache lebhaft im Gedächtnis sind, ein bißchen verdrossen haben. Ich bin der Ansicht, hier etwas mindestens so Gutes, ebenso Eigenartiges und Neuartiges geleistet zu haben, und so sehr wir darin übereinstimmen, eine gewisse gegenseitige Verhimmelung unaufrichtiger Art, wie sie unter mittelmäßigen Künstlern im Schwung ist, lieber von uns fernzuhalten, so müßte ich doch fragen, wessen Beifall in aller Welt mich hier für das Ausbleiben des Ihren entschädigen könnte!

Sie mögen ja beim Schreiben dieses Briefes oder beim Lesen des Manuskriptes nicht ganz bei Laune gewesen sein, wie das schöpferischen Menschen so leicht widerfährt; auch entgeht es mir nicht, wie viel schlechter sich ein solches ziemlich subtiles Gebilde in der Handschrift präsentieren muß, als in übersichtlicher Maschinenschrift (leider war meine Schreiberin auf Krankheitsurlaub), und so bin ich nicht ohne Hoffnung, daß ein näheres Bekanntwerden Ihnen die Vorzüge des Textes auch stärker wird hervortreten lassen. Ein Stück, wie das Intermezzo etwa, Arie der Zerbinetta und Ensemble, wird, so darf ich wohl sagen, von niemanden, der heute in Europa schreibt, in seiner Art übertroffen werden. Wie hier, unter Einhaltung der konventionellen Form, die, richtig verstanden, auch für den Textdichter voll Reiz ist, zugleich der geistige Angelpunkt des Stückes in der diametralen Kontrastierung des Frauencharakters in Ariadne-Zerbinetta zwanglos gegeben ist, oder wie die Ankunft des Bacchus aufgebaut ist, durch das Terzett der drei Frauen zuerst, die einander das Wort vom Mund nehmen, dann durch das Circe-Liedchen, dann durch den Bericht der Zerbinetta, der, selbst bedeutsam, beim Orchester durch sein hymnisches Marschmotiv den besten Raum gibt, das alles schien mir gewiß von dem, für den es geträumt, konzipiert und ausgeführt ist, den Ausdruck einer gewissen Freude verdient zu haben. Auch glaub' ich, daß sich nicht leicht in einem einaktigen Operntextbuch drei Lieder finden werden, die sich an Zartheit und zugleich an charakteristischer Bestimmtheit mit dem Lied des Harlekin, dem Rondeau der Zerbinetta und dem Circelied des Bacchus messen können.

Das alles hätte ich freilich lieber von Ihnen sagen hören, als daß ich es an Sie schreibe.

Eine Steigerung des Schlusses in der von Ihnen angedeuteten Weise wird sich gewiß finden lassen, doch bevor wir uns über das Wieviel und Wie einer solchen Steigerung verständigen, möchte ich es doch versuchen, mit einigen Sätzen die Idee oder den Gehalt dieser kleinen Dichtung auszusprechen. Es handelt sich um ein simples und ungeheueres Lebensproblem: das der Treue. An dem Verlorenen festhalten, ewig beharren, bis an den Tod – oder aber leben, weiterleben, hinwegkommen, sich verwandeln, die Einheit der Seele preisgeben, und dennoch in der Verwandlung sich bewahren, ein Mensch bleiben, nicht zum gedächtnislosen Tier herabsinken. Es ist das Grundthema der ›Elektra‹, die Stimme der Elektra gegen die Stimme der Chrysothemis, die heroische Stimme gegen die menschliche. Es steht hier die Gruppe der Heroen, Halbgötter, Götter – Ariadne – Bacchus – (Theseus) – gegen die menschliche, nichts als menschliche Gruppe der leichtfertigen Zerbinetta und ihrer Begleiter, dieser gemeinen Lebensmasken. Zerbinetta ist in ihrem Element, wenn sie von einem zum andern taumelt, Ariadne konnte nur *eines* Mannes Gattin oder Geliebte, sie kann nur *eines* Mannes Hinterbliebene, Verlassene sein. Eines freilich bleibt übrig, auch für sie: das Wunder, der Gott. Sie gibt sich ihm, denn sie nimmt ihn für den Tod: er ist Tod und Leben zugleich, die ungeheueren Tiefen der eigenen Natur enthüllt er ihr, macht sie selber zur Zauberin, zur Magierin, die die arme kleine Ariadne verwandelt hat, zaubert ihr in dieser Welt das Jenseits hervor, bewahrt sie uns, verwandelt sie zugleich. Was aber ein wirkliches Wunder ist für göttliche Seelen, für die irdische Seele der Zerbinetta ist es das alltägliche. Sie sieht in dem Erlebnis der Ariadne das, was sie eben darin zu sehen vermag: den Tausch eines neuen Liebhabers für einen alten. So sind die beiden Seelenwelten in dem Schluß ironisch verbunden, wie sie eben verbunden sein können: durch das Nichtverstehen. Bacchus aber ist in dies monologische Abenteuer der einsamen Seele Ariadne nicht als ein *deus ex machina* eingestellt – sondern auch er erlebt das bedeutsame Erlebnis: unberührt, jung, ahnungslos der eigenen Gottheit, fährt er, wie ihn der Wind treibt, von Insel zu Insel. Sein erstes Abenteuer war typisch: nennen Sie es die Kokotte, nennen Sie es die Circe. Der Chok für eine junge, unberührte, unendlicher Kräfte volle Seele ist ungeheuer: wäre er Harlekin, so wäre es nichts als der Anfang einer langen Kette: aber es ist Bacchus, das Ungeheuerliche des erotischen Erlebnisses tritt an ihn heran, alles entschleiert sich ihm, das Tierwerden, die Verwandlung, die eigene Göttlichkeit, alles in einem Blitze. So entzieht er sich Circes Armen, unverwandelt, aber nicht ohne eine Wunde, eine Sehnsucht, ein Wissen. Wie es ihn nun treffen muß, das Wesen zu finden, das er lieben kann, das ihn verkennt, aber in diesem Verkennen sich gerade ganz ihm hinzugeben, die ganze Lieblichkeit ihm zu enthüllen weiß, das sich ihm ganz anvertraut, wie man sich eben nur dem Tod anvertraut, das brauche ich einem Künstler, wie Sie es sind, nicht weiter mit Worten auszuführen.

Es wäre mir eine sehr große Freude, wenn Sie mir auf diesen persönlichen und freundschaftlichen Brief durch eine recht baldige Antwort das Gefühl des schönen, mir nun schon unentbehrlichen Kontaktes geben würden, das ich bei der früheren Arbeit so sehr genossen habe.

Herzlichst
Ihr Hofmannsthal

22. Richard Strauß (München 1864 bis 1949 Garmisch) an Hugo von Hofmannsthal

Bald nach dem stürmischen Erfolg, den der ›Freischütz‹ am 18. Juni 1821 in Berlin errungen, hatte Carl Maria von Weber seinem Librettisten dankbar davon berichtet. Erst nach Tagen antwortete Friedrich Kind, merklich verstimmt darüber, daß der Schöpfer der Melodien, die sich doch erst auf die Verse des Dichters gründeten, keinen Einspruch erhoben habe gegen das Lob, das fast nur der Komposition gespendet worden sei. Sofort antwortete Weber: »Nein! das kann ich nicht 5 Minuten auf mir sitzen lassen (obwohl ein Fremder bei mir ist) und muß gleich meinem teuren vielgeliebten Mitvater den Kopf waschen. Dichter und Komponist sind ja so miteinander verschmolzen, daß es eine Lächerlichkeit ist, zu glauben, der letztere kann etwas Ordentliches ohne den Ersten leisten. Wer gibt ihm denn den Anstoß? Wer die Situationen? Wer entflammt seine Phantasie? Wer macht ihm Mannigfaltigkeit der Gefühle möglich? Wer bietet ihm Charakterzeichnung? Der Dichter, und immer der Dichter!« – Nichts von solcher Zugeständnisfreudigkeit bei Richard Strauß, der die Notwendigkeit gemeinsamer Erwägungen von vornherein als Arbeitsbriefwechsel empfindet und um der Sachlichkeit willen am liebsten die Anrede fortgelassen sähe. Obwohl gerade Hofmannsthal für Webersche Bekenntnisromantik nicht unempfänglich gewesen wäre – die kantige Gemessenheit seines bayrischen Widerspiels durfte mindestens hie und da nicht fehlen. Gewiß war Strauß in diesen Briefen oft hemdärmelig und glaubte sich nichts zu vergeben, wenn er burschikos von einer gelungenen Szene des ›Rosenkavaliers‹ meint, sie werde sich komponieren »wie Öl und Butterschmalz«, oder von eigenem Gelingen auf einen »Schlager« hofft und ohne Scheu gesteht, daß ihm der keusche Joseph nicht recht liege, »und was mich mopst, dazu find' ich schwer Musik. Na, vielleicht liegt in irgendeiner atavistischen Blinddarmecke noch eine fromme Melodie für den braven Joseph«. Dabei ist er an dem einmal erfühlten Wert seines Dichters nie irre geworden, läßt sich von ihm den Kopf zurechtrücken, wenn es, oft realistisch überdeutlich, seine poetische Erziehung gilt, und hat es mit dieser Taktik zuwege gebracht, das Gemeinschaftswerk in gegenseitiger Steigerung unentwegt vorwärtszutreiben.

Garmisch, 19. Juli 1911

Lieber Herr von Hofmannsthal!

Es tut mir herzlich leid, daß ich in meiner trockenen Art Ihnen nicht den freundlich erhofften Lohn gespendet habe, den

Ihr Werk sicher verdient. Aber ich gestehe offen, ich war für den ersten Eindruck enttäuscht. Vielleicht, weil ich zuviel erwartet hatte. Ich habe mir Ihr Manuskript jetzt mit Maschinenschrift ausschreiben lassen und hatte heute bei rascher Lektüre allerdings einen wesentlich besseren Eindruck (bis auf den letzten Schluß, wofür ich doch noch ein größeres *Crescendo* brauche), ganz überzeugte mich aber das Werk erst nach dem Lesen Ihres Briefes, der so schön ist und den Sinn der Handlung so wundervoll erklärt, wie sie mir oberflächlichen Musikanten allerdings nicht aufgegangen war. Ist das aber nicht etwas bedenklich? Und fehlt da nicht doch einiges von Deutung in der Handlung selbst? Wenn ich's schon nicht gesehen habe, denken Sie doch an Publikum und – Kritik. So wie Sie mir's schildern, ist's famos. Das kommt aber im Stück selbst nicht so recht deutlich und anschaulich heraus.

Ich freu' mich nun doppelt, daß ich mich auch diesmal nicht habe verstellen können und daß meine Kühle Ihnen den herrlichen Brief entlockt hat. Ich werde Ihnen Stück und Brief in Maschinenschrift zugehen lassen in ca. 3 Tagen. Bitte, vergleichen Sie dann ruhig nochmal Brief und Stück und schauen Sie, ob nicht einiges vom Brief noch ins Stück hineinkommen kann, um die Symbole noch anschaulicher werden zu lassen. Der Autor sieht ins Stück Dinge hinein, die der nüchterne Zuschauer nicht sieht, und daß auch ich, der willigste Leser, so wichtige Dinge nicht herausgelesen habe, muß Ihnen doch zu denken geben. Wenn ich Ihr Stück jetzt nach Ihrer Erklärung anschaue, finde ich wohl alles darin, aber die Deutlichkeit, die ein Theaterstück braucht – denken Sie doch an die Ochsen von Zuschauern alle, vom Komponisten angefangen.

Die Zerbinetta-Scene ist ja sehr hübsch und die Scene vor der Ankunft des Bacchus, auch sein Lied, ist ja ganz famos, wie ich, von Ihnen mit der Nase darauf gestoßen, jetzt gestehen muß. Aber ist das ganz das Richtige? Das Symbol muß doch von selber lebendig aus der Handlung herausspringen, darf nicht nachträglich mühsam herausgedeutet werden. Außerdem bin ich nur ein Mensch, kann mich irren, bin tatsächlich schlechter Laune, seit vier Wochen mutterseelenallein hier, seit vier Wochen der Zigarette entsagt – da soll der Teufel genußfroh sein. Also seien Sie gut: vielleicht gibt Ihnen mein Unverständnis doch eine Anregung, nur als solche bitte ich's zu betrachten. Wir wollen uns doch gegenseitig steigern. Und über den Schluß können wir ja dann in München plaudern.

Genießen Sie recht den schönen Sommer und seien Sie herzlich gegrüßt

von Ihrem
Dr. Richard Strauß

23. Otto Brahm (Hamburg 1856 bis 1912 Berlin) an Gerhart Hauptmann

Eine von der ›Sonnenaufgangs‹-Zeit Hauptmanns her reichende Freundschaft, der es an leuchtenden Zeugnissen in Wort und Tat nie gefehlt hat, findet Ausdruck in dem programmatisch gedachten Glückwunschbriefe des Sterbenden, der damit zugleich seinem Glauben an den Dichter Gerhart Hauptmann und der eigenen Wirksamkeit als Kritiker, Schiller- und Kleist-Biograph und Bühnenleiter – der Berliner »Freien Bühne«, danach des Deutschen und schließlich des Lessing-Theaters – ein Denkmal setzt.

[Berlin, 14. November 1912]

Lieber Hauptmann,

erinnerst Du Dich noch des Tages, an dem wir uns das erste Mal sahen? Du hattest mir, dem Vorsitzenden der Freien Bühne, Dein Drama ›Vor Sonnenaufgang‹ geschickt, und ich hatte es in Übereinstimmung mit Schlenther, den Harts, S. Fischer, Paul Jonas angenommen; nun wollten wir einander kennen lernen, und Du erschienst an meiner Klingeltür in Deiner blonden jungen Kraft, in der Hand die Attribute des freien deutschen Mannes: einen mächtigen Schlapphut und einen Knotenstock. Du bliebst lange und ließest mich, Du idealistischer Naturalist, Deinen unbeirrbaren Willen zur Kunst, Dein ganzes Sein voll Milde und Stärke schön erschauen; und als ich Dir dann für Dein Kommen dankte, sprachst Du mit dem unbefangenen Eifer des jungen Autors es aus: »Um dieses Stückes willen laufe ich gern dreimal um Berlin.«

Seit diesem Herbsttage von 1889 habe ich – ohne daß Du je mehrmals um Berlin zu laufen brauchtest – fast ein jedes Deiner Werke zuerst auf die Bühne stellen dürfen; ich habe es hochhalten dürfen im Licht und es dem deutschen Publikum zuerst offenbaren; und dieses Tauf- und Ehrenamt empfinde ich als das größte Glück, das in meinem Berufsleben mir zuteil ward. Vom ›Sonnenaufgang‹ über die ›Einsamen Menschen‹, die ›Weber‹, den ›Florian Geyer‹, die ›Pippa‹ – bis zum ›Schilling‹ – welch ein Weg. Er hat Höhen und Tiefen, gewiß, und nicht immer ward den mit uns Wandelnden sogleich offenbar, wohin die Straße führte; aber nun, da Du fünfzigjährig auf Dein Schaffen zurückblickst, die Zeitgenossen mit Dir, nun ist die Stunde gekommen, da wir das Ganze Deines Werks, nicht seine Teile in der Hand halten wollen.

Deshalb finden wir uns, wir vom Lessing-Theater, denen Du so vieles gegeben hast, zu diesem 15. November mit einer Gegengabe ein: wir wollen Dir Dein Dichten in der Zeit, die uns noch bleiben mag, neu vor Augen stellen, wir wollen einen Hauptmann-Zyklus vor Dir aufrollen, der aus der Fülle Deiner dramatischen Poesie eine Auslese gibt des Geschaffenen, des Charakteristischen, Eigensten. Zwölf Hauptmannwerke etwa in der Zeitfolge ihrer Entstehung wollen wir Dir, wollen wir unserem Publikum darbieten, und so den Schlußstein setzen, der Straße, auf der wir seit jenem Herbst 1889, bei gutem und bei schlechtem Hauptmannwetter, ausgeschritten sind. Und auch über diesen künstlerischen Bemühungen mag das Leitwort stehen eines anderen »Sendschreibens«:

> Mein altes Evangelium
> Bring ich Dir hier schon wieder.

Herzlich Dein Otto Brahm

24. Götz von Seckendorff (Braunschweig 1889 bis 1914 Saint-Hilaire) an Bernhard von der Marwitz

Liebe das Leben! Dieser Briefanfang wird dem jungen Maler mehr und mehr Leitmotiv; Hoffnung und Zuversicht stehen hinter der Erkenntnis, dereinst sein Gefühl in »stürmisch drohenden« Bildern umsetzen zu können. Nach seinem allzu frühen Tod sind seine künstlerischen Absichten nur in Briefen erhalten.

Schwedt, 2. Juni 1913

Ich soll Dir schreiben, wenn ich Zeit habe. Ich mache mir Zeit. Und ströme mein geliebtes Leben alles hier hin für einen Augenblick, Dir zu sagen, wie vollauf glücklich ich bin. Es ist wie der Juchzer, der sich dem Körper entringt, wenn heiß er sich ins Meer taucht. Oder wie jener Dampfer vorgestern jauchzte, von unten heraus, jedesmal, wenn er weiterfuhr. Vorgestern früh um sechs bei grauem Nebel, worüber man Sonne ahnte, war es, daß ich mit der süßen Frau mich traf auf dem kleinen ganz silbernen Dampfer, der nach Stettin ausfuhr.

Trunken waren meine Augen, meine Sinne. Diese süße, ganz sachte bewegte Harmonie von grünlichem und rosa Wasser unter dem silbernen Nebel, die Wiesen in mattem kaltem Grün, und hineingedrückt lagen Lachen von glühenden dunkelroten Blumen. Wie ganz bedeutend standen die einzelnen nackten fünffarbigen Weiden stumpf oder hoch sich ausweitend auf dem flachen Ufer. Wie staunte ich, wenn ein Wasservogel glitt, im Wasser sich neigte, einen Kreis schlug, tauchte und flügelschlagend wieder sich hob. Königlich standen die starken Männer jedesmal am Steuer von den großen Kähnen. Da schwamm einer, außen ganz rot gestrichen, und zwei Männer, bis zum Gürtel nackt, mit ihrem gelben Körper prunkend, stemmten mit Stöcken mühsam, nach vorn ganz auf die Stange gelegt, den Kahn weiter. Das Boot war ganz mit Eichenholz beladen, das orange leuchtete in den Schnitten und grünlich silbern die Borke. Am Steuer aber standen zwei kleine winzige leichte Mädchen mit nackten weißen kleinen Beinen und faßten mit aller ihrer Kraft das Steuer, das seinen einzigen Arm weit über sie hielt, zu hoch; aber der Mast war zu den Mädchen runtergebogen, und da er nicht hinreichte, leckte die rote schmale Flagge nach ihren Füßen. Daneben kleine energische Schlepper, die prustend den Kiel und Schornstein kühn hintenüber hielten und zogen. Reihen von Frachtbooten, die drin lagen im Wasser, kaum herausguckten. »Hannemarie«, »Rudolf«, »Nixe«, »Hermann« hießen sie, und kleine Hunde, je einer auf jedem Kahn, jene schwarze kleine Art Spitz, und über der Tür zur Kajüte stand einmal: »Gott mit uns!« Und Blumen an Bord. Vorn auf unserem Dampfer lag eine Wagenladung von roten und grünen Gemüsen. Als der Dampfer hielt, vor einem alten Häuserhaufen, da luden Kerls Kisten und Säcke auf und ab. Einer hatte einen blonden Schnurrbart wie Dietrich von Bern und darüber eine Adlernase und tiefliegende blaue Augen, eine Kappe auf dem Kopf, die wie ein Helm Haare, Nacken und Schultern bedeckte. Ich muß weiter noch sagen, eine alte Frau, die in ruhender gotischer Haltung vor mir stand, muß Dir erzählen von den weiten Falten ihres Rockes, von ihren Ohren, den Händen, wie ihr Bauch stand unter der faltigen Schürze. Wie sie die Hände hielt, wie sie sah. Von den Vögeln, von der Sonne, wie sie herauskam, schließlich von Hühnern, die in einem Korbe piepten, wieder von Menschen, die einstiegen, von Bäumen, der Ankunft in Stettin. Wie die Sonne den Nebel und Rauch beschien und alle Farben leuchteten. Von dem

Fischmarkt dort, von den Trägern, von den unsterblichen großen Bewegungen der Ruderer in kleinen schwerfälligen Booten. Die Fischweiber in wilden aufgeregten Haltungen mit lächerlichen Strohhüten. Wie Leute darumstanden. Wie Fische tot dalagen oder lebendig zappelten im Behälter, und Rosen, Radieschen, Bananen, Brüllen von Dampfern. Die Brücke läßt hochklappend Schiffe durch. Andere drücken sich unter der Brücke hin. Wie sollst Du aber ahnen die Unendlichkeit, die See, diesen wilden, wilden Wind der echten Segelschiffe, den Strand, das Rauschen der Brandung, den Sonnenuntergang, den Sternenhimmel, die Nacht, den Sonnenaufgang, den Tag, das ist das Paradies, das ist höchste Glückseligkeit: die Unendlichkeit kosten, den grenzenlosen Sinn sehen hinter jeder Falte. Wie stimmten mir die Herren Goethe, Gide, Plato zu, die ich mitgenommen hatte. Und ich sage Dir, von allen den Wundern, die ich genoß – so daß ich noch ganz trunken bin davon, wahnsinnig –, war die Liebe von der holden Frau, diese Seele, die zittert unter jedem Worte, das sie trifft, dieses Menschenwesen, so kostbar und wunderschön. Aber ich könnte Dir immer sprechen von den endlichen Dingen, von der Sonne, dem Sande, dem Meere, den Farben, der See und dem Himmel. Jetzt saß ich da und zeichnete fieberhaft aus der Erinnerung. Bernhard, ich sage Dir, Glück gibt es auf Erden, unsagbares Glück! Ich kann es nur sagen, daß es ist. Wie? Und Heil uns, daß es Tusche gibt und Farben und Pinsel und geduldiges weißes Zeug.

25. Bernhard von der Marwitz (Groß-Kreutz 1890 bis 1918 Valenciennes) an Götz von Seckendorff

Von den Jüngern Hölderlins, die 1914 begeistert in den Krieg zogen und denen er zum furchtbaren Erlebnis wurde, wird neben Seckendorff und Norbert von Hellingrath noch Bernhard von der Marwitz in der Erinnerung fortleben: auch wenn sein jugendliches Werk Bruchstück blieb.

Friedersdorf, 7. Oktober 1913
Du Einziger unter den Menschen! Was sag ich Dir? Einen Fluch auf diese Feder? Mir ist jetzt vieles durch den Kopf gegangen. Ich habe das Schreiben abgebrochen und war im Garten bei Nacht. Die Bäume standen wie angemauert und rührten sich nicht. Doch hörte man oben ein schwaches Rauschen, wie

wenn es von den Sternen herabsank. Was geschah, weiß ich nicht. Ich würde maßlos glücklich sein, wenn Du wieder hier wärest. Diese früheren Tage haben nicht entfliehen können und hängen noch fest in allen diesen Bäumen wie Spinnen, die nicht gefangen sind, sondern die die Zweige einfangen und umspinnen. An diesem Leben hier leide ich oft schmerzhafter als an einer Krankheit. Doch habe ich seit einigen Tagen ein unerhörtes Glück bei mir wie eine Gesundheit. Gleich der aussätzigen Violäne, die in unbefleckter Empfängnis das tote Kind zum Leben erweckte. Wenn Du noch Geduld, ein wenig, mit mir hast, will ich mich auch öffnen wie eine Blume. Die Sonne verlangt es, und niemand widersteht ihr, der in die Erde gelangt ist und nur das Leben hat von dem Auge einer Wurzelknolle. Ich weiß nicht, warum das alles geschieht und geschehen muß! Warum ich von Dir getrennt bin. Hast Du nichts von einem Schatten gesehen, der etwas an der Erde verdunkelte, als über uns in der Mitte ein mächtiger Adler vorüberzog? Lieber, Lieber, wir müssen arbeiten und das Glück von nirgends her als von uns erwarten. Dennoch weiß ich von Dir und glaube an Deine Taten. Und was hier an meinen Wänden klebt, ist wie Blut von der Hand eines Mörders, auf welchen man einen Hund gehetzt hat. Er allein weiß von dem, dessen Blut es ist, und findet seine Spur. Gut Nacht. Sag mir etwas, Besseres als dies.

Dein B.

26. Georg Trakl (Salzburg 1887 bis 1914 Krakau) an Ludwig von Ficker

>»Wir gehen – er fliegt«, hat ein jüngerer Schweizer Dichter von ihm gesagt. Aber Trakl blieb, wie er selbst nur zu gut wußte, zeitlebens ein von düsteren Gesichten überschatteter, angstgeschüttelter Mann, der an den Wunden, die der Krieg der Menschheit schlug, verblutete. Freund, der ihm sein Schicksal tragen half, war neben Karl Kraus, der in der ›Fackel‹ Trakls Lyrik Zuspruch gab, vor allem Ludwig von Ficker, der Herausgeber der Innsbrucker Zeitschrift ›Der Brenner‹.

[Wien, vermutlich November 1913]

Lieber Herr von Ficker!

Vielen Dank für Ihr Telegramm. Kraus läßt vielmals grüßen. Dr. Heinrich ist hier wieder ernstlich erkrankt, und es haben sich sonst in den letzten Tagen für mich so furchtbare Dinge

ereignet, daß ich deren Schatten mein Lebtag nicht mehr loswerden kann. Ja, verehrter Freund, mein Leben ist in wenigen
Tagen unsäglich zerbrochen worden, und es bleibt nur mehr
ein sprachloser Schmerz, dem selbst die Bitternis versagt ist.

Wollen Sie, bitte, um von meinen nächsten Angelegenheiten
zu sprechen, die Güte und Liebe mir erweisen, an Hauptmann
Robert Michel zu schreiben (vielleicht ist es wichtig, daß es
gleich geschieht) und in meinem Namen um seine freundliche
Fürsprache im Kriegsministerium bitten.

Vielleicht schreiben Sie mir zwei Worte, ich weiß nicht mehr
ein und aus. Es ist ein so namenloses Unglück, wenn einem die
Welt entzweibricht. O mein Gott, welch ein Gericht ist über
mich hereingebrochen. Sagen Sie mir, daß ich die Kraft haben
muß, noch zu leben und das Wahre zu tun. Sagen Sie mir, daß
ich nicht irre bin. Es ist steinernes Dunkel hereingebrochen.
O mein Freund, wie klein und unglücklich bin ich geworden.

Es umarmt Sie innig Ihr
Georg Trakl

27. Carl Benz (Karlsruhe 1844 bis 1929 Ladenburg a. N.) an E. A. Forward

Schöpferische Gedanken großer Ingenieure scheuen vielfach die sofortige Mitteilung. Gewiß auch daraus erklärt sich, daß nur auffallend spärliche briefliche Zeugnisse zur Geschichte des frühen Automobilbaus vorliegen. Wir dürfen daher dem
Leiter des Londoner Science Museums dankbar sein, daß er Einzelheiten über den
Motorwagen von 1888 erbat, als er einen solchen für seine Sammlungen erworben
hatte. Karl Benz hält ein Stück großer selbstgestalteter technischer Vergangenheit
in diesen bescheiden-geschäftlichen Ausführungen fest. Heute zeigt das Denkmal, das
man dem »Pionier des Kraftwagenbaus« in Mannheim errichtete, auf der Vorderseite
den Erfinder im Arbeitskittel neben seinem ersten noch dreirädrigen Kraftwagen von
1885; erst anfangs der neunziger Jahre wurde die Steuerung des Vierradwagens gefunden – welche Ausdauer dazu gehörte, die erahnte Vorstellung zu brauchbarer Wirklichkeit werden zu lassen, läßt der schmucklose Brief zwischen den Zeilen erkennen.

Ladenburg a. N., den 18. Februar 1914

Herrn E. A. Forward
The Science Museum
South Kensington
London S. W.

Ihr wertes Schreiben vom 9. Januar 14 habe ich erhalten und
bin gerne bereit, Ihnen über die ersten von mir gebauten

Motorwagen Auskunft zu geben, soweit mir heute noch erinnerlich ist.

Bezüglich der Wagen mit vertikaler Kurbelachse und horizontal gelagertem Schwungrad des Motors, kann ich mit Bestimmtheit sagen, daß sie von mir gebaut und von Roger in Paris nur verkauft wurden, da Roger selbst überhaupt weder die Motoren noch die Wagen jemals selbst baute, sondern alles von uns bezog.

Von diesen Wagen mit horizontalem Schwungrad sind überhaupt nur einige wenige hergestellt worden. Das Schwungrad wurde deshalb anfänglich horizontal gelagert, um die Lenkungstätigkeit des Wagens nicht zu beeinträchtigen, was bei in vertikaler Ebene sich drehendem Schwungrad einigermaßen der Fall ist. Spätere praktische Versuche haben jedoch gezeigt, daß diese Wirkung nicht genügend stark ist, um die Lenkungsfähigkeit wesentlich zu beeinflussen und wurde von da ab die für die Kraftübertragung viel vorteilhaftere horizontale Lagerung der Achse angeordnet.

Der in München im Jahre 1888 ausgestellte Wagen war von der gleichen Konstruktion wie der, den Sie besitzen. Wie schon bemerkt, wurden von dieser Type nur wenige Wagen gebaut, und zwar deshalb nur wenige, weil sie in Deutschland keine Käufer fanden. Es trat dadurch eine gewisse Ruhepause ein, in der wenig gebaut und verbessert wurde.

Erst als Roger in Paris diese Neuerung bekannt gemacht hatte und einige Wagen dort eingeführt und verkauft waren, worunter auch einer an Panhard und Levasor schon im Jahre 1888, konnten wir die Fabrikation regelrecht aufnehmen und hatten dann auch vollauf zu tun.

Ich glaube, daß die Wagen von 1890 an mit horizontaler Kurbelachse gebaut wurden.

Die Zündung erfolgte zuerst durch eine kleine Dynamo und Induktionsapparat, dann durch 2 Chromsäure-Elemente und Induktionsapparat. Accumulatoren waren damals noch nicht im Handel. Die Unterbrechung des elektrischen Stromes zur Zündung lag ursprünglich in der hochgespannten Leitung, später bei Verwendung von Elementen im primären Strom.

Die beiden Hinterräder des Wagens waren bei den ersten mit Eisenreifen versehen, während das Vorderrad immer mit Vollgummi bezogen war.

Für die Geschwindigkeitsregulierung war bei den ersten Wagen ein Rohr vom Vergaser unter den Führersitz geleitet, welches am Ende mit vier Schlitzen versehen war. Diese Schlitze konnten durch eine Kappe, die mit Gewinden versehen war, vergrößert, verkleinert oder ganz geschlossen werden, so daß der Zufluß von Luft zum Vergaser vollständig abgesperrt war. Auf diese Weise wurde der Gang des Motors in der Tourenzahl geregelt. Ein anderes ebenso in seinem Zufluß regulierbares Rohr endete ebenfalls unter dem Führersitz und führte dem aus dem Vergaser kommenden Gemisch, ehe es in den Arbeitscylinder eintrat, je nach Bedarf noch frische Luft zu, um dem Gasgemisch die richtige Explosionsfähigkeit zu geben, da das in dem Vergaser erzeugte Gemisch in der Regel zu reich an Benzindunst war.

Ihrem Wunsche entsprechend, sende ich Ihnen meine Photographie, eine Aufnahme aus der Zeit der ersten Benzinautomobile, und lege die mir übersandte Aufnahme Ihres Wagens wieder bei.

Sollten Sie noch irgend welche Auskunft über fraglichen Gegenstand wünschen, bin ich gerne bereit zu beantworten, soweit mir noch möglich.

Hochachtungsvoll!
C. Benz

28. Paul von Beneckendorff und von Hindenburg (Posen 1847 bis 1934 Neudeck [Westpreußen]) an den Generalquartiermeister von Stein

Als Hindenburg diesen Brief schrieb, lag ein langes Soldatenleben hinter ihm, das den erfolgreichen Mitkämpfer von Königgrätz und St. Privat bis zum Kommandierenden General emporgetragen hatte. Jetzt still zusehen zu sollen, während der rechte Flügel des deutschen Heeres in raschem Vormarsch war, in Ostpreußen aber die Russen einfielen, schien ihm unerträglich. So schrieb er den Brief, auf den zehn Tage später eine entsprechende Anfrage des Großen Hauptquartiers von Hindenburg mit »Bin bereit« telegraphisch beantwortet wurde.

Hannover, Wedekindstr. 15, den 12. August 1914

Sehr verehrter Herr von Stein!
Im Vertrauen auf unsere alte Bekanntschaft kurz eine Bitte: Denken Sie meiner, wenn noch im Laufe der Dinge irgendwo ein höherer Führer gebraucht wird!

Ich bin körperlich und geistig durchaus frisch und war daher auch bis vorigen Herbst trotz meiner Verabschiedung designiert. Fabeck kann Ihnen darüber Näheres berichten.

Mit welchen Gefühlen ich jetzt meine Altersgenossen ins Feld ziehen sehe, während ich unverschuldet zu Hause sitzen muß, können Sie sich denken. Ich schäme mich, über die Straße zu gehen.

Antwort auf diese Zeilen erwarte ich nicht. Sie haben Wichtigeres zu tun. Ihre Rückkehr in den Generalstab hab ich mit aufrichtiger Freude begrüßt. Gott sei mit Ihnen!

Stets in alter treuer Kameradschaft
    Euerer Exzellenz sehr ergebener
    v. Beneckendorff u. v. Hindenburg
    General der Infanterie à la suite des 3. Garde-Rgts. z. F.

29. Walter Hasenclever (Aachen 1890 bis 1940 Les Milles [Frankreich]) an René Schickele

Die aufrührerischen Bühnendichtungen – ›Der Sohn‹ (1916), ›Die Menschen‹ (1918), ›Antigone‹ (1919) – zeigen den expressionistischen Dramatiker im Ringen um ein Menschentum, das er aus starren Gesetzesbindungen befreien möchte. Von seinem Gefühl geistiger Verantwortung für seine Zeit zeugt auch dieser Zuruf an René Schickele, der in den ›Weißen Blättern‹ die Äußerungen seiner unfügsamen Generation sammelte.

Bonn, 28. Januar 1915

Sehr geehrter Herr Schickele.

Im Augenblicke, wo ich lese, daß der Kaiser den Herren Dehmel, Lissauer und Richard Nordhausen einen Orden verliehen hat, erreicht mich das erste Heft der wiedererschienenen ›Weißen Blätter‹. Ich danke Ihnen dafür! danke Ihnen vor allem auch für die Voranstellung meiner Gedichte mit dem mutigen Zusatz: ›Mai 1914.‹ Frau Gerda von Mendelssohn erzählte mir auf Promenaden durch den Weimarer Park Vieles von Ihnen. Ich bin gar nicht traurig, daß Sie mir nicht schrieben; daß Sie, eine der wichtigsten Existenzen des heute politischen Deutschlands, 1915 nicht mit uns feierten: denn sehr klar und freudig glaube ich zu wissen, daß in allem, was noch kommen mag an Zensur, Gefängnissen, an Erniedrigung des Geistes, Verrat und Schwindel – eine starke und gute Bundesgenossenschaft uns verknüpft. Ich bitte Sie inständigst, die ›W. Bl.‹ zu jener wirklichen Tribüne zu machen, an der die qualitätlose Materie keinen Teil mehr hat.

Sie haben, im Reiche des Geistes, heute eine Stellung auszufüllen, die militärisch etwa dem Range eines Feldmarschalls entspricht. Befreien Sie – nicht nur unsre östlichen Provinzen – unsre Hauptstadt, unser Herz vom Unrat der Schweine, Dichter, Feuilletonisten, Wanderredner und Professoren!

Bitte, tun Sie das!!

Die Verantwortung als Leiter einer (so mächtig zu denken-den, folglich zu werdenden) Zeitschrift möge Sie erleuchten, wie den Nachfolger Petri auf Erden. Ich wünsche mit stärkstem Gefühl, aus der Not und dem Aufstieg heraus, aus dieser nun erkannten, zu bannenden und zu gestaltenden Zeit, aus unser aller Willen und Suggestion oberhalb der vernichteten Sphäre eine große Gemeinschaft zu erwecken. Eine Kraft, welche den nationalen Dünkel überwinde! Einen Sieg, nicht im Sinne der Leitartikel noch des Imperiums, aber auch keine nichtsnützige Antithese – eher die Erscheinung des Apostel Paulus, dessen Statue bei dem Erdbeben zu Rom von ihrer Säule stürzte.

Ich hoffe, Sie bald zu sehn!

Mit herzlichen Grüßen
Ihr Walter Hasenclever

30. Käthe Kollwitz, geborene Schmidt (Königsberg [Ostpreußen] 1867 bis 1945 Moritzburg bei Dresden) an ihren Sohn Hans

Die sozialistischen Bestrebungen der Zeit fanden durch das graphische Werk der Käthe Kollwitz Unterstützung. Der Frau des Kassenarztes, der im Norden Berlins unter der ärmsten Bevölkerung fast ein halbes Jahrhundert wirkte, gab die Uraufführung der Hauptmannschen ›Weber‹ Anstoß zu der Folge der Weber-Radierungen, die auch Menzels Aufmerksamkeit gewannen und lange ihre beachtetste Schöpfung blieben. Ihrem jüngeren Sohn Peter, der 1914 fiel, schuf sie ein ergreifendes Denkmal, das zu einem Totenmal für die Gefallenen des ersten Weltkrieges wurde.

Sonntag, 21. Februar 1915

Mein lieber Hans! Ganz langsam und allmählich komme ich zu der Arbeit für Peter. Während dieser Arbeitswochen ist mir von neuem etwas klar geworden, was ich schon vor Monaten zu Dir aussprach, was in der dazwischenliegenden Zeit sich aber sehr verdunkelt hatte und woran ich fast nicht mehr glaubte. – Kurz bevor die Nachricht von Peter kam, waren wir beide nach Potsdam gefahren. Ich sagte Dir da von der neuen Erkenntnis, die diese Zeit mir gebracht hatte. Daß der Egoismus abstürbe und daß das Recht auf freien Tod auch über Euern Tod heraus nicht mehr mir, dem Einzelnen, zustände, wie ich früher glaubte. Hinter dem Einzelleben stände das Vaterland, und solange man diesem nutzen kann, hat man zu leben. Das war damals.

Warum in dieser Zeit hilft mir die Arbeit? Es ist nicht genügend, wenn ich sage, daß sie mich sehr interessiert. Weil sie eine Aufgabe ist, der ich mich nicht entziehen darf. Wie Ihr meine leiblichen Kinder meine Aufgaben wart, so auch meine andern Arbeiten. Das klingt Dir vielleicht so, als ob ich meinte, der Menschheit etwas zu entziehen, wenn ich nicht mehr arbeitete. In gewisser Weise: ja. Weil dies mein Posten ist, von dem ich nicht runter darf, bis ich mit meinem Pfund bis zu Ende gewuchert habe. Die Verpflichtung hat jeder, der zum Leben bestimmt ist, den in ihn gelegten Plan auszuarbeiten bis zur letzten Feile. Dann darf er gehn. Dann sterben wohl auch die meisten Menschen. Peter war »Saatfrucht, die nicht vermahlen werden soll«. Er selbst war die Saatfrucht.

Wäre es mir oder Vater möglich gewesen, für ihn zu sterben, daß er leben durfte – o wie gern wären wir gegangen. Für Dich wie für ihn. Aber es ging nicht.

Ich bin nicht Saatfrucht, ich habe nur die Aufgabe, das in mich gelegte Samenkorn zu Ende zu entwickeln. Und Du mein Hans? O würdest Du doch zum Leben geboren sein. Du sollst es sein und sollst daran glauben.

31. Franz Marc (München 1880 bis 1916 vor Verdun) an seine Frau

Bereits 1910 kennt dieser Maler genau seinen Weg: »Ich suche mein Empfinden für den organischen Rhythmus aller Dinge zu steigern, suche mich pantheistisch einzufühlen in das Zittern und Rinnen des Blutes in der Natur, in den Bäumen, in den Tieren, in der Luft – suche das zum Bilde zu machen, mit neuen Bewegungen und mit Farben, die unseres alten Staffeleibildes spotten.« Fünf Jahre später kann er, fern von seinem Atelier, seine künstlerischen Gedanken nur in Briefen fortsetzen.

L., nun liegen Deine drei langen Briefe über die Aphorismen vor mir und machen mich sehr glücklich. Ich sag dies gleich und bitte Dich, Dich immer an diesen Satz zu erinnern, auch wenn Du vielleicht im folgenden und später oft vieles zu lesen meinst, dem Du widersprechen willst und mußt und das Dir Angst macht, daß ich Dich vielleicht gar nicht verstanden hätte. Ich verstehe Dich und was Du willst und die Wahrheit dessen, was Du forderst, vollkommen und werde immer wieder auf diesen Kern und Urgrund dringen, auch wenn ich auf Umwegen gehe. Die Umwege sind bei produktiven Naturen sicherlich oft die einzig mögliche Verbindung mit dem Ziel; einer, der nur lebt und in Reinheit wie ein Eremit im Leben steht, lebt vertrauter mit dem Gott und Urgrund des Seins (zum Beispiel auch Ihr Frauen und Mütter) als ein produzierender, das heißt »sich quälender« Geist. Deswegen will ich doch zur Reinheit und bin mir bewußt, daß viel Unreines in meinem ganzen bisherigen Werk und zum Beispiel auch in den Aphorismen ist. In den letzteren vor allem. In einem tust Du mir unrecht, wenn ich auch überzeugt bin, daß ich direkt Anlaß dazu gegeben habe: daß Du denkst, ich rede von Kunst; ich habe bei meinem Reden nur die Form, das heißt die Mittel der Kunst im Auge; ob es nun eine »Sünde wider den Heiligen Geist« ist, über die Form nachzudenken, – das ist so schwer mit ja oder nein zu beantworten. So ohne weiteres wird mich niemand überzeugen, daß zum Beispiel Mantegna oder Bellini (erinnere Dich an seine Londoner Bilder!), Meister Bertram oder der Erbauer des Straßburger Domes oder Delacroix nicht stündlich in ihrem Leben um die Form gebangt und gerungen haben. Daß sie Künstler waren und von Kunst wußten, war ihre Seligkeit und ist auch die meine; aber die Form war ihr tägliches Studium und ihre Qual. Die schenkt der liebe Gott uns nicht. Musikalische Schöpfungen will ich nicht hereinbeziehen; sie bleiben mir in ihren reinen Gebilden (wie Bach oder die drei letzten Sinfonien Beethovens oder die katholischen Hymnen der frühen Italiener) ein Mysterium, über dessen formales Entstehen ich mir keine Gedanken zu machen getraue (ich will es auch gar nicht), – während mir sentimentale oder äußerliche (das heißt formal allzu durchsichtige) Musik oder auch reine Musik, sentimental gespielt, gar keine Freude macht, schon aus dem Grunde, weil ich hier vom Formalen gar nichts verstehe und mir daher gewisse Freuden und Befriedigungen versagt sind, die zum Beispiel ein Klee doch noch mit Recht aufnimmt. Was K. über Beethoven sagt, ist ja wörtlich das, was ich in den letzten Jahren so oft gesagt habe; erinnerst Du Dich noch, wie ich einmal dringend nach Mozart verlangt habe (Du weintest damals darüber, August war dabei), weil Mozart sich reiner, unpersönlicher ausdrückt. Das tut er, soweit ich ihn kenne, freilich nicht immer; vieles an ihm ist spielerisches Rokoko, und zwar gerade deswegen unrein, weil es so unglaublich kunstvoll und geistreich ist und nicht naiv, wie manchmal Rameau, der einem eben stille Freude macht, wie ein Rokokozierat, sehr reines Kunstgewerbe. Das gibt es heute freilich nicht, außer vielleicht in Picasso und manchem Légers, überhaupt den Franzosen! Heute steht jede Kunstäußerung vor dem Entweder – Oder. Und darum hast Du so recht mit Deiner Sehnsucht und Forderung, zum zeitlosen Urklang zurückzusteigen. K. sagt: wenn ich Chinese bin, sage ich es chinesisch, wenn ich 1915 lebe, – 1915. Das ist so wahr, aber leichter gesagt als getan, nämlich das »1915 leben«! Dazu muß man vielleicht die Aphorismen und noch bessere, gründlichere durchdenken und geistig viel umfassen; sonst lebt man irgendwann und -wo und hängt in der Luft. Man darf das heilig anvertraute biblische Pfund nicht nur wie ein frohes Evangelium in der Tasche tragen (wie es momentan Du und vielleicht K. tut und mit Euch viele reine Künstlerseelen, die nie zum Schaffen kommen, weil sie vielleicht zu rein und keusch sind), sondern mit dem Pfund handeln nach der Bibel. Um eins bet ich freilich: daß der »Betrieb« meine Seele nie mehr einfängt. Nur das nicht mehr; und ich bin so froh, daß Du mir dabei helfen willst. Der Gedanke an ihn ist mir gräßlich. –

Ich freu mich sehr auf den Verkehr mit K. Wie schmerzlich, auch für Dich, daß er jetzt fort muß. Schick ihm öfters was; er wird es sicher sehr gut brauchen können, mehr als ich. Auch wenn es ein bissel was kostet; das macht nichts.

Seine Idee, daß die Nächstenliebe die einzige geheime Religion von heute ist, – das ist das Einzige, was von Deinen und seinen Worten nicht in meine Seele eingeht; außer man faßt den Begriff der Hingabe und Selbstverleugnung so weit, daß es schließlich ein Streit um Worte wird. Gerade reine Kunst denkt so wenig an die »andern«, hat so wenig den »Zweck«, die Menschen zu einigen, wie Tolstoi sagt, verfolgt überhaupt keine Zwecke, sondern ist einfach sinnbildlicher

Schöpfungsakt, stolz und ganz »für sich«! Ich schrieb Dir, glaub ich, schon einmal darüber; verliere Dich nicht ganz in das Riesenmeer Tolstoischer Gedanken; ich verachte sie gar nicht, ich freue mich, sie jetzt bald zu lesen, nach jahrelanger Pause; aber lies Du jetzt einmal – Nietzsche: Jenseits von Böse und Gut – Genealogie der Moral; der Antichrist und Morgenröte (bei Paul). Ich will Dich ja nicht quälen; Du kannst es auch später einmal tun, wenn Du jetzt nicht in Stimmung bist. Dieser kurze Brief soll auch keine erschöpfende Antwort sein auf Deine langen Briefe, sondern zunächst und vor allem meine freudige Zustimmung zu dem künftigen Leben sein, das Du Dir für uns beide und mein Schaffen erträumst; Deine Briefe waren wirklich wie ein Weckruf; und dann kurze verstreute Gedanken, die mir zunächst beim Lesen gekommen sind. Nächstens mehr, mein liebes tapferes Weib.

32. Franz Marc (München 1880 bis 1916 vor Verdun) an Paul Klee

Die Entwicklungszeit Franz Marcs hat, ein halbes Menschenalter nach dessen zu frühem Tod, Kandinsky in einem Brief beschrieben, welcher der Entstehungsgeschichte des ›Blauen Reiters‹ galt, als er um 1912 trotz mancher Vorbesprechungen noch keine festen Umrisse aufwies: »Und da kam Franz Marc aus Sindelsdorf. Eine Unterredung genügte: wir verstanden uns vollkommen. In diesem unvergeßlichen Mann fand ich ein damals sehr seltenes Exemplar eines Künstlers, der weit über die Grenzen einer Vereinsmeierei blicken konnte; der nicht äußerlich, sondern innerlich gegen bindende, hemmende Traditionen eingestellt war. Lange Tage, Abende, hier und da auch halbe Nächte besprachen wir unser Vorgehen. Klipp und klar war uns beiden von vornherein, daß wir streng – diktatorisch vorgehen müssen: volle Freiheit für die Verwirklichung der verkörperten Idee ... Es war eilig! Noch vor der Erscheinung des Bandes [›Blauer Reiter‹] veranstalteten Franz Marc und ich die erste Ausstellung der Redaktion des Blauen Reiters in der Galerie Thannhauser – die Basis war dieselbe: kein Propagieren einer bestimmten, exklusiven Richtung, das Nebeneinanderstellen von verschiedensten Erscheinungen in der neuen Malerei ... Den Namen ›der Blaue Reiter‹ erfanden wir am Kaffeetisch in der Gartenlaube in Sindelsdorf: beide liebten wir Blau, Marc – Pferde, ich – Reiter. So kam der Name von selbst.«

10. Mai 1915

Lieber Klee, Dein guter Brief war mir ein rechter Freundschaftsgruß, der mir gut getan hat. Du, Deine Frau und Maria, Ihr scheint Euch ja in einem richtigen erbitterten Frontalkampf der Meinungen gegenüber zu liegen; ich kenne Maria ja gut;

wenn sie einmal eine »ideale Forderung« aufstellt, da läßt sie nicht locker. Sie stellt immer gleich die selbstquälerische Gewissensfrage, während die meisten sich bei dem sich selbst ausgestellten Vertrauensvotum beruhigen. Das sind die glücklicheren und gesünderen Naturen. Aber die Gewissensfrage – die Frage nach der Sache, nach dem Wesentlichen – bleibt doch die letzte und unumgängliche Frage, nicht Dein »Ich und die Romantik«! Das Ich kann immer noch umgangen werden, ohne abzustürzen – es wird und muß umgangen werden – aber die andere Frage kann nicht umgangen werden, das »Mensch, werde wesentlich«! Ich stehe hier ganz in Marias Ideen, aber bei mir ergeben sich zum Teil sehr andere Folgerungen, von Fall zu Fall, und vor allem lehne ich Tolstois Gedankengang in ›Was ist Kunst?‹ fast gänzlich ab, als sophistischer, unverbesserlicher Weltverbesserer und flaches Christentum. Aber daß Europa ein höchst unglücklicher ungesunder Nährboden für reine Kunst – das ist religiöse allgemein gültige Kunst – ist, davon bin ich fest überzeugt. Maria scheint mir aber, durch Tolstoi verleitet, einen großen Fehler zu machen: sie verwechselt allgemeingültig mit allgemeinverständlich! Ebenso greift sie mit manchen einzelnen Beispielen wie Kandinsky fehl oder schießt wenigstens weit über ihr eigenes Ziel und versäumt das Beste. In Kandinsky ist viel Unreines, das heißt Eitles, allzu persönlich – Uninteressantes, auch persönlich Erklügeltes, aber ebensoviel Herrliches, Allgemeingültiges, Endlichgesagtes, daß das Gute seine Schwächen überwiegt. Maria schrieb mir letzthin sehr schön, daß alles an dem Akzent läge: in der Kunst darf es nicht heißen: ich empfinde so, ich habe dies und jenes erlebt und gelitten, sondern: ich empfinde, ich erlebte, ich litt. Damit ist fast alles gesagt – aber von wie wenig Bildern und Tonstücken kann man das sagen? Vom Meister des Marienlebens ja, von Dürer – mit Ausnahme einiger Holzschnitte – nein. Dieser Gedanke ist ein feiner Maßstab, nur muß man ihn nicht bloß, oder vielmehr überhaupt nicht auf Beethoven und Michelangelo und so fort anwenden, sondern zunächst und am besten auf – uns selbst. Wo das Ich wichtig genommen wird, wichtiger als die Sache, da ist schlechte, unreine Kunst. Der Künstler ist Werkzeug und schafft selbstlos ... die Alten nannten es Inspiration, Entrücktsein ... und steht hinter seinem Werk, wie der Evangelist hinter dem Evangelium. Er muß nicht dem Werke Größe – seine immer beschränkte, bedingte Größe – verleihen, sondern das Werk ihm. Nur so wächst das Werk ins

Ungemessene und Zeitlose. Wie soll man nur dieses Ichtum, diese Wurzel unserer europäischen Unreinheit und Unfrömmigkeit ausreißen? In den Aphorismen sah ich in der exakten Wissenschaft die Möglichkeit einer Reinigung – aber darüber muß man noch viel nachdenken. Ich bin wirklich wie ein Stück Land, über das die Pflugschar gegangen ist; es ist alles aufgewühlt, es schmerzt überall; ein gräßlicher Zustand. Es ist ganz gut, daß ich eine Uniform anhabe, da sieht's keiner, vielleicht wächst alles doch ein bißchen zusammen, bis ich heimkomme, sonst geniere ich mich.

Von Herzen, Euer Franz Marc

33. Alfred Döblin (Stettin 1878 bis 1957 Emmendingen) an Herwarth Walden

Die Nachricht vom Tod des expressionistischen Dichters August Stramm (1874 bis 1915) ließ Döblin, dessen Lebenswerk heute eine Renaissance erfährt, spontan in einem Brief an Herwarth Walden, den Herausgeber des ›Sturm‹ (geb. 1878, nach seiner Emigration in der UdSSR verschollen), das Bild des Toten zeichnen: ein klar gesehenes Porträt, dessen Züge heute so stimmen wie je.

21. September 1915

Lieber Walden,
eben erhalte ich den ›Sturm‹ und die Nachricht von Stramm. Ich bin ergriffen und traure mit Dir.

Das unausdenkbar Brutale des Krieges wird wieder einmal evident, wo jemand hingerissen wird, wie Stramm, der so sichere Bewegung war und weiter drängte. Unser Dasein ist abrupt. Es kommt, wie es scheint, auf gar nichts an, auf gar nichts.

Stramm hatte etwas Fermentatives; er regte nicht nur Menschen an; er versetzte, wenn sich so sagen läßt, den Sprachbrei in Gärung. Er brachte im wörtlichen Sinne alles in Fluß, was er sagte, es verschwand die logische Isolierung von Substantiv Verb Adjektiv, er graduiert jedes nach Bewegungsimpulsen. Das Formulierte, Formulierbare scheint seinem Gefühl ein Greuel gewesen zu sein; das Schwimmende des Gefühls und der Vorgänge drängte er so zu bringen, daß es schwimmend blieb; in dem Sinne ein lyrischer Naturalist. Ich weiß keinen, der so, ohne zu spielen und Faxen zu machen, mit der deut-

schen Sprache gewaltsam umgesprungen wäre, als mit einem
Stoff, den er bezwang und der nicht ihn bezwang. Niemand war
von so vorgetriebenem Expressionismus in der Literatur; er
drehte hobelte bohrte die Sprache, bis sie ihm gerecht wurde.
Er duldete keinen Gedanken, ließ kein einzelnes vereinzeltes
Bild aufkommen in seinen Gedichten; die Welle des Gefühls
– ich komme wieder auf das Wassergleichnis – durfte von
nichts aufgehalten werden, und daß es sich nur um die Welle
handele, durfte an keinem Punkte des Gedichts fraglich werden, sei es durch einen Reim oder eine selbständige Schönheit
des Ausdrucks oder etwas anderes, das vom Thema abbog.
Seine Sachen sind darin puritanisch echt und unnachgiebig.

Nun ist also seine eigene Bewegung abgebrochen!

Herzlich!
A. Döblin

34./35./36. Franz Marc (München 1880 bis 1916 vor Verdun) an seine Frau

»Eine unglaubliche Lektüre für einen Offizier im Felde«, nennt Franz Marc
Hauptmanns ›Emanuel Quint‹, von dessen Lektüre diese Briefe an seine Frau handeln; ein Buch, das kurze Zeit danach auch Rosa Luxemburg im Gefängnis las und
das zum Thema vieler ihrer Briefe wurde.

20. November [19]15

L., ich lese mit immer wachsendem Interesse und Verblüffung ›Emanuel Quint‹, – Du hast recht: wir hatten einen anderen Gerhart Hauptmann in unserer Vorstellung als er in der
Tat ist. Ich hatte so sehr Wortkunst wie in der ›Versunkenen
Glocke‹ und ›Literatur‹ erwartet, aber niemals diese beispiel-
lose Sachlichkeit und Seelenkennerschaft, die so wesenfremd
aller Theaterkennerschaft ist, die man ihm bisher zutraute – ich
wenigstens in voller Verkennung dieses Geistes. Ich stecke
natürlich noch in den Anfangskapiteln dieses Buches, und doch
glaube ich es schon ganz zu kennen, weil es so ganz unlitera-
risch, d. h. ohne Laune und ohne Willkür, sondern gänzlich
episch, logisch notwendig und ohne Wanken geschrieben ist.
Eine unglaubliche Lektüre für einen Offizier im Feld! Die
Doppelteilung meines Wesens wird durch sie natürlich grotesk
gesteigert, aber das schadet nichts; es tut wohl. Ich hatte heut

mit einem katholischen Feldgeistlichen eine lange Sache zu bereden – ich mußte immer ein heimliches Lachen unterdrücken –, alles was wir sprachen, war so unendlich komisch und unmöglich für mich. Wie kann man nur so leben! in welche Masken und Verstellungen hat sich der menschliche Sinn verstiegen!

Ich erlebe jedenfalls in dem Buche das Seltene, daß es mich wirklich interessiert und ich jede Zeile lesen kann; alles andere, was ich in letzter Zeit in die Hände bekam (z. B. auch Nietzsche, Novalis, Tolstoi, Strindberg usw.), fesselte mich nur zeilenweise, – eben nur da, wo sie genial sind, – das andere ist alles langweilig. Grüß Kaminski und streichle mein Rehchen und den alten Russi. Wie mag's Hanni gehn?

21. November [19]15

L., ich schrieb Dir schon gestern, mit welcher Freude ich ›Emanuel Quint‹ lese. Die Idee des Buches deckt sich vollkommen mit meiner Auffassung des Christentums – nämlich ihrer prinzipiellen Gegensätzlichkeit gegen pazifistische Organisationen (wie in den ›Neuen Wegen‹), sozialistischen Kommunismus, der ein Erlahmen der Seele und des christlichen Opfer- und Überwindergedankens bedeutet. Bestimmend ist immer der eine Gedanke: die Welt, das ›leibliche Wallen‹ berührt uns nicht, da wir nicht auf das Sichtbare sehen, sondern auf das Unsichtbare. Die Nächstenliebe ist wie die menschliche Nahrung eine symbolische Handlung. Der Mangel jeglichen sozialistischen Empfindens ist gerade das Prächtige, Sieghafte an Quint: er lebt nur seiner eigenen Erniedrigung vor der Welt und damit seiner Befreiung; er will den Menschen gar nicht körperlich helfen und sie leiblich satt und gesund machen; seine auf das Geistige, Unsichtbare gerichtete Seele schrickt schmerzlich vor dieser Bitte zurück, die er in den Augen der Menschen, zu seiner bitteren Enttäuschung, immer wieder liest. Das ist das große Mißverständnis der Welt an Christo. Als Quint von den Gendarmen fortgeführt wird, spricht er das furchtbare, schneidende Wort: ›nach mir aber fraget niemanden fortan‹!

24. November [19]15

L., ich lese und lese immer noch im ›Emanuel Quint‹; es wird einem so warm und frei bei diesem reinen Werk zumute. Es erklärt mir ja auch so viel von Deinem neuen Denken, für das ich mir keinen rechten Schlüssel wußte, weil es immer so

84

stark durchsetzt war von Nebenschlüssen und Folgerungen, die aus einer anderen Quelle stammten und die mir die reine Linie Deiner Gedanken verwischten und verzerrten. Aber in diesem Buch liegt die reine Linie, die ich selbst immer suche; wenn ich Dir einen Rat geben sollte, wäre er: lege den höchst mißverständlichen, weil immer sophistischen Tolstoi zur Seite; ich will gar nicht anzweifeln, daß Tolstoi dasselbe im Herzen will wie Hauptmann, aber er ist sprachlich, d. h. in seiner Logik eitel; ich fühle das absolut sicher, so oft ich ihn lese; er ist tendenziös und darum trotz seines ehrlichen Ringens unrein. Und ebenso d. h. in viel größerem Maß unrein sind die ›Neuen Wege‹. Die liegen voller Schlacken und führen von der reinen Linie unweigerlich ab. Ich verstehe jetzt natürlich auch Kaminskis Wesen viel besser, da ich sein greifbares, geistiges Vorbild kenne. Auch er wird sich zu hüten haben, daß er nicht in Dilettantismus und in irgend eine Art von Eitelkeit gerät.

Eines bleibt mir gänzlich unbegreiflich: die geringe geistige Aufnahmefähigkeit unsrer Zeit. Ein Egidi, ein Häckel u. a. werden tausendfach verschlungen, und ein solches Buch bleibt ungelesen, – wenigstens nach meinem Wissen und scheinbar ohne Wirkung auf den Geist unsrer Zeit. Ob Kandinsky es gekannt hat?? Ich halte es für möglich; denn wir kannten Kandinsky selbst sehr wenig. Kennt es Kubin, Klee und Wolfskehl? Schenke es vor allem Niestlés; Du kannst es ihnen von mir aus zu Weihnachten schenken. Ich möchte unbedingt einmal Hauptmann kennen lernen; vielleicht machen wir einmal eine Reise nach Schlesien. Die Erklärung, warum das Buch so wenig Einfluß gewinnen konnte, kann nur in der Unreife der Menschen liegen; sie mißverstehen das ganze Buch sicher gründlich, nehmen es literarisch und können es bis zur geistigen Reinheit nicht durchdenken. Hauptmann macht ihnen, vielleicht aus einer inneren Güte und einem Mitleids- und Schamgefühl heraus leicht, ihn mißzuverstehen. Gerade darin liegt ein unglaublich feiner geistiger Takt in ihm, der ihn in dem Buch nie verläßt. Lieber tun, als wären es Kieselsteine und keine Perlen, die man vor die Säue wirft; nur die Sehenden dürfen merken, daß es keine Kieselsteine sind. Das macht mir diesen Geist so vertrauenswürdig. Nun noch einen lieben Kuß; ich muß schnell schließen, damit der Brief noch wegkommt.

Dein Frz.

37. Otto Braun (Berlin 1897 bis 1918 Marcelcave [Frankreich]) an seine Eltern

Das Bild des ersten Weltkriegs, wie es zehn Jahre nach seiner Beendigung Philipp Witkop in einer Auswahl aus über 20000 Briefen gefallener Studenten geboten hat, dauert in den Briefen Otto Brauns fort: jenes seltenen Menschenkindes, das der glücklichen Vereinigung einer adligen Schriftstellerin und eines jüdischen Sozialwissenschaftlers entstammte. Ob er Felddienstordnung oder Faust zum Ausgangspunkt seiner Briefe wählt, immer zielt sein Trachten auf ein noch vollkommeneres Menschwerden, das ihm aus der Leiderkenntnis des Krieges wenige Monate vor seinem Tod wenigstens die Schau eines Werkes über den Staat schenkt, darin sich ihm der weite Ring der Menschheitsgeschichte in neuer Sicht und Formung hätte runden sollen.

Im Felde, 29. März 1916

Ihr mögt sagen, daß historischer Sinn oft kein Vorzug ist. Aber ich habe das Gefühl, daß selbst die großen Männer der Tat, Staatslenker und Militärs, Fürsten und Künstler sehr viel von jenem historischen Sinn, besser noch historischen Takt besaßen, den ich eigentlich bei allem für notwendig halte. Was bei Nietzsche oft so empörend, ja widerwärtig berührt, wenn nicht die sonst so erhabene Höhe seines Geistes ihn vor derlei Prädikaten schützte, dasjenige, was vielleicht einzig wirklich gefahrbringend werden kann für unreife Menschen, das ist der horrende Mangel jeden historischen Sinnes bei ihm. Wie dies Phänomen zu erklären, da gerade er die tiefsten und überraschendsten Einsichten in Menschen, Völker, Epochen bringt, (allerdings nur solche, die ihm verwandt sind, wo er sozusagen sich selbst oder seine Ideale interpretiert), weiß ich nicht, jedenfalls existiert es. Alle jene geschmacklosen, gänzlich entgleisten Stellen bei ihm rühren zumeist daher. Wenn inmitten aus dem Tiefsten geborener, zentralster Einwerfungen gegen das Christentum es ihm passieren kann, daß er es sozusagen wie einen Schuljungen, der Nüsse gestohlen hat, für die Zerstörung der antiken Welt abkanzeln will, wenn er ebenso mit der Reformation verfährt, so sind das Zeichen für den Mangel historischen Gefühls. Allerdings auch Zeichen dafür, wie sehr er aus einer relativistischen Epoche stammt, so daß es ihm ums objektiv »Falsche« und »Richtige« nie zu tun ist. Dies entschuldigt freilich nicht seine Urteile über Dante, (»die Hyäne, die in Gräbern dichtet«, darüber kann man nur lachen), über Sokrates, wenn auch widersprüchlich, so doch im Kerne grundfalsch, über den Sophismus, über die Deutschen, (wohl irgendwie psychologisch erklärbar, jedoch frevelhaft durch die gewollte Unaufrichtigkeit des Gedankens), über Plato, über Staat, Gesetze usw. Daneben allerdings herrliche Worte, jedes einzelne Keim zu völlig neuer Grundlegung der betreffenden Angelegenheit, über die Griechen und tausend griechische Dinge, über Goethe, Napoleon, über viele andere. Alles in allem, es fehlt ihm jenes, wovon Borchardt so schön im ›Hesperus‹ spricht: »das ruhig über groß und klein aufgeschlossene Auge, das gottgleich wird, indem es die Welt Gottes nachschafft«. »Willkommen bös und gut« war der fast Goethesche Anfang eines verlorenen Waltherschen Gedichts, vier Worte, die in sich die höchste Möglichkeit deutscher Poesie als wahrer Weltreife enthalten. Hier ist das, was ich vorhin historisches Gefühl nannte, auf die höchste Formel gebracht und, wie ich meine, mit Recht als etwas dem deutschen Ideal Verwandtes hingestellt.

Mein Gefühl, das schon vor dem Kriege, wie Ihr wißt, sehr zur Form und zur Gestalt strebte, hat sich in dieser Hinsicht wohl noch verstärkt. Meine Liebe zum Vollendeten und Gestalteten, zu Bild und Leib, zum Blühenden und organisch Wachsenden, zu der gewaltigen Leidenschaft, die Erz geworden ist und herrliche Form, zu allem Klassischen und Runden ist noch gesteigert, und mein Haß gegen alles Zufällige, alles Gemachte und Willkürliche, alles bloß Negative, gegen alles Geschwätzige und Verspritzte, alles Periphere an Stelle des Zentralen, alles romantische Geflute gegenüber dem Gebauten und Gewachsenen wird immer größer. Ich habe hier so viele Begriffe gehäuft, nicht damit Ihr sie einzeln zergliedern sollt, sondern um Euch das Ganze des Gefühls zu geben. Ich glaube, Ihr versteht mich: mir ist alles Formlose zuwider, das beginnt bei den täglichen Einzelheiten und geht hinauf ins Höchste. Darum, nicht opponieren, sondern immer Neues hinstellen! »Nur als Schaffende können wir vernichten«, steht in der *gaya scienza*.

Meine innerste Inbrunst, meine reinste, wenn auch geheimste Flamme, mein tiefster Glaube und meine höchste Hoffnung sind noch immer ganz dieselben, und all dies heißt mir: *Staat*. Einmal den Staat zu bauen wie einen Tempel, rein und stark hinaufwärts, in eigener Schwere ruhend, streng und erhaben, doch auch heiter wie es die Götter sind und mit lichten Hallen, durchschimmert vom Spiele der Sonne, das ist im Grunde doch alles Ziel und Ende meines Strebens. Haltet mich nicht für frevelnd, ich weiß wohl, was das heißt, aber irgendwo fern muß man doch eines Berges Haupt durch den Nebel emporragen sehen, wenn auch noch dichtes Gewölk die Abgründe verbirgt, die sich davor öffnen.

38. Rosa Luxemburg (Zamosc [Rußland] 1871 bis 1919 Berlin) an Sonja Liebknecht

Franz Mehring, dem Verfasser der großen Marx-Biographie, ist Rosa Luxemburg mit ihrem Scharfsinn und tiefdringenden Wissen zu Hilfe gekommen und hat seinem Werk den Abschnitt über den zweiten und dritten Band des ›Kapital‹ beigesteuert. Und vernehmlich genug, von den Ohren parteigefesselter Politiker freilich meist überhört, hat sie festgestellt: »Wie die ganze Weltanschauung Marxens ist sein Hauptwerk keine Bibel, mit fertigen, ein für allemal gültigen Wahrheiten letzter Instanz, sondern ein unerschöpflicher Born der Anregung zur weiteren geistigen Arbeit.« Als sie nach dem verlorenen ersten Weltkrieg die Stunde zum Handeln gekommen sah, erlitt sie bei dem Versuch, Doktrin in Tat umzusetzen, den Tod. Unbeschadet aller politischen Verdüsterungen bricht ihre überreiche Gefühlswelt in ihren Briefen durch, die sie während der Kriegsjahre aus den Zellen ihrer Gefängnisse an die Frau des gleichfalls eingekerkerten Kampfgenossen Karl Liebknecht hinaussandte, um sie zu trösten.

Wronke, den 18. Februar 1917.

Seit langem hat mich nichts so erschüttert wie der kurze Bericht Marthas über Ihren Besuch bei Karl, wie Sie ihn hinter Gittern fanden und wie das auf Sie wirkte. Weshalb haben Sie mir das verschwiegen? Ich habe ein Anrecht, an allem, was Ihnen weh tut, teilzunehmen, und lasse meine Besitzrechte nicht kürzen! Die Sache hat mich übrigens lebhaft an mein erstes Wiedersehen mit den Geschwistern vor zehn Jahren in der Warschauer Zitadelle erinnert. Dort wird man in einem förmlichen Doppelkäfig aus Drahtgeflecht vorgeführt, d. h. ein kleinerer Käfig steht frei in einem größeren, und durch das flimmernde Geflecht der beiden muß man sich unterhalten. Da es dazu just nach einem sechstägigen Hungerstreik war, war ich so schwach, daß mich der Rittmeister (unser Festungskommandant) ins Sprechzimmer fast tragen mußte und ich mich im Käfig mit beiden Händen am Draht festhielt, was wohl den Eindruck eines wilden Tieres im Zoo verstärkte. Der Käfig stand in einem ziemlich dunklen Winkel des Zimmers und mein Bruder drückte sein Gesicht ziemlich dicht an den Draht. › Wo bist Du ?‹ fragte er immer und wischte sich vom Zwicker die Tränen, die ihn am Sehen hinderten. Wie gern und freudig würde ich jetzt dort im Luckauer Käfig sitzen, um es Karl abzunehmen!

Richten Sie an Pfemfert[1] meinen herzlichen Dank für den Galsworthy aus. Ich habe ihn gestern zu Ende gelesen und freue mich sehr darüber. Dieser Roman hat mir freilich viel weniger gefallen als ›Der reiche Mann‹, nicht trotzdem, sondern weil die soziale Tendenz dort mehr überwiegt. Im Roman schaue ich nicht nach der Tendenz, sondern nach künstlerischem Wert. Und in dieser Beziehung stört mich in den ›Weltbrüdern‹, daß Galsworthy zu geistreich ist. Das wird Sie wundern. Aber es ist derselbe Typ wie Bernard Shaw und auch wie Oskar Wilde, ein jetzt in der englischen Intelligenz wohl stark verbreiteter Typus: eines sehr gescheiten, verfeinerten, aber blasierten Menschen, der alles in der Welt mit lächelnder Skepsis betrachtet. Die feinen ironischen Bemerkungen, die Galsworthy über seine eigenen personae dramatis mit dem ernstesten Gesicht macht, lassen mich oft laut auflachen. Aber wie wirklich wohlerzogene und vornehme Menschen nie oder selten über ihre Umgebung spötteln, wenn sie auch alles Lächerliche bemerken, so ironisiert ein wirklicher Künstler nie über seine eigenen Geschöpfe. Wohlverstanden, Sonitschka, das schließt die Satire großen Stils nicht aus! Zum Beispiel ›Emanuel Quint‹ von Gerhart Hauptmann ist die blutigste Satire auf die moderne Gesellschaft, die seit hundert Jahren geschrieben worden ist. Aber Hauptmann selbst grinst dabei nicht, er steht zum Schluß mit bebenden Lippen und weit offenen Augen, in denen Tränen schimmern. Galsworthy dagegen wirkt auf mich mit seinen geistreichen Zwischenbemerkungen wie ein Tischnachbar, der mir auf einer Soiree beim Eintreten jedes neuen Gastes in den Salon eine Malice über ihn ins Ohr flüstert ...

Heute ist wieder Sonntag, der tödlichste Tag für Gefangene und Einsame. Ich bin traurig, wünsche aber sehnlichst, daß Sie es nicht sind und Karl auch nicht. Schreiben Sie bald, wann und wohin Sie endlich zur Erholung gehen.

Ich umarme Sie herzlichst und grüße die Kinder
Ihre Rosa

Kann Pf. mir nicht noch etwas Gutes schicken? Vielleicht etwas von Th. Mann? Ich kenne noch nichts von ihm. Noch eine Bitte: die Sonne fängt an, mich im Freien zu blenden, viel-

---

[1] Franz Pfemfert, seit 1910 Herausgeber der ›Aktion‹, des Organs des ehrlichsten Radikalismus für Politik, Kunst und Dichtung (wie er selbst es programmatisch formulierte).

leicht schicken Sie mir im Briefcouvert einen Meter dünnen schwarzen Schleier mit zerstreuten schwarzen Pünktchen! Vielen Dank im voraus.

39. Walter Benjamin (Berlin 1892 bis 1940 Port Bou) an Gerhard Scholem

Diesen Brief schrieb ein fünfundzwanzigjähriger Student der Philosophie an seinen Freund, der damals in Jena Mathematik und Philosophie studierte. Läßt er den späteren großen Philosophen ahnen, als den wir ihn kennen (wenn wir ihn kennen)? Die Frage, die nicht so sehr die Versprechen der Jugend meint, etwa eine spezifische Begabung, wie hier die philosophische, als vielmehr jene Zeichen, in denen sich im Rückblick die Zukunft verrät – Benjamin hätte sie beim Wiederlesen dieses Briefs vermutlich als erster gestellt. In der ›Berliner Kindheit um neunzehnhundert‹ ging er auf die Suche nach solchen Zeichen. Dort ist die Rede von dem »Chok, mit dem ein Wort uns stutzen macht wie ein vergessener Muff in unserm Zimmer. Wie uns dieser auf eine Fremde schließen läßt, die da war, so gibt es Worte oder Pausen, die uns auf jene unsichtbare Fremde schließen lassen: die Zukunft, welche sie bei uns vergaß.« Diesen »Chok« erfährt der heutige Leser nachträglich, wenn er Benjamin, der mehr als zwanzig Jahre später der Gestapo zum Opfer fallen sollte, in diesem Brief ahnungslos ein Wort niederschreiben sieht, dessen prophetischer Charakter dadurch nur unheimlicher wird, daß er auf ganz anderes, Harmloses (einen Sanatoriumsaufenthalt nach schwerer Krankheit) gemünzt ist: es ist das Wort von der »schwersten Zeit in Dachau«.

Bern, 22. Oktober 1917

Liecber Gerhard

Ihre beiden Briefe vom 20ten und 28ten September haben, um in der Antwort auch nur einigermaßen aufgenommen und weitergeführt werden zu können, diese Antwort erst in größerem Zeitabstand zugelassen. Ich habe indessen ständig über das was Sie schreiben nachgedacht – bis auf Ihre Gedanken über Kant, von denen ich das nicht sagen kann, weil sie schon seit zwei Jahren schlechterdings meine eigenen sind. Niemals hat mich unsere Übereinstimmung erstaunlicher getroffen, als in Ihren Worten darüber, die ich buchstäblich zu meinen eigenen machen könnte.* Ohne bisher dafür irgend welche Beweise in der Hand zu haben, bin ich des festen Glaubens, daß es sich im Sinne der Philosophie und damit der Lehre, zu der diese gehört, wenn sie sie nicht etwa sogar ausmacht, nie und nimmer

* Deshalb brauche ich Ihnen gerade darüber vielleicht am wenigsten zu schreiben.

um eine Erschütterung, einen Sturz des Kantischen Systems handeln kann sondern vielmehr um seine granitne Festlegung und universale Ausbildung. Die tiefste Typik des Denkens der Lehre ist mir bisher immer in seinen Worten und Gedanken aufgegangen, und wie unermeßlich viel vom Kantischen Buchstaben auch mag fallen müssen, diese Typik seines Systems, die innerhalb der Philosophie nur mit der Platos meines Wissens verglichen werden kann, muß erhalten bleiben. Einzig im Sinne Kants und Platos und wie ich glaube im Wege der Revision und Fortbildung Kants kann die Philosophie zur Lehre oder mindestens ihr einverleibt werden.

Mit Recht werden Sie bemerken daß »Im Sinne Kants« und »die Typik seines Denkens« ganz unklare Ausdrücke sind. In der Tat sehe ich nur die Aufgabe, wie ich sie eben umschrieben habe, klar vor mir, daß das *Wesentliche* des Kantischen Denkens zu erhalten sei. Worin dieses Wesentliche besteht und wie man sein System neugründen muß, um es hervortreten zu lassen, weiß ich bis heute nicht. Aber es ist meine Überzeugung: wer nicht in Kant *das Denken der Lehre selbst* ringen fühlt und wer daher nicht mit äußerster Ehrfurcht ihn mit seinem Buchstaben als ein tradendum, zu Überlieferndes erfaßt (wie weit man ihn auch später umbilden müsse) weiß von Philosophie garnichts. Deshalb ist auch jede Bemänglung seines philosophischen Stils pures Banausentum und profanes Geschwätz. Es ist durchaus wahr, daß in den großen wissenschaftlichen Schöpfungen die Kunst mitumfaßt sein muß (wie umgekehrt) und so ist es auch meine Überzeugung, daß Kants Prosa selbst einen limes der hohen Kunstprosa darstellt. Hätte sonst die Kritik der reinen Vernunft Kleist bis ins Innerste erschüttert?

In dem bisher Gesagten weiß ich mich mit dem Genie[1] einig. Seine gegenwärtige Adresse habe ich nicht, könnte sie aber wohl ermitteln. Dabei will ich folgendes bemerken: ich habe es aufs tiefste empfinden müssen, daß bei so tiefreichender Gleichheit des Bildes, das zwei Menschen von der Wahrheit in sich tragen, auch für ihre Gemeinschaft in jedem Sinne und auch in dem der Entdeckung dieser Wahrheit, innige Verwandtschaft unerläßlich ist, weil es sonst über gegenseitige freimütige Mitteilung und Achtung garnicht hinauskommen kann. Das wäre auch das höchste das ich mir, soweit es noch nicht erreicht ist, von meiner Beziehung zum Genie versprechen

---

[1] Felix Noeggerath, der damals mit einer bedeutenden Arbeit promoviert hatte. Die auf ihn gesetzten Erwartungen hat er später nicht erfüllt.

kann, denn in jedem anderen Punkte als diesem äußersten Berührungspunkte in der *Intuition*, die bei beiden nicht aus verschiedenen, nein, wahrscheinlich aus entgegengesetzten Quellen fließt, werden die Arbeitsmethoden disparat; so daß man nur miteinander sprechen, nicht durchaus in Gemeinschaft miteinander wird arbeiten können. Dies glaube ich was meine Beziehung zum Genie angeht bereits als sicher annehmen zu dürfen; Deutscher und Jude stehen sich gleich den verwandten Extremen gegenüber, wie ich es ihm selbst einmal sagte. Doch würde es bei ihm und mir immer noch auf den mit Ernst unternommenen Versuch ankommen, wenn das eben möglich wäre, und so mag es auch bei Ihnen sein. Ich brauche Ihnen hiernach kaum zu sagen, wie sehr ich mir im letzten Sinne von *unserem* Zusammensein Förderung unserer Selbst im Wissen verspräche.

Ich werde in diesem Winter beginnen über Kant und die Geschichte zu arbeiten. Noch weiß ich nicht, ob ich den notwendigen durchaus positiven Gehalt in dieser Beziehung bei dem historischen Kant vorfinden werde. Davon hängt es auch mit ab, ob ich aus dieser Arbeit meine Doktordissertation werde entwickeln können. Denn ich habe die betreffenden Schriften von Kant noch nicht gelesen. Neben manchem Anläßlichen und Interessanten glaube ich jetzt den letzten Grund, der mich auf dieses Thema verwiesen hat darin zu erkennen, daß immer die letzte metaphysische Dignität einer philosophischen Anschauung, die wirklich kanonisch sein will, sich in ihrer Auseinandersetzung mit der Geschichte am klarsten zeigen wird; m. a. W. in der Geschichtsphilosophie wird die spezifische Verwandtschaft einer Philosophie mit der wahren Lehre am klarsten hervortreten müssen; denn hier wird das Thema des historischen Werdens der Erkenntnis das die Lehre zur Auflösung bringt, anstreben müssen. Doch wäre es nicht ganz ausgeschlossen, daß in dieser Beziehung Kants Philosophie noch sehr unentwickelt wäre. Nach dem Schweigen, das über seine Geschichtsphilosophie herrscht, müßte man dies (oder das Gegenteil) glauben. Aber ich denke es wird sich für den, der mit richtigem Verstand herangeht, genügend und mehr als das finden. Oder aber ich werde dabei ein anderes Arbeitsgebiet finden. Meine übrigen Gedanken darüber könnte ich Ihnen jetzt am besten mündlich andeuten.

Bitte lesen Sie unter allen Umständen Barthel: die geometrischen Grundbegriffe im Archiv für systematische Philosophie hg. von L. Stein Neue Folge der Philos. Monatsh. Bd. XXII

Heft 4 November 1916. Ich habe den Aufsatz durchblättert und natürlich nur teilweise verstanden. Sie müssen sich damit auseinandersetzen und mir schreiben, was daran ist.

Gegenwärtig, ehe ich meine Kantlektüre beginnen kann, lese ich das Lehrbuch der Dogmengeschichte von Harnack in drei Bänden. Ich stehe am Ende des ersten. Das Buch gibt mir sehr viel zu denken indem es mich zum ersten Mal befähigt, mir eine Vorstellung von dem was Christentum ist zu machen und mich fortwährend auf Vergleiche mit dem Judentum führt, für die mein Wissen, euphemistisch gesagt, ganz unzulänglich ist. Trotzdem haben sich mir einige bestimmte Probleme ergeben, deren jedes gut darzulegen ebensoviele Briefe erfordern würde. Ich deute zwei in Form von Fragen an 1) gibt es im Judentum den Begriff des Glaubens im Sinn des adäquaten Verhaltens zu der Offenbarung? 2) Gibt es im Judentum eine irgendwie prinzipielle Scheidung und Unterscheidung zwischen der jüdischen Theologie, Religionslehre und dem religiösen Judentum des einzelnen Juden? Beides beantwortet meine Ahnung mit Nein, und beides würde dann sehr wichtige Gegensätze gegen den christlichen Religionsbegriff konstituieren. Von einem anderen großen Problem des Christentums, das sich ergeben hat, ein andermal. Dagegen aber à propos diese Bemerkung: Ein Hauptstück der *vulgären* antisemitischen wie zionistischen Ideologie ist der Haß des Nicht-Juden gegen den Juden, der instinktiv und rassenmäßig physiologisch begründet sei, da er sich gegen die Physis kehre. Dieser unbewußt vollzogene Schluß ist aber falsch, denn es ist eine der erstaunlichen wesenhaften Eigenarten des Hasses, daß, welchen Grund und Anlaß er auch immer habe, er in seinen primitivsten und intensivsten Formen Haß gegen die physische Natur des Gehaßten wird. (In dieser Richtung wäre auch die Verwandtschaft zwischen Haß und Liebe zu suchen.) Wenn also von einem Haß der Nicht-Juden gegen Juden in gewissen Fällen gesprochen werden kann, so überhebt das nicht der Mühe, geistige Gründe für dieselben zu suchen. In dieser Hinsicht ist nun als ein Motiv (zunächst nicht des Hasses aber des Unwillens gegen Juden und Judentum) zu berücksichtigen die historisch gewordene höchst verlogene[1] und schiefe Art und Weise, wie das alte Testament der Anerkenntnis der kommenden christlichen Jahrhunderte und Völker durch die

[1] Vielleicht zu lesen: verlegene.

ältesten Kirchen und Gemeinden aufgezwungen wurde ursprünglich allerdings in der Hoffnung, es den Juden zu entreißen und ohne Bewußtsein historischer Folgen, da man in Erwartung des nahen Endes lebte, wodurch eine weltgeschichtliche Verstimmung der Christen gegen das Judentum geschaffen werden mußte. Dies, wie gesagt, nur à propos.

Von Ludwig Strauss ist noch nichts gekommen. Unter der Voraussetzung, daß ich in den Besitz seiner Arbeit gelange und wenn ich dies bestätigt habe, können Sie ihm ein Exemplar der Abschrift der Spracharbeit zusenden. Ein zweites kann Herr Kraft, das dritte Sie und, wenn Sie keine andere Verwendung dafür haben, ein viertes ich erhalten. Sonst ließe sich für mich noch ein fünftes vielleicht herstellen; aber *wer* sollte dann das vierte erhalten? Ich weiß leider nicht, lieber Gerhard, wann Ihr Geburtstag ist, zu dem meine Frau und ich Ihnen zu spät oder zu früh, aber niemals zu herzlich gratulieren können. So schreiben Sie uns denn bitte, ob die Photographien, die Sie mit der nächsten Sendung erhalten werden, zu früh oder zu spät kamen. Sie sind in der schwersten Zeit in Dachau aufgenommen worden, ursprünglich als Paßaufnahmen gedacht, als die sie aber nicht in Betracht kommen. Im Verhältnis zu der großen Schwierigkeit, ein Bild meiner Frau aufzunehmen, ist es wohl nicht schlecht.

Diese nächste Sendung soll zugleich die Abschrift eines Aufsatzes von mir enthalten, überschrieben: Über die Malerei, der als Antwort auf Ihren Brief über Kubismus zu gelten hätte, obwohl dieser darin kaum erwähnt ist. Es ist eigentlich kein Aufsatz, sondern zu einem solchen erst der Entwurf. Hier einige Bemerkungen dazu: nachdem ich schon in St. Moritz, wie ich Ihnen von dort seinerzeit geschrieben habe, über das Wesen der Graphik nachgedacht hatte und bis zur Aufzeichnung einiger Sätze gekommen war, die mir bei der Abfassung der neuen leider nicht zur Hand waren, hat Ihr Brief in Verbindung mit den früheren Überlegungen diese Sätze als Resultate meines Nachdenkens veranlaßt. Am unmittelbarsten, indem er mir das Interesse an der Einheit der Malerei trotz ihrer scheinbar so disparaten Schulen erweckte. Indem ich (im Gegensatz zu Ihren Behauptungen) erweisen wollte, daß ein Raffaelsches und ein *kubistisches* Bild als solche wesenhaft übereinstimmende Merkmale neben den trennenden zeigen, ist die Betrachtung der trennenden fortgeblieben. Dafür habe ich aber versucht, denjenigen Grund aufzufinden, von dem alle Verschiedenheit sich allererst abheben könnte. Wie entschieden ich dabei Ihrer Trichotomie der Malerei in farblose (lineare) farbige und synthetische widersprechen mußte, werden Sie sehen. Das Problem des Kubismus liegt von einer Seite her gesehen in der Möglichkeit einer, nicht notwendig *farblosen*, aber radikal *unfarbigen** Malerei in der lineare Gebilde das Bild beherrschen – ohne daß der Kubismus aufhörte Malerei zu sein und zur Graphik würde. Ich habe dies Problem des Kubismus weder von dieser noch einer anderen Seite berührt einerseits, weil es mir bisher vor einzelnen konkreten Bildern oder Meistern noch nicht entscheidend aufgegangen ist. Der einzige Maler unter den neuen, der mich in diesem Sinne berührt hat, ist Klee, andererseits aber war ich mir über die Grundlagen der Malerei noch viel zu sehr im unklaren, um von dieser Ergriffenheit zur Theorie fortzuschreiten. Ich glaube, daß ich später dazu kommen werde. Von den modernen Malern Klee, Kandinsky und Chagall ist Klee der einzige der offensichtliche Beziehungen zum Kubismus aufweist. Doch ist er, soweit ich darüber urteilen kann, wohl keiner, wie eben diese Begriffe im Überblick der Malerei und ihrer Grundlegung unentbehrlich sind, jedoch der einzelne große Meister nicht gerade nur durch einen bestimmten dieser Begriffe theoretisch erfaßbar wird. Wer in diesen Kategorien der Schulen als einzelner Maler relativ zulänglich erfaßt werden kann, wird kein großer sein, weil Ideen der Kunst (denn Schulbegriffe sind solche) sich auch in der Kunst nicht unmittelbar ausdrücken können, ohne kraftlos zu werden. In der Tat habe ich bisher vor Picassos Bildern immer diesen Eindruck des Kraftlosen und Unzulänglichen gehabt, den Sie mir zu meiner Freude bestätigen; gewiß weil Sie nicht, wie Sie es schreiben, zu dem rein künstlerischen Inhalt dieser Dinge keinen Zugang hätten, sondern weil, wie Sie schreiben, Sie einen solchen zu der geistigen Mitteilung, die diese Dinge ausströmen, haben: und beides: Künstlerischer Inhalt und geistige Mitteilung sind doch ganz genau dasselbe!

Wie ich denn auch bei meinen Notizen das Problem der Malerei in das große Gebiet der Sprache einmünden lasse, dessen Umfang ich schon in der Spracharbeit andeute. Rein polemisch will ich Ihnen nur schreiben, daß ohne noch eine selbständige Einordnung des Kubismus zu versuchen, ich

* Dieser Unterschied müßte natürlich erst erklärt und klar gestellt werden.

Ihre Charakteristik von ihm für falsch halte. Sie halten für die Quintessenz des Kubismus »das Wesen des Raumes, der die Welt ist, durch Zerlegung aufzuteilen«. In dieser Bestimmung scheint mir ein Irrtum bezüglich des Verhältnisses der Malerei zu ihrem sinnlichen Gegenstande vorzuliegen. Zwar kann ich in der analytischen Geometrie die Gleichung eines zwei- und dreidimensionalen Gebildes im Raume geben, ohne durch sie aus der Analysis des Raumes herauszutreten; nicht aber in der Malerei Dame mit Fächer (z. B.) malen, um damit das Wesen des Raumes durch Zerlegung aufzuteilen. Vielmehr muß die Mitteilung unter allen Umständen durchaus »Dame mit Fächer« betreffen. Andrerseits ist es wahrscheinlich, daß die Malerei auch nicht eigentlich es mit dem »Wesen« von etwas zu tun hat, denn dann könnte sie mit der Philosophie kollidieren. Über den Sinn des Verhältnisses der Malerei zu ihrem Gegenstande vermag ich zur Zeit noch nichts zu sagen; ich glaube aber, daß es sich da weder um Nachbildung noch um Wesenserkenntnis handelt. Übrigens aber werden Sie vielleicht aus meinen Notizen entnehmen, daß auch ich einen tiefen Zusammenhang etwa zwischen Kubismus und sakraler Architektur mir denken könnte.

Dürfte ich Sie um zwei Gefälligkeiten bitten? Meine Frau wünscht sich zum Geburtstag von Franz Hartwig ›Die Märchenkönigin‹, das Buch muß in den letzten 20–40 Jahren des vorigen Jahrhunderts erschienen sein. Wenn eine Jenenser Buchhandlung es beschaffen kann, so bestellen Sie es bitte für mich. Desgleichen, falls Sie es nicht etwa besitzen und mir leihweise übersenden bzw. wenn es ganz kurz ist, abschreiben könnten, von Stefan George: ›Der Krieg‹. Was Sie dazu sagen, muß ich leider durchaus glauben, möchte es aber dennoch einmal vor Augen haben.

Von dem, was ich vor einem Jahre Herrn Kraft über das Judentum schrieb, ein andermal. – Daß ich über Ihre Sätze über den Kubismus nicht unmittelbar eingehen konnte, sondern in andrer Richtung prinzipiell zu meinen Notizen angeregt wurde, verübeln Sie nicht. Es liegt in der Natur der Sache; Sie hatten Bilder vor sich und ich Ihre Worte.

Mit der stets lebendigen Hoffnung eines freudigen Wiedersehens

Ihr Walter

Vom 1. November ab wohnen wir Hallerstr. 25

40. Wilhelm II., Deutscher Kaiser, König von Preußen (Berlin 1859 bis 1941 Doorn [Holland]) an den Kronprinzen

Am 18. Januar 1701 hatte der Kurfürst von Brandenburg in Königsberg sich als König in Preußen die Krone aufs Haupt gesetzt. Am Schluß des ersten Weltkrieges schrieb Kaiser Wilhelm II. an den Kronprinzen diesen Brief, von dem Fürst Bülow bitter gemeint hat, die sich darin spiegelnde Furcht sei größer gewesen als der Gedanke an den künftigen Spruch der Geschichte und an die Überlieferung seines Hauses. Man kann in ihm aber auch die Entschlossenheit sehen, einen Bürgerkrieg um jeden Preis zu vermeiden.

[Spa, 9. November 1918]

Lieber Junge

Da der F.[eld] M.[arschall] Mir Meine Sicherheit hier nicht mehr gewährleisten kann und auch für die Zuverlässigkeit der Truppen keine Bürgschaft übernehmen will, so habe Ich Mich entschlossen, nach schwerem innerem Kampfe, das zusammengebrochene Heer zu verlassen. Berlin ist total verloren, in der Hand der Sozialisten, und sind dort schon zwei Regierungen gebildet, eine von Ebert als Reichskanzler, eine daneben von den Unabhängigen. Bis zum Abmarsch der Truppen in die Heimat empfehle Ich auf Deinem Posten auszuharren und die Truppen zusammenzuhalten! So Gott will, auf Wiedersehen. Gen. von Marschall wird Dir Weiteres mitteilen.

Dein tiefgebeugter Vater
Wilhelm

41. Oswald Spengler (Blankenburg [Harz] 1880 bis 1936 München) an Georg Misch in Göttingen

Ähnliche Überlegungen, wie sie Fontane in seinem nachdenklichen Brief vom 5. April 1897 gegen einen allzu gefälligen Optimismus der wilhelminischen Zeit vorgebracht hatte, bestärkten eineinhalb Jahrzehnt später Spengler unter dem Eindruck des deutschen Agadir-Einspruchs von 1911 zu dem Versuch einer philosophisch durchgeführten Inventur, die dann 1918 unter dem an Edward Gibbon (›The Decline and Fall of the Roman Empire‹) und Otto Seeck (›Geschichte des Untergangs der antiken Welt‹) angelehnten Titel ›Der Untergang des Abendlandes‹ erschien.

München, 5. Januar 1919

Sehr geehrter Herr Professor!

Verzeihen Sie, wenn ich Ihren Brief, der mir viel Freude gemacht hat, unter dem seelischen Druck der schmerzvollen Ereignisse erst heute beantworten kann. Ihre Zustimmung zu den grundlegenden metaphysischen Ideen (Leben – Zeit – Schicksal – Raum – Welt) ist mir sehr wertvoll, denn ich glaube hier in der Tat das ausgedrückt zu haben, dem das Denken unserer Tage mehr oder weniger bewußt zustrebt. Nur meine ich, daß der Relativismus oder, wie ich lieber sagen möchte, der Skeptizismus faustischen Stils eine notwendige Folge dieser Denkweise ist, und ich hoffe auch Sie, verehrter Herr Professor, davon überzeugen zu können. Daß Hegel (und deshalb wohl auch Dilthey) von seinem Bilde der Weltgeschichte den Eindruck hatte, daß hier ein Schatz von höchsten menschlichen Möglichkeiten sich ständig vermehre, eine einheitliche Aufgabe mehr und mehr erfüllt werde, ist natürlich, obwohl ich schon bei Goethe Einblicke allertiefster Skepsis finde (von ihm und seinen Urphänomenen habe ich denn auch den Gedanken der selbständigen, pflanzenhaften Kulturindividuen).

Aber mit Hegel hat der unersättliche historische Heißhunger des abendländischen Geistes erst begonnen; er selbst stützte sich noch ganz auf ein traditionelles Geschichtsbild (Altertum – Mittelalter – Neuzeit). Gerade das unermeßliche historische Wissen führt endlich mit Notwendigkeit zur Einsicht in das Nichts – goethisch-künstlerisch gesagt –, in das schöne zwecklose Spiel der lebendigen Natur. Dies ist der unvermeidliche Ausgang. Der Stand des Wissens (Hegels) um 1820 rechtfertigte noch den Glauben an etwas Absolutes »hinter« den einmalig-individuellen Ereignissen. Indessen sehen wir heute Indien und China und Mexiko mit ihren erstorbenen Kulturen. Was ist von den Schöpfungen der ägyptischen in die Antike als lebendiger Geist übergegangen? Was hat von den höchsten Gütern der Antike zur Zeit der islamischen Herrschaft noch gewirkt? Es ist rein faustisches Bedürfnis, ein überindividuelles Element (Fortschritt) anzunehmen, das sich trotz aller historischen Niedergänge einem Ziel zu bewegt. Weder der antike noch der indische Mensch hat es gekannt. Und nur aus diesem Bedürfnis heraus sind all die Geschichtsbilder und Systeme konstruiert, die seit 1000 n. Chr. mit steigender Gewalt diese (eine Fortschritts-)Idee als in den Tatsachen verwirklicht nachweisen möchten. Dem erst verdanken wir das Schema Altertum – Mittelalter – Neuzeit und die Vorstellung einer Reihe von Kulturen, die einander in einer bestimmten Richtung des Vollendens ablösen.

Und doch widerspricht gerade die Tatsache, daß all diese

Kulturen an einem zufälligen Orte der Erdoberfläche und zu einer zufälligen Zeit entstanden sind, (diesem) unserem Ideal von Geschichte laut genug. Ein großer Teil meines Buches weist auf allen Einzelgebieten diese Illusion als solche nach. Denn welches war die Weltlage um 700 n. Chr. etwa? Die erstarrten Welten nach Indien und China standen für sich da. Ägypten und Babylon waren verschollen. Von der Antike haben sich winzige Reste, ein paar Bauten und Manuskripte erhalten, ohne von irgend jemand im Innersten begriffen zu werden. Daß die Kirche das geringste von antikem Sein als solches bewahrt hätte, ist ein Irrtum. Hier ist es der ungeheure Zufall, daß auf dem Boden Westeuropas eine Kultur entsteht, völlig selbständig, zu deren innersten seelischen Bedürfnissen die Macht über die Zeit, in bezug auf die Vergangenheit in Form des Wissens, gehört. Was wäre ohne diesen Zufall aus (unserer überindividuellen Idee von) der »fortschreitenden Kultur der Menschheit« geworden? Sie ist vielmehr als Postulat erst jetzt entstanden.

Und ich glaube bewiesen zu haben, daß es sich trotzdem niemals um eine echte Wiedererweckung fremden Kulturguts innerhalb unserer Entwicklung, sondern stets um eine Maske, eine Form gehandelt hat, um Eigenstes damit auszudrücken. Was seit Hegel diese (Fortschritts-)Illusion verstärkt und sie zur leitenden Überzeugung des 19. Jahrhunderts gemacht hat, ist aber nicht einmal das, sondern das Anhäufen unendlicher Massen von Wissensstoff über diese Kulturen, durch Ausgrabungen, Studium der Literaturen, Kunstwerke, Religionen, Sitten, also eine rein intellektuelle Besitzergreifung. Und diese ganze Erscheinung, rein faustisch und dem Wesen jeder andern Kultur fremd – denn man wird in der indischen, chinesischen und griechischen Philosophie vergebens den Gedanken einer Vervollkommnung der Menschheit in dieser dynamischen Form suchen –, wird mit dem Menschen des Abendlandes und seiner Kultur enden. Dies ist das letzte und notwendige Resultat unseres historischen Instinkts, das heute über die Stufe Hegels hinaus sich einstellt. Daß innerhalb jeder Kultur für sich und also im Abendlande seit 1000 eine solche fortschreitende Entwicklung vorhanden ist, gehört für mich zum Sinn und Wesen einer Kultur. Aber es ist eine Verwechslung, diese Entwicklung rückwärts über eine vermutlich geschlossene Reihe von Kulturen hinweg zu verlängern und also auch vorwärts in eine vermeintlich geradlinig weitergehende Geschichte erstrecken zu wollen. Der Relativismus bezieht sich nicht auf eine Einzelkultur, sondern auf das in unserm Seelentum tief begründete Phantom einer Gesamtkultur.

Ich glaube, daß Sie, verehrter Herr Professor, mir auch darin endlich beistimmen werden. Indessen wäre mir eine eingehende Kritik, die die zweifellos vorhandenen Irrtümer und Widersprüche meines Buches aufdeckt, sehr erwünscht. Ich habe, nachdem ich bis 1911 an den Schulberuf gefesselt war, mir endlich die Freiheit erobert, einige Jahre hindurch mich in strengster Einsamkeit in diese Gedanken zu vertiefen. Ich bin von keiner philosophischen Schule irgendwie ausgegangen, vielmehr haben sich diese Gedanken von der Mathematik, der Geschichte, der Malerei und Literatur her gewissermaßen von selbst zu einer metaphysischen Gesamtanschauung verdichtet. Ich bin mir aber auch der Gefahr einer solchen Unabhängigkeit von der Kritik durch Lehrer und Freunde sehr wohl bewußt und würde infolgedessen für jede nachträgliche Korrektur dankbar sein.

Aus dem, was ich eben über meine philosophische Tätigkeit gesagt habe, ergibt sich auch, daß ich Ihrer freundlichen Anregung, eine Professur zu übernehmen, bei gewissenhafter Selbstprüfung nicht folgen kann. Das für ein Amt erforderliche Fachwissen und die Arbeitskraft, die erforderlich ist, um es so zu erfüllen, wie es in seinem Wesen liegt, sind mir versagt. Nachdem ich leider so spät an meine Lebensaufgabe herantreten konnte – ich bin 1880 geboren, in Blankenburg a. H. –, habe ich ihr gegenüber die Pflicht, keine Zeit zu versäumen, um das fertig zu stellen, was bis jetzt nur Plan und Entwurf geblieben ist, und das ist viel. Ich danke Ihnen aber herzlichst für dies Zeichen der Teilnahme an meiner philosophischen Tätigkeit.

Mit besten Grüßen ergebenst

München, Agnesstr. 54   O. Spengler

42. Wilhelm Solf (1862 Berlin 1936) an Otto Hammann

Schon im März 1915 hatte Großadmiral Alfred von Tirpitz geklagt: »Zu ganzen Entschlüssen raffen wir uns nicht auf, sondern driften weiter.« Diese unselige Verzögerungstaktik hat zu dem bitteren Ende beigetragen, darüber hier der letzte Staatssekretär des Äußern nach seinen Berliner Erfahrungen an den letzten Pressechef des kaiserlichen Auswärtigen Amts auf dessen Bitte berichtet.

23. Januar 1919

Lieber Hammann!

Aus der Presse werden Sie wissen, daß ich auf der Wahlkampagne in Westfalen war und daß ich durchgefallen bin. Da es Listenwahl war, ist das keine persönliche Blamage, immerhin aber persönlicher Verdruß. Ich schreibe Ihnen das als Erklärung, warum ich Ihre Fragen wegen der Zusammenhänge, die zur Reise des Kaisers nach Holland geführt haben, 14 Tage unbeantwortet ließ. – Die Reise nach Holland ist meines Erachtens mißverständlich aufgefaßt und falsch beurteilt worden. Das Schicksal unsres Kaisertums ist nicht durch die Reise des Kaisers nach Holland besiegelt worden, sondern durch seine Flucht aus Berlin, aus der Verbindung mit seinen zuständigen zivilen Beratern, durch die Flucht an die militärische Front, ins Hauptquartier. Das ist des Pudels Kern! Prinz Max hat sich alle Mühe gegeben, S. M. von diesem Schritt abzubringen, weil er voraussah, wie verhängnisvoll diese Flucht auf die in den politisierten Massen herrschende Übergärung wirken mußte. Der Prinz erschöpfte seinen Einfluß als Reichskanzler und als deutscher Fürst im Kampf gegen die vom Kaiser beliebte aussichtslose Rückzugslinie auf die Armee. Nachdem er alles getan, was er vermochte, ersuchte er mich um Vorstellungen bei Personen der nächsten Umgebung des Herrschers, wie dem Hausminister Grafen August Eulenburg und dem Kabinettschef v. Delbrück, damit diese ihrerseits dem Kaiser über die täglich zunehmende Gefährdung der Dynastie die Augen öffnen sollten. Ich habe bei Eulenburg alle Gründe gegen eine nochmalige Rückkehr des Monarchen zur Armee offen und dringend ausgesprochen. Er zog sich aber auf sein Amt als Hausminister zurück. Politische Ratschläge dürfe er S. M. nicht erteilen und selbst, wenn er es versuchen wollte, würde es aussichtslos sein, den Kaiser von einem festgefaßten Entschluß zurückzubringen. Aus Andeutungen, Gebärden und

Mienen Eulenburgs mußte ich schließen, daß er glaubte und hoffte, der Kaiser wolle zum Heere zurück, um sich an die Spitze seines Leibregimentes zu stellen und einen Heldentod zu finden. Andre haben Ähnliches gedacht und für die Zukunft des Hohenzollernhauses gewünscht, und berechtigt war in solchen Stimmungen das Grundgefühl, daß nur noch persönliche Aufopferung des Kaisers seine Dynastie erhalten konnte. Eine Einwirkung auf S. M. aber, die Pflicht der Selbstverleugnung durch Ausharren in Berlin zu erfüllen, ließ sich von Graf Eulenburg nicht erlangen.

Vergeblich war auch mein Bemühen bei Delbrück. Er verschanzte sich hinter seine neutrale Stellung als Vermittler zwischen der Krone und den Leitern der Behörden, der nicht selbständig hervortreten dürfe. Ohne formalistische Bedenken eine Aussprache von Mensch zu Mensch mit dem Kaiser herbeizuführen, ihm nahezulegen, daß er durch Verlassen Berlins seine Reichshauptstadt aufgebe und sie dem Umsturz in die Arme treiben werde, lehnte Delbrück ab.

Die unausbleiblichen Folgen einer fluchtartig erscheinenden Abreise, die ich dem Hausminister und dem Chef des Zivilkabinetts vorausgesagt, zeigten sich nur zu bald. Die gegen den Rat und gegen den Willen der Berliner Regierung unternommene Rückkehr des Kaisers ins Hauptquartier verschaffte dem bedenklichen Gerücht Glauben, er suche Rat und Hilfe bei den Militärs zu Gewaltmaßregeln gegen seine Hauptstadt. Gleich aufreizend hatte ein andres Gerücht gewirkt, wonach die Flotte zu einem letzten Todeskampf ausgeschickt werden sollte. Die Masse fühlte sich militärisch herausgefordert, ihr Wille zu offnem Widerstand, zum Angriff, zur Revolution wurde entfesselt. Der in Berlin gebliebne Kaiser wäre respektiert, jedenfalls vorsichtig behandelt worden, der zu den Truppen entwichne galt als Volksfeind und war geächtet. Ich habe mich bei meinen Begegnungen mit ihm in jenen schlimmen Tagen trotz alledem nie einer tiefen menschlichen Sympathie für ihn erwehren können. Er war geweiht durch sein Unglück und trug mit Achtung gebietender Ruhe und Haltung das tragische Geschick, das ihm nach meiner Meinung damals und ein ganzes Leben lang durch kurzsichtige Ratgeber bereitet worden war. Inzwischen war durch die enigmatische Note Wilsons, die das Verlangen nach Absetzung Wilhelms II. nicht aussprach, aber einzuschließen schien, die Frage eines kaiserlichen *Thronverzichts* auch für die Beziehungen zu unsern Gegnern brennend geworden. Alle Anstrengungen des Prinzen Max, vom Kaiser einen Akt persönlicher Entsagung zu erlangen, hatten keinen Erfolg gehabt. Am 8. November, abends 11 Uhr, ließ der Prinz mich kommen und beauftragte mich, als letzten Versuch, sofort nach Spa zu fahren, um den Kaiser erneut zur Abdankung zu bewegen. Ich sagte dem Prinzen, ich würde kein geeigneter Bote sein, weil S. M. das Vertrauen zum Reichskanzler und seinen Mitarbeitern verloren hätte. Wenigstens sollte mir der Prinz einen Mann mitgeben, der als königstreuer Konservativer und alter Preuße bei S. M. Gehör finden würde. Als solchen schlug ich den vom ganzen Kabinett hochgeschätzten Ernährungsminister Herrn v. Waldow vor. Waldow wurde geholt, erklärte es aber mit seinem Gewissen nicht vereinbar, daß er als ehemaliger preußischer Minister und treuer Anhänger der Monarchie seinem Herrn Nachgiebigkeit gegen revolutionäre Wünsche empfehlen solle. Waldow schloß in großer Erregung: wenn S. M. noch Macht habe, dann solle er dem aufrührerischen Berlin zeigen, wie die Monarchie mit den Aufrührern abrechne, wenn er Macht nicht mehr habe, dann in Gottes Namen möge er tun, was sich als Pflicht für ihn ergäbe.

Nach der Ablehnung Waldows bestand der Prinz darauf, ich solle allein nach Spa fahren. Ich empfahl, vorher bei Scheidemann und Ebert festzustellen, wieweit die Verhandlungen zwischen Mehrheitssozialisten und Unabhängigen vorgeschritten seien. Mit Einverständnis des Prinzen rief ich Scheidemann an, der mir erklärte, wenn morgen bis am frühen Nachmittag die Abdankung des Kaisers verkündet würde, bestünde vielleicht ein Schimmer von Möglichkeit, die Revolution abzuwenden. Zur Sicherheit rief ich auch Ebert an und teilte ihm Scheidemanns Auskunft mit. Ebert antwortete, die Reise nach Spa sei nutzlos, die Revolution werde am andern Morgen ausbrechen, Scheidemann sei aus der Sitzung fortgegangen, bevor er diese Wendung der Dinge wissen konnte. Der Prinz verzichtete hiernach auf meine Reise, sagte aber, ich solle als Staatssekretär des Äußern den Kaiser in einem Telegramm nach Spa zum letzten Male auf die Folgen hinweisen, die eintreten würden, wenn die Sozialdemokraten aus dem Kabinett des Prinzen Max ausschieden und es zu einer machtlosen Regierung abschwächten, die vor den Spartakisten schließlich kapitulieren müsse.

Genützt hat die hiernach abgesandte Depesche im Hauptquartier nichts, sie hat nur, wie ich nach wenigen Tagen erfuhr, neue Entrüstung gegen Prinz Max und die um ihn zur Folge gehabt.

Das, lieber Hammann, sind die Zusammenhänge, die Sie gern wissen wollten, und die ich lebhaft im Gedächtnis behalten habe. Wer an der letzten Zeit der monarchischen Regierung Anteil gehabt, insbesondre in der Reichskanzlei den geradezu fürchterlichen Vormittag des 9. November mit durchgemacht hat, muß sich auflehnen gegen die blinde Ungerechtigkeit, die den Prinzen Max von Baden zum Kaiserstürmer und zu einem süddeutschen Feind der Hohenzollern stempeln möchte. Ich bin in den schweren Wochen des Oktober 1918 Tag für Tag Zeuge gewesen, wie der Prinz dafür gewirkt hat, den Kaiser, und, als dies unmöglich wurde, der Familie Hohenzollern den Kaiserthron zu erhalten. Aus vielen Einzelheiten der langen schwierigen Verhandlungen über die Auslegung des rätselhaften Wortlauts der Wilson'schen Note haben ich und meine Mitarbeiter die Überzeugung zurückbehalten, daß Prinz Max bis zuletzt bemüht geblieben ist, die Zukunft für ein monarchisches, ein kaiserliches Deutschland sicherzustellen – bis zum Schluß, am 9. November, als Scheidemann und Ebert mit vier andern Parteiführern in der Reichskanzlei erschienen und dem Prinzen verkündeten – Ebert war der Sprecher –, die kaiserliche Regierung habe kein Vertrauen mehr im Volke. Ich werde die wenigen Minuten dieser Unterhandlung nie vergessen. Ebert redete kurz, ohne Umschweife, voll eindringlicher Wucht und mit großem Ernst als Wortführer einer überlegnen, zum Schlagen gesammelten Massenkraft, der die Regierung des Prinzen Max Ebenbürtiges nicht entgegenzusetzen hatte!

Auf baldiges Wiedersehn
Ihr Solf

43. Rainer Maria Rilke (Prag 1875 bis 1926 Valmont [Schweiz]) an Anton Kippenberg

Als Gast der Fürstin Marie von Thurn und Taxis auf ihrem Schlosse Duino (westlich von Triest) hatte Rilke 1912 die Elegien begonnen, 1918 ihre Fragmente aber, deren Abschluß er nicht mehr erwartete, Kippenberg zur Aufbewahrung übergeben – nun empfängt der Dichter in dem Schweizer Schlößchen Muzot »Signale aus dem Weltraum«, erlebt einen »Orkan im Geiste«, der es ihm ermöglicht, binnen wenigen Tagen niederzuschreiben, was ihm zehn qualvolle Jahre vorenthalten hatten: die ›Duineser Elegien‹ und kurz dahinterdrein die ›Sonette an Orpheus‹.

Château de Muzot sur Sierre (Valais), Schweiz,
am Abend (spät) des neunten Februar [1922]

Mein lieber Freund,

spät, und ob ich gleich kaum mehr die Feder halten kann,
nach einigen Tagen ungeheuern Gehorsams im Geiste –, es
muß . . . *Ihnen* muß es noch heute, jetzt noch, eh ich zu schlafen
versuche, gesagt sein:

ich bin überm Berg!

Endlich! Die ›Elegien‹ sind da. Und können heuer* erscheinen. Neun große, vom Umfang etwa der Ihnen schon bekann-
ten; und dann ein zweiter Teil, zu ihrem Umkreis Gehöriges,
das ich ›Fragmentarisches‹ nennen will, einzelne Gedichte, den
größeren verwandt, durch Zeit und Anklang.

So.

Lieber Freund, jetzt erst werd ich atmen und, gefaßt, an
Handliches gehen. Denn dieses war überlebensgroß –, ich habe
gestöhnt in diesen Tagen und Nächten, wie damals in Duino, –
aber, selbst nach jenem Ringen dort –, ich habe nicht gewußt,
daß ein *solcher* Sturm aus Geist und Herz über einen kommen
kann! Daß mans übersteht! daß mans übersteht.

Genug, es ist da.

Ich bin hinausgegangen, in den kalten Mondschein und habe
das kleine Muzot gestreichelt wie ein großes Tier –, die alten
Mauern, die mirs gewährt haben. Und das zerstörte Duino.

Das Ganze soll heißen:

Die Duineser Elegien.

Man wird sich an den Namen gewöhnen. Denk ich. Und:
mein lieber Freund: *dies:* daß *Sie* mirs gewährt haben, mirs ge-
duldet haben: *zehn* Jahre! Dank! Und immer geglaubt: *Dank!*

Daß Sie dies (Sie und die Herrin) begrüße, wenn Sie vom
Geburtstag, dem hohen, Ihrer Mutter zurückkehren.

Ihr
Rilke

* oder wann sonst es Ihnen recht sein mag.

44. Sigmund Freud (Freiberg [Mähren] 1856 bis 1939 London) an Arthur Schnitzler

Für Freuds geistige Entwicklung sind seine Briefe an den Arzt und Biologen Wilhelm Fließ wichtig. Daneben aber gibt es einen spärlichen Briefaustausch mit Arthur Schnitzler (1862 Wien 1933), der in seinem dichterischen Werk ähnliche Erforschungen des Seelenlebens vorgenommen hatte. Hohe Bewunderung für die bahnbrechende Arbeit Freuds war daher für Schnitzler 1906 Anlaß gewesen, den fünfzigsten Geburtstag des lang Verkannten nicht stillschweigend zu übergehen. Auf solche gelegentlichen Anreden hat sich der Briefwechsel in der Folge beschränkt. Hier gratuliert nun Freud dem Wiener Dramatiker zum sechzigsten Geburtstag und gibt mit den aufgeworfenen Fragen nach der Sparsamkeit ihres Verkehrs eine eigentümlich erhellende psychoanalytische Spiegelung des eigenen Ichs.

14. Mai 1922
Wien IX. Berggasse 19

Verehrter Herr Doktor

Nun sind auch Sie beim sechzigsten Jahrestag angekommen, während ich, um sechs Jahre älter, der Lebensgrenze nahe gerückt bin und erwarten darf, bald das Ende vom fünften Akt dieser ziemlich unverständlichen und nicht immer amüsanten Komödie zu sehen.

Wenn ich noch einen Rest von Glauben an die »Allmacht der Gedanken« bewahrt hätte, würde ich jetzt nicht versäumen, Ihnen die stärksten und herzlichsten Glückwünsche für die zu erwartende Folge von Jahren zuzuschicken. Ich überlasse dies törichte Tun der unübersehbaren Schar von Zeitgenossen, die am 15. Mai Ihrer gedenken wird.

Ich will Ihnen aber ein Geständnis ablegen, welches Sie gütigst aus Rücksicht für mich für sich behalten [und] mit keinem Freunde oder Fremden teilen wollen. Ich habe mich mit der Frage gequält, warum ich eigentlich in all diesen Jahren nie den Versuch gemacht habe, Ihren Verkehr aufzusuchen und ein Gespräch mit Ihnen zu führen (wobei natürlich nicht in Betracht gezogen wird, ob Sie selbst eine solche Annäherung von mir gerne gesehen hätten).

Die Antwort auf diese Frage enthält das mir zu intim erscheinende Geständnis. Ich meine, ich habe Sie gemieden aus einer Art von Doppelgängerscheu. Nicht etwa, daß ich sonst so leicht geneigt wäre, mich mit einem anderen zu identifizieren oder daß ich mich über die Differenz der Begabung hinwegsetzen wollte, die mich von Ihnen trennt, sondern ich habe immer wieder, wenn ich mich in Ihre schönen Schöpfungen vertiefe, hinter deren poetischem Schein die nämlichen Voraussetzungen, Interessen und Ergebnisse zu finden geglaubt, die mir als die eigenen bekannt waren, Ihr Determinismus wie Ihre Skepsis – was die Leute Pessimismus heißen –, Ihr Ergriffensein von den Wahrheiten des Unbewußten, von der Triebnatur des Menschen, Ihre Zersetzung der kulturell-konventionellen Sicherheiten, das Haften Ihrer Gedanken an der Polarität von Lieben und Sterben, das alles berührte mich mit einer unheimlichen Vertrautheit. (In einer kleinen Schrift vom Jahre 1920 ›Jenseits des Lustprinzips‹ habe ich versucht, den Eros und den Todestrieb als die Urkräfte aufzuzeigen, deren Gegenspiel alle Rätsel des Lebens beherrscht.) So habe ich den Eindruck gewonnen, daß Sie durch Intuition – eigentlich aber in Folge feiner Selbstwahrnehmung – alles das wissen, was ich in mühseliger Arbeit an anderen Menschen aufgedeckt habe. Ja ich glaube, im Grunde Ihres Wesens sind Sie ein psychologischer Tiefenforscher, so ehrlich unparteiisch und unerschrocken wie nur je einer war, und wenn Sie das nicht wären, hätten Ihre künstlerischen Fähigkeiten, Ihre Sprachkunst und Gestaltungskraft, freies Spiel gehabt und Sie zu einem Dichter weit mehr nach dem Wunsch der Menge gemacht. Mir liegt es nahe, dem Forscher den Vorrang zu geben. Aber verzeihen Sie, daß ich in die Analyse geraten bin, ich kann eben nichts anderes. Nur weiß ich, daß die Analyse kein Mittel ist, sich beliebt zu machen.

In herzlicher Ergebenheit
Ihr Freud

45. Mathilde Rathenau, geborene Nachmann, (Frankfurt a. M. 1845 bis 1926 Berlin) an Frau Techow

Als vermeintlicher Anhänger eines schleichenden Bolschewismus war der Außenminister Rathenau am 24. Juni 1922, auf der Fahrt ins Auswärtige Amt, in der Königsallee zu Berlin-Grunewald aus einem Auto heraus, das Ernst Werner Techow steuerte, erschossen worden. Während der Aufbahrung im Reichstag hatte seine Mutter wachsbleich und wie versteint nur auf den Sarg hinuntergestarrt. Dann wollte sie den ehemaligen Minister Karl Helfferich, der die Jugend durch seine aufpeitschenden Parlamentsreden verblendet habe, brieflich als Mörder ihres Sohnes ansprechen. Aber die Quellen lauterster Mütterlichkeit brachen aus ihr wieder hervor, und sie sandte jene helfenden Versöhnungszeilen, die ihrer Meinung nach der Sohn durch sie geschrieben hatte.

In namenlosem Schmerz reiche ich Ihnen, Sie ärmste aller
Frauen, die Hand. Sagen Sie Ihrem Sohn, daß ich im Namen
und Geist des Ermordeten ihm verzeihe, wie Gott ihm verzeihen möge, wenn er vor der irdischen Gerechtigkeit ein volles
offenes Bekenntnis ablegt und vor der göttlichen bereut. Hätte
er meinen Sohn gekannt, den edelsten Menschen, den die Erde
trug, so hätte er eher die Mordwaffe auf sich selbst gerichtet, als
auf ihn. Mögen diese Worte Ihrer Seele Frieden geben.

Mathilde Rathenau

46./47. Bertolt Brecht (Augsburg 1898 bis 1956 Berlin) an Herbert Ihering

Vier Tage vor seinem Tode ließ sich Brecht, obwohl längst hoffnungslos krank,
noch einmal ins »Theater am Schiffbauerdamm« zu den Proben seines ›Galilei‹
bringen und fügte dem Stück eine ›Ankündigung der neuen Zeit‹ hinzu – »Die neue
Zeit, das war etwas und ist etwas, was alles betrifft, nichts unverändert läßt, aber doch
eben ihren Charakter erst entfalten wird, etwas, in dem alle Phantasie Raum hat ...
Geliebt wird das Anfangsgefühl, die Pioniersituation, geliebt wird das Glücksgefühl
derer, die eine neue Maschine ölen, bevor sie ihre Kraft zeigen soll, die in einer Land-
karte einen weißen Fleck ausfüllen ...« –, und darin schwingt etwas vom Geist jener
Tage, in denen Brecht zu Anfang der zwanziger Jahre mit den ›Trommeln in der
Nacht‹ und dem ›Baal‹ sich die Bühne und das erschreckte Aufhorchen der Mitwelt
zu erringen begann. Die Kritik der Hauptmann-Ära, vornehmlich die Alfred Kerrs,
blieb skeptisch abwartend, während der jüngere Kritiker des ›Berliner Börsen Courier‹, Herbert Ihering, sogleich die Unverwechselbarkeit dieses Werkes spürte und
ihm dafür 1923 den Kleistpreis zusprach. Er ist Brecht ein Leben lang unbeirrbarer
Gefolgsmann geblieben.

Lieber Herr Ihering

Ich habe das Licht der Welt im Jahr 1898 erblickt. Meine
Eltern sind Schwarzwälder. Die Volksschule langweilte mich
4 Jahre. Während meines 9jährigen Eingewecktseins an einem
Augsburger Realgymnasium gelang es mir nicht, meine Lehrer
wesentlich zu fördern. Mein Sinn für Muße und Unabhängig-
keit wurde von ihnen unermüdlich hervorgehoben. Auf der
Universität hörte ich Medizin und lernte das Gitarrespielen.
In der Gymnasiumszeit hatte ich mir durch allerlei Sport einen
Herzchock geholt, der mich mit den Geheimnissen der Meta-
physik bekannt machte. Während der Revolution war ich als
Mediziner an einem Lazarett. Danach schrieb ich einige Thea-
terstücke und im Frühjahr dieses Jahres wurde ich wegen Un-

terernährung in die Charité eingeliefert. Arnolt Bronnen[1] konnte mir mit seinen Einkünften als Kommis nicht entscheidend unter die Arme greifen. Nach 24 Jahren Licht der Welt bin ich etwas mager geworden.

Ich bin nämlich überzeugt, daß die Brechthausse[2] ebenso auf einem Mißverständnis beruht wie die Brechtbaisse, die ihr folgen wird. Inzwischen liege ich ziemlich ruhig in der Horizontalen, rauche und verhalte mich ruhig.

Daß Hannibal[3] nicht gleich gemacht wird, ist verdammt angenehm... Und ich werde noch einige Zigarren in Ruhe rauchen können.

Gleichgültig ob dabei etwas herauskommt.

Die Hauspostille[4] enthält die Balladen und ist noch nicht in Druck gegangen. Sie haben sie, sobald es einen Abzug gibt.

Ich freue mich sehr über jede Zeile von Ihnen.

Mit herzlichem Gruß
Ihr Bert Brecht

Augsburg [19]22.

lieber herr ihering

ich habe mich sehr über Ihren brief gefreut ich würde mich sehr freuen Sie wieder zu sehen

was ich hier tue ich kaue gummi

in dieser stadt kann man sich nicht umdrehen und die leute sind so dumm daß man so viel humor braucht daß man schlechter laune wird

das kommt von schlechtem wasser

übrigens mache ich kleine filmchen zusammen mit engel ebinger valentin leibelt faber[5]

---

[1] Arnolt Bronnen (1894–1958), der sehr wandlungsfähige österreichische Schriftsteller und Autor des Dramas ›Vatermord‹, das im Frühjahr 1922 in Frankfurt am Main und Berlin heftig umstrittene Ur- und Erstaufführungen erlebte; Bronnen, bis dahin Angestellter im Kaufhaus Wertheim, war damals mit Brecht befreundet.

[2] Die Uraufführung von ›Trommeln in der Nacht‹ in den Münchener Kammerspielen am 23. September, der die Berliner Premiere Anfang Dezember 1922 folgte.

[3] Der ›Hannibal‹ ist unveröffentlichtes Fragment geblieben.

[4] Die ›Hauspostille‹ erschien erst 1927.

[5] Erich Engel, bis zu Brechts Tod ihm arbeitsverbunden, inszenierte 1923 Brechts neues Stück ›Im Dickicht der Städte‹ am Münchener Residenztheater. Karl Valentin, der große Münchener Komiker und Volksschauspieler; Blandine Ebinger, Hans Leibelt, Erwin Faber: Bühnendarsteller, die damals in Brechts Dramen mit-

hier wird im theater nicht wassersuppe sondern suppenwasser gekocht es ist eine lackfabrik

der holländer[1] hat die trommeln also abgewürgt es ist ein schwarzes herz das der mann in der brust hat gott wird gericht über ihn halten es ist unangenehm für ihn aber auch ich werde gericht über ihn halten und das wird unangenehmer sein

für den courier werde ich Ihnen einmal ein kollektiönchen schicken ein paar gedichte wenn Sie wollen

das dickicht ist auf märz verschoben worden jetzt wird nibelungen gemacht das ist etwas anderes als der tote soldat

ich freue mich sehr über jede zeile von Ihnen und ich drücke Ihnen herzlich die hand

Ihr bert brecht

münchen akademiestraße 15
im februar [1923]

48./49. Arnold Schönberg (Wien 1874 bis 1951 Los Angeles) an Wassily Kandinsky

An Alma Mahler, welche die Zinsen der Mahlerstiftung an Schönberg zu geben wünschte und zu dem Zweck die Zustimmung der drei Preisrichter Busoni, Bruno Walter und Richard Strauß erbat, schrieb dieser: »Ich stimme Ihnen bei, die Zinsen der Stiftung Arnold Schönberg zu geben. Wenn ich auch glaube, daß es besser wäre, wenn er Schnee schaufeln würde als Notenpapier voll zu kritzeln – so geben Sie ihm immerhin die Stiftung, da man ja nie weiß, wie die Nachwelt darüber denkt.« Der Schöpfer der Zwölftontechnik hat sich in zähem Ringen durchsetzen müssen, war aber von der Vorhut des neuen Jahrhunderts erkannt worden. »Alles, was Schönberg sprach, war neu und seltsam«, notiert die Witwe Mahlers schon 1915. Und zwei Jahre später liest Werfel im Wiener Freundeskreis Schönbergs ›Jakobs Leiter‹ vor und ist sich nach den ersten Worten schon klar: »Ich kenne nun den ganzen Konflikt dieses Menschen . . . er ist Jude, der an sich leidende Jude.«

Mödling, 20. April 1923

Lieber Herr Kandinsky,

wenn ich Ihren Brief vor einem Jahr bekommen hätte, würde ich alle meine Grundsätze fallen haben lassen, hätte auf die

wirkten. Die Erstaufführung vom ›Dickicht der Städte‹ fand erst am 9. Mai 1923 statt.

[1] Felix Holländer, der Romanschriftsteller, hatte als Direktor des Reinhardtschen Deutschen Theaters zu Berlin Brechts ›Trommeln in der Nacht‹ nach anfänglichem Interesse zurückgewiesen.

Aussicht, endlich komponieren zu dürfen, verzichtet, und hätte mich, den Kopf voran, in das Abenteuer gestürzt. Ja ich gestehe: noch heute habe ich einen Augenblick geschwankt: so groß ist meine Lust zu unterrichten, so leicht entzündlich bin ich noch heute. Aber es kann nicht sein.

Denn was ich im letzten Jahre zu lernen gezwungen wurde, habe ich nun endlich kapiert und werde es nicht wieder vergessen. Daß ich nämlich kein Deutscher, kein Europäer, ja vielleicht kaum ein Mensch bin (wenigstens ziehen die Europäer die schlechtesten ihrer Rasse mir vor), sondern, daß ich Jude bin.

Ich bin damit zufrieden! Heute wünsche ich mir gar nicht mehr eine Ausnahme zu machen; ich habe gar nichts dagegen, daß man mich mit allen andern in einen Topf wirft. Denn ich habe gesehen, daß auf der Gegenseite (die ja für mich nicht weiter vorbildlich ist) auch alles in einem Topf ist. Ich habe gesehen, daß einer, mit dem ich gleiches Niveau zu haben glaubte, die Gemeinschaft des Topfes aufgesucht hat; ich habe gehört, daß ein Kandinsky in den Handlungen der Juden nur Schlechtes und in ihren schlechten Handlungen nur das Jüdische sieht, und da gebe ich die Hoffnung auf Verständigung auf. Es war ein Traum. Wir sind zweierlei Menschen. Definitiv!

Deshalb werden Sie begreifen, daß ich nur dasjenige tue, was zur Erhaltung des Lebens nötig ist. Vielleicht wird eine spätere Generation wieder imstande sein zu träumen. Ich wünsche das weder für sie noch für mich. Ja im Gegenteil, ich gäbe viel darum, wenn es mir vergönnt wäre, ein Erwachen herbeizuführen.

In meine herzlichen und hochachtungsvollen Grüße mögen sich der Kandinsky der Vergangenheit und der jetzige mit Gerechtigkeitsgefühl teilen.

Mödling, 4. Mai 1923

Lieber Kandinsky,

so schreibe ich Ihnen, weil Sie schreiben, daß mein Brief Sie erschüttert habe. Das habe ich von Kandinsky erhofft, obwohl ich noch nicht den hundertsten Teil dessen gesagt habe, was die Phantasie eines Kandinsky ihm vor Augen führen muß, wenn er mein Kandinsky sein soll! Weil ich noch nicht gesagt habe, daß ich zum Beispiel, wenn ich auf der Gasse gehe und von jedem Menschen angeschaut werde, ob ich ein Jud oder ein Christ bin, weil ich da nicht jedem sagen kann, daß ich derjenige bin, den der Kandinsky und einige andere ausnehmen, während allerdings der Hitler dieser Meinung nicht ist. Wobei mir dann selbst diese Wohlmeinung nicht viel nützte, selbst wenn ich sie, wie die blinden Bettler, auf eine Tafel schreiben und auf die Brust heften wollte, daß sie jeder lesen kann. Hat ein Kandinsky das nicht zu bedenken? Hat ein Kandinsky nicht zu ahnen, was wirklich passiert ist, daß ich meinen ersten Arbeitssommer nach 5 Jahren unterbrechen mußte, den Ort verlassen, an dem ich Ruhe zur Arbeit gesucht hatte, und die Ruhe dazu nicht mehr zu finden imstande sein konnte? Weil die Deutschen keinen Juden dulden! Darf ein Kandinsky mit anderen verwandter Meinung sein als mit mir? Darf er aber mit *Menschen*, die mich aus meiner Arbeitsruhe zu stören imstande sind, auch nur einen Gedanken gemein haben? Ist es ein Gedanke, den man mit solchen gemein haben kann? Und: kann der richtig sein? Ich meine: nicht einmal die Geometrie darf Kandinsky mit ihnen gemein haben! Das ist nicht sein Stand, oder er gehört nicht zu mir!

Ich frage: Warum sagt man, daß die Juden so sind, wie ihre Schieber sind? Sagt man auch, daß die Arier so sind, wie ihre schlechtesten Elemente? Warum mißt man einen Arier nach Goethe, Schopenhauer und dergl.? Warum sagt man nicht, die Juden sind so wie Mahler, Altenberg, Schoenberg und viele andere?

Warum, wenn Sie ein Gefühl für Menschen haben, sind Sie Politiker? Wo dieser doch den Menschen gar nicht rechnen und nur auf das Ziel seiner Partei sehen darf?

Jeder Jude offenbart durch seine krumme Nase nicht nur seine eigene Schuld, sondern auch die aller eben abwesenden Krummnasigen. Wenn aber hundert arische Verbrecher beisammen sind, so wird man von ihren Nasen nur die Vorliebe für Alkohol ablesen können, sie aber im übrigen für Ehrenmänner halten.

Und da tun Sie mit und »lehnen mich als Juden ab«. Habe ich mich Ihnen denn angetragen? Glauben Sie, daß jemand wie ich sich ablehnen läßt! Glauben Sie, daß einer, der seinen Wert kennt, irgend jemand das Recht zur Kritik auch nur seiner unwichtigsten Eigenschaften zugesteht? Wer sollte es auch sein, der dieses Recht hätte? Worin wäre er besser? Ja, kritisieren darf mich, hinter meinem Rücken, da ist viel Platz, jeder. Aber höre ich es, dann ist er meiner Gegenwehr auf Gnade und Ungnade ausgeliefert.

Wie kann ein Kandinsky es gutheißen, daß ich beleidigt werde, wie kann er an einer Politik teilnehmen, die die Möglichkeit schaffen will, mich aus meinem natürlichen Wirkungskreis auszuschließen; wie kann er es unterlassen, eine Weltanschauung zu bekämpfen, deren Ziel Bartholomäusnächte sind, in deren Finsternis man das Taferl, daß ich ausgenommen bin, nicht wird lesen können!

Ich, wenn ich etwas zu reden hätte, würde in einem entsprechenden Fall mich zu einer Weltanschauung bekennen, die die Sicherheit des Kandinsky bewirkt, ganz ohne Rücksicht auf den sonstigen politischen und ökonomischen Wert. Denn ich wäre dann der Meinung, daß nur eine Weltanschauung, welche der Welt die richtige Anschauung von den 2–3 Kandinskys, die sie im Jahrhundert aufbringt, erhält – ich wäre der Meinung, daß nur eine solche Weltanschauung für mich tauge. Und die Pogrome überließe ich den anderen. Wenn ich nämlich nichts dagegen tun könnte!

Sie werden es einen bedauerlichen Einzelfall nennen, wenn auch ich durch die Folgen der antisemitischen Bewegung getroffen bin.

Aber warum sieht man in dem schlechten Juden nicht einen bedauerlichen Einzelfall, sondern das typische? In meinem engsten Schülerkreis, unmittelbar nach dem Krieg, waren fast alle Arier nicht im Felde gewesen, sondern hatten tarchiniert[1]. Dagegen waren fast alle Juden im Feld und verwundet. Wie steht es da mit den Einzelfällen?

Aber es ist kein Einzelfall, nämlich nichts Zufälliges. Sondern es ist ganz planmäßig, daß ich, nachdem ich erst auf dem landesüblichen Weg nicht geachtet wurde, nun noch einen Umweg durch die Politik zu machen habe. Natürlich: diese Leute, denen meine Musik und meine Gedanken unbequem waren, die konnten sich nur freuen, daß jetzt eine Möglichkeit mehr gezeigt wird, mich einstweilen los zu werden. Mein künstlerischer Erfolg ist mir gleichgültig, das wissen Sie. Aber ich lasse mich nicht beleidigen!

Was habe ich mit dem Kommunismus zu tun? Ich bin keiner und war keiner! Was habe ich mit den Weisen von Zion zu tun? Das ist für mich ein Märchentitel aus Tausend und eine Nacht, der aber nichts annähernd so glaubwürdiges bezeichnet. Müßte ich nicht auch etwas von den Weisen von Zion wis-

[1] Austriazismus: sich drücken.

sen? Oder glauben Sie, daß ich meine Entdeckungen, mein Wissen und Können der jüdischen Protektion verdanke? Oder verdankt Einstein das seinige dem Auftrag der Weisen von Zion?

Das verstehe ich nicht. Das alles hält doch einer ernsthaften Prüfung nicht stand. Und sollten Sie nicht im Krieg Gelegenheit gehabt haben zu bemerken, wie viel, ja, wie ausschließlich offiziell gelogen wird. Wie sich unserem auf Sachlichkeit gerichteten Hirn die Aussicht auf die Wahrheit für alle Zeiten verschließt. Wußten Sie das nicht oder haben Sie es vergessen?

Haben Sie auch vergessen, was eine besondere Art der Gefühlseinstellung für Unheil hervorzurufen imstande ist? Wissen Sie nicht, daß im Frieden bei einem Eisenbahnunglück mit vier Toten alles entsetzt war, und daß man während des Krieges von 100000 Toten reden hören konnte, ohne auch nur zu versuchen, sich das Elend, die Schmerzen, die Angst und die Folgen vorzustellen. Ja, daß es Leute gegeben hat, die sich über möglichst viel tote Feinde gefreut haben, je mehr desto mehr! Ich bin kein Pazifist; gegen den Krieg sein ist so aussichtslos wie gegen den Tod sein. Beides ist unvermeidlich, hängt nur zum geringsten Teil von uns ab und gehört zu den Methoden der Erneuerung des Menschengeschlechts, die nicht von uns, sondern von höheren Mächten erfunden sind. Ebenso gehört die jetzt sich vollziehende Umschichtung in der sozialen Struktur nicht auf das Schuldkonto irgend eines einzelnen. Sie ist in den Sternen geschrieben und vollzieht sich mit Notwendigkeit. Das Bürgertum war schon zu ideal gerichtet, nicht mehr kampffähig, und darum steigen aus den Tiefen der Menschheit die elenden, aber robusten Elemente auf, um wieder einen existenzfähigen Mittelstand zu erzeugen. Der letztere kauft sich ein schönes Buch auf schlechtem Papier und verhungert. So und nicht anders muß es kommen. Kann man das übersehen?

Und das wollen Sie aufhalten? Dafür wollen Sie die Juden verantwortlich machen? Das verstehe ich nicht!

Sind alle Juden Kommunisten? Sie wissen es so gut wie ich, daß das nicht der Fall ist. Ich bin keiner, weil ich weiß, daß es der teilungserwünschten Dinge nicht für alle Menschen genug gibt, sondern kaum für ein Zehntel. Wovon es genug gibt (Unglück, Krankheit, Gemeinheit, Unfähigkeit und dergl.), ist ohnehin geteilt. Dann, weil ich weiß, daß das subjektive Glücksgefühl nicht vom Besitz abhängt, sondern eine rätselhafte Veranlagung ist, die man hat oder nicht. Und drittens, weil die Erde ein Jammertal ist und kein Vergnügungslokal, weil es also weder im Plan des Schöpfers liegt, daß es allen gleich gut geht, noch vielleicht überhaupt einen tieferen Sinn hat.

Heute hat man es nur nötig, irgend einen Unsinn im wissenschaftlichen-journalistischen Jargon zu sagen, und die gescheitesten Menschen halten ihn für eine Offenbarung. Die Weisen von Zion – natürlich: so heißen die heutigen Films, Werke der Wissenschaft, Operetten, Kabaretts, kurz alles, was diese Erde heute geistig bewegt.

Die Juden machen Geschäfte als Kaufleute. Wenn sie aber der Konkurrenz unbequem werden, werden sie angegriffen; aber nicht als Kaufleute, sondern als Juden. Als was sollen sie sich dann verteidigen? Aber ich bin überzeugt, daß sie sich sogar nur als Kaufleute verteidigen und die Verteidigung als Jude nur scheinbar ist. D. h., daß ihre arischen Angreifer sich als Angegriffene ebenso verteidigen, wenn auch mit einigen anderen Wörtern und unter Aufwendung anderer (sympathischerer???) Formen von Heuchelei; und daß es den Juden gar nicht darauf ankommt, die christliche Konkurrenz zu schlagen, sondern jede! und daß es den arischen auch ebenso um jede zu tun ist; und daß jede Verbindung, die zum Ziel führt, zwischen ihnen denkbar ist, und jeder andere Gegensatz. Heute ist es Rasse; ein andermal ich weiß nicht was. Und ein Kandinsky tut da mit?

Die amerikanischen Großbanken haben Geld für den Kommunismus gegeben und die Tatsache nicht dementiert. Wissen Sie warum? Herr Ford wird es wissen, daß sie nicht in der Lage sind zu dementieren: Vielleicht würden sie eine ihnen viel unangenehmere Sache dadurch aufdecken. Denn wenn es wahr wäre, hätte man schon längst bewiesen, daß es unwahr ist. *Das wissen wir doch! Das ist doch unser Erlebnis!*

Trotzky und Lenin haben Ströme von Blut vergossen (was übrigens in keiner Revolution der Weltgeschichte vermieden werden konnte!), um eine, selbstverständlich falsche, Theorie (die aber, wie die der meisten Weltbeglücker auch früherer Revolutionen, gut gemeint war) in Wirklichkeit umzuwandeln. Es ist fluchwürdig und soll gestraft werden, denn wer an solche Dinge rührt, darf nicht irren! Werden aber die Menschen besser und glücklicher werden, wenn nun mit demselben Fanatismus und ebensolchen Strömen Blutes andere, wenn auch entgegengesetzte, so doch nicht richtigere Theorien (denn sie sind ja alle falsch, und nur unser Glaube verleiht ihnen von Fall zu

Fall den Schimmer der Wahrheit, der genügt, uns zu täuschen) verwirklicht werden?

Wozu aber soll der Antisemitismus führen, wenn nicht zu Gewalttaten? Ist es so schwer, sich das vorzustellen? Ihnen genügt es vielleicht, die Juden zu entrechten. Dann werden Einstein, Mahler, ich und viele andere allerdings abgeschafft sein. Aber eines ist sicher: Jene viel zäheren Elemente, dank deren Widerstandsfähigkeit sich das Judentum 20 Jahrhunderte lang ohne Schutz gegen die ganze Menschheit erhalten hat, diese werden sie doch nicht ausrotten können. Denn sie sind offenbar so organisiert, daß sie die Aufgabe erfüllen können, die ihnen ihr Gott angewiesen hat: Im Exil sich zu erhalten, unvermischt und ungebrochen, bis die Stunde der Erlösung kommt!

Die Antisemiten sind schließlich Weltverbesserer von keinem größeren Scharfblick und ebenso geringer Einsicht wie die Kommunisten. Utopisten die guten, Geschäftsleute die schlechten Menschen.

Ich muß schließen, denn mir tun vom Schreibmaschinschreiben die Augen weh. Ich muß ein paar Tage unterbrechen und sehe jetzt, daß ich moralisch und taktisch einen sehr großen Fehler gemacht habe:

Ich habe polemisiert! Ich habe verteidigt!

Ich habe vergessen, daß es sich um Recht und Unrecht, um Wahrheit und Unwahrheit, um Erkenntnis und Blindheit nicht handelt, sondern um Machtfragen; und darin scheint jeder blind zu sein, im Haß so blind wie in der Liebe.

Ich vergaß, daß es keinen Zweck hat zu polemisieren, weil ich ja gar nicht gehört werde; weil kein Wille da ist, zu verstehen, sondern nur einer: nicht zu hören, was der andere sagt.

Wenn Sie wollen, so lesen Sie, was ich geschrieben habe; aber ich bitte Sie recht sehr, mir keine polemische Antwort zu schicken. Machen Sie nicht denselben Fehler wie ich. Ich versuche es, Sie davor zu bewahren, indem ich Ihnen sage: Ich werde Sie nicht verstehen; ich kann Sie nicht verstehen. Vielleicht habe ich noch vor einigen Tagen gehofft, Ihnen mit meinen Argumenten einen Eindruck zu machen. Heute glaube ich das nicht mehr und empfinde es fast als Würdelosigkeit, daß ich verteidigt habe.

Ich habe Ihnen antworten wollen, weil ich Ihnen zeigen wollte, daß auch in dem neuen Kleid für mich Kandinsky vorhanden ist; und daß ich nicht diese Achtung verloren, die ich einmal gehabt habe. Und wenn Sie für meinen ehemaligen Freund Kandinsky Grüße zu bestellen übernehmen wollten, würde ich Ihnen sehr gerne einige meiner wärmsten anvertrauen wollen, könnte aber nicht unterlassen, die Botschaft hinzuzufügen:

Wir haben uns lange nicht gesehen; wer weiß, ob wir uns je wiedersehen; wäre es der Fall jedoch, daß wir uns wieder begegneten, so wäre es traurig, wenn wir für einander sollten blind sein müssen. Übernehmen Sie also meine herzlichsten Grüße.

50. Thomas Mann (Lübeck 1875 bis 1955 Zürich) an Gerhart Hauptmann

»Als ob ich es je mit einem andern Stoff zu tun gehabt hätte als mit eigenem Leben«, hat Thomas Mann einmal die Frage nach der entlegenen Fabel seines Romans ›Königliche Hoheit‹ (1909) abgewehrt und damit zugleich die ärgerliche Neugier der Öffentlichkeit, die seit den ‚Buddenbrooks‘ (1901) nicht mehr zur Ruhe gekommen war. Auch seine späteren Schöpfungen, ›Der Zauberberg‹ (1924), ›Lotte in Weimar‹ (1939), ›Joseph und seine Brüder‹ (1943) und der ›Doktor Faustus‹ (1948) waren kaum davon ausgenommen. Von seinen bisher bekanntgewordenen Briefen rückt einer diesen ganzen Fragenkreis in ein besonderes Licht: sein Schreiben an Gerhart Hauptmann. Thomas Mann war 1923 zufällig mit ihm in Bozen zusammengetroffen, und die Gemeinschaft erlebnisreicher Tage hatte ihn, dessen damalige Arbeit am ›Zauberberg‹ eben zu stocken drohte, aus dem näheren Umgang mit dem schlesischen Dichter die Gestalt des Mynheer Peeperkorn eingegeben, die in ihrem fesselnden Helldunkel dem Abschluß seines Romans neuen Auftrieb brachte. Nach Erscheinen des Buches ging dann sein »Entschuldigungsbrief« ab, der über den eigentlichen Anlaß hinaus in die Entstehungsgeschichte wie in den Schaffensvorgang überhaupt tief hineinleuchtet. Hauptmann ließ sich in der Hochschätzung des ›Zauberbergs‹ dadurch nicht beirren, und so durfte Thomas Mann, als er den Neunzigjährigen in seiner Frankfurter Gedenkrede feierte, ergriffen von der Überwirklichkeit seiner Porträtphantasie, bekennen: »Das ist kein schnödes Zerrbild – es ist kein Verrat, sondern eine Huldigung, und als Niederschlag der rührend größten Erfahrung im Menschlich-Persönlichen, die mir je zuteil wurde, mag es der Nachwelt von dem Erlebnis seines Daseins, von seines Wesens weher Festlichkeit mehr überliefern als noch so viele kritische Monographien je vermöchten.«

München, den 11. April [19]25
Poschingerstr. 1

Lieber, großer, verehrter Gerhart Hauptmann!

Lassen Sie mich Ihnen endlich schreiben! Ich habe längst gewünscht es zu tun, habe es aber nicht gewagt. Ich habe ja ein schlechtes Gewissen, weiß, daß ich gesündigt habe. Ich habe

»gesündigt«, weil das Wort eine doppelte Dynamik hat: es ist stark und schwer, wie es sich gebührt, und doch auch wieder, in gewissem Gebrauchsfall, ein halb gutmütiges, vertrauliches und versuchsweise humoristisches Wort, das freilich für eigentlich niederträchtige Taten nicht gelten dürfte. Ich darf sagen: ich habe gesündigt, wie Kinder sündigen. Denn, glauben Sie mir (ich glaube, Sie glauben es): ich habe vom Künstlerkinde viel mehr in mir, als diejenigen ahnen, die von meinem »Intellektualismus« schwatzen; und da Sie auch ein Künstlerkind sind, ein erhabenes, verständnisvolles und nachsichtiges Kind der Kunst, so hoffe ich, mir mit diesen Zeilen, mögen sie auch noch zu unzulänglich ausfallen, Ihre Verzeihung ganz zu erringen, die ich – lassen Sie mich das glauben – halb schon immer besaß.

Ich habe mich an Ihnen versündigt. Ich war in Not, wurde in Versuchung geführt und gab ihr nach. Die Not war künstlerisch: Ich trachtete nach einer Figur, die notwendig und kompositionell längst vorgesehen war, die ich aber nicht sah, nicht hörte, nicht besaß. Unruhig, besorgt und ratlos auf der Suche kam ich nach Bozen – und dort, beim Wein, bot sich mir an, unwissentlich, was ich, menschlich-persönlich gesehen, nie und nimmer hätte annehmen dürfen, was ich aber, in einem Zustand herabgesetzter menschlicher Zurechnungsfähigkeit, annahm, annehmen zu dürfen glaubte, blind von der begeisterten Überzeugung, der Voraussicht, der Sicherheit, daß in meiner Übertragung (denn natürlich handelt es sich nicht um Leben, sondern um eine der Wirklichkeit innerlich überhaupt fremde und äußerlich kaum noch verwandte Übertragung und Einstilisierung) die auf immer merkwürdigste Figur eines, wie ich nicht länger zweifle, merkwürdigen Buches daraus werden könnte.

Das war kein Wahn, ich hatte recht. Ich tat Unrecht, aber ich hatte recht. Ich sage nicht, daß der Erfolg die Mittel heiligt. Aber waren diese Mittel, war der Geist, in dem ich mich jener menschlichen Äußerlichkeiten bediente, infam, boshaft, lieblos, ehrfurchtslos? Lieber, verehrter Gerhart Hauptmann, das war er nicht. Wenn ich Verrat geübt habe, so übte ich ihn gar nicht an meinen Empfindungen für Sie, die sich klar und deutlich noch in der Behandlung äußern, die ich der innerlich wirklichkeitsfernen Riesenpuppe zuteil werden lasse, vor der alle Schwätzer verzwergen; noch in dem Ehrfurchtsverhältnis, in dem ich mein Söhnchen, den kleinen Hans Castorp, vom ersten

Augenblick an zu dem Gewaltigen setze, der die Geliebte des Jungen besitzt und sie bei ihm aussticht. Kein Fühlender läßt sich darüber durch die – sagen wir: ironischen und grotesken Kunstmittel täuschen, die zu handhaben ich gewohnt bin. Ich lasse außer acht, was Sie wissen: daß keiner, der Sie nicht genau und nahe kennt, überhaupt »etwas merkt«, daß mit einem Wort die Sache nicht öffentlich ist. Das dient nicht zu meiner Entlastung. Ich habe immer gewußt und gesagt, daß es eine Sache ist zwischen Ihnen und mir. Aber Ihre nächsten Freunde, Jünger und Verehrer, die Reisiger, Chapiro, Loerke, Heimann, Eulenberg, die allenfalls etwas »merken« konnten und gemerkt haben, – sind sie beleidigt durch die Figur? Haben sie Ärgernis daran genommen und sich empört? Es ist eine Tatsache: sie haben es nicht getan, sie haben teilweise das gerade Gegenteil getan, und diese merkwürdige Erscheinung sollte doch, meine ich, auch Ihrem Zorn zu denken geben.

Lieber, verehrter Mann! Soll eines schlechten Streiches, einer Künstlersünde wegen alles vergessen sein, was ich über Sie gesagt habe, als es sich wirklich um Sie und nicht um eine großartige Maske handelte: jener Aufsatz zum Beispiel, der mir Ihre Freundschaft gewann und in dem ich Sie den König des Volkes nannte? In der Not darf ich Sie daran erinnern. Und auch Ihre strengere Gattin möge daran erinnert sein – schon wage ich es, Sie zu bitten, bei ihr ein gutes Wort für mich einzulegen: so sehr glaube ich bereits an Ihre eigene Verzeihung!

Seien Sie versichert, daß ich keine übertriebenen Ansprüche an Ihre Güte stellen werde, wenn das Leben uns wieder einmal zusammenführt – worauf ja Aussicht besteht. Ich bin mir klar darüber, daß mein Streich – auf Zeiten wenigstens – manches unmöglich gemacht hat, was sonst hätte sein können. Aber wenn der Augenblick kommt, so, bitte ich, versagen Sie mir nicht die Hand, die ich Ihnen im Geist mit all der wahren Empfindung zu drücken wage, die niemals, zu keiner Stunde des Lebens und der Arbeit, in Ihrer Gesellschaft oder fern von Ihnen, aufgehört hat für Sie in mir lebendig zu sein.

Ihr ergebener
Thomas Mann

51. Franz Rosenzweig (Kassel 1886 bis 1929 Frankfurt a. M.) an Eugen Mayer

Nach Untersuchungen über Hegel und den Staat sann Franz Rosenzweig auf Ausdeutung des Judentums: ihr galt die Gründung des Freien Jüdischen Lehrhauses, ihr die Übertragung der Gedichte Jehuda Halevis und vornehmlich die text- und ausdrucksgerechtere Übersetzung der Bibel. Unter Martin Bubers Leitung unternahm er es – längst schon von einer unaufhaltsam fortschreitenden Lähmung heimgesucht – seit 1924, der ›Schrift‹ in gemeinsamer Eindeutschung eine neue Form zu geben. Der vorliegende Brief spiegelt den vorläufigen Abschluß der Arbeit, der ihre Bestrebungen sichern sollte. Auch für ihn gilt eine gelegentliche Äußerung Wolfskehls: »All das Äußere existiert nicht, er weiß kaum wo er ist – einzig die Lehre! Wie gleichgültig ist es Rosenzweig, ob er im Schützengraben schreibt, im Hotel, im Lazarett; aus keinem seiner Briefe spricht die Art der Umgebung. Ebenso erlebt er seine Krankheit nicht als Wirkliches, sondern höchstens als Unbequemlichkeit.«

30. Dezember [19]25

... Ich erinnere mich sehr gut jenes Gesprächs, das Sie meinen. Aber noch besser als Sie. Es war schon in der Epsteinerstraße, an einem Samstag nachmittag. Ich war mit meiner Frau bei Ihnen; nachher kamen noch die beiden hübschen Engländerinnen aus dem Frankfurter Norden. Wir beide, Sie und ich, standen in der beginnenden Dämmerung am Fenster, und Sie erzählten mir Ihren Plan, daß eine neue jüdische Bibelübersetzung gemacht werden müsse, damit jeder Barmizwo-Junge die Tora[1] deutsch zur Erinnerung von gemeindewegen geschenkt kriegen sollte. Ich widersprach dem Gedanken einer neuen Übersetzung, und zwar genau mit der Begründung, die Sie in Ihrem Brief unübertrefflich formulieren[2]. Aber Sie wollten meine Einwände gar nicht gelten lassen. Ich habe, seit ich den Plan der neuen Berliner Gemeindeübersetzung hörte, sogar heftig daran gedacht, einen großen Aufsatz dagegen zu schreiben und die jüdisch revidierte Lutherübersetzung statt dessen zu verlangen. Es wäre ein schöner Aufsatz geworden, mit vielen Bosheiten gegen die deutschen Juden. Statt dessen bin ich nun selbst der Sünde bloß.

Aber das ist genau so gekommen wie auch das Fehlen des Mädchens zu kommen pflegt: unmerklich, Schritt für Schritt,

[1] Der jüdische Einsegnungsjunge, wenn er dreizehnjährig religiös mündig gesprochen wurde, solle die »Weisung«, d. h. den Pentateuch erhalten.

[2] In Mayers Brief hieß es: »Ich meinte, man dürfe vom lieben Gott nicht erwarten, daß er zweimal das gleiche tue, d. h. in diesem Fall eine zweite deutsche Bibel. Ich hielt also die Möglichkeit mit Luther für grundsätzlich erschöpft.«

bis das Unglück geschehen ist, und dann, nur in diesem Fall schon nach sechs Monaten, die Folgen herausgekommen. Denn ob Sie es glauben oder nicht: diese Übersetzung hat als Versuch zu einer revidierten Lutherbibel begonnen. Schritt für Schritt und anfangs nur widerwillig (ich) und schweren Herzens (Buber) sind wir dann vom Luthertext abgekommen. Es ging einfach nicht. Sie hatten damals am Fenster recht! Aber bis zuletzt hat Buber meist Luther vor der eignen Niederschrift jeder Stelle angesehn, die andern erst nachher verglichen, und habe ich bei meiner ja nur nachbessernden Tätigkeit durchweg den Luthertext neben dem hebräischen vor mir gehabt. Was nun draus wird, weiß ich nicht. Dasselbe ja keinesfalls. Hoffentlich nicht das Gegenteil. Ich fürchte manchmal, die Deutschen werden diese allzu unchristliche Bibel nicht vertragen und es wird die Übersetzung der heut ja von den neuen Marcioniden[1] angestrebten Austreibung der Bibel aus der deutschen Kultur werden, wie Luther die der Eroberung Deutschlands durch die Bibel war. Aber auch auf ein solches Golus Bowel[2] könnte ja dann nach siebzig Jahren ein neuer Einzug folgen, und jedenfalls – das Ende ist nicht unsre Sache, aber der Anfang und das Anfangen.

Den trennenden Wert der Etnachta[3] in so kurzen Sätzen überschätzen Sie aber. Oder würden Sie in den zehn Geboten nach der einen Akzentuation übersetzen: »Stiehl! Lieber nicht!«???

Ihr Franz Rosenzweig

[1] Dem Verkünder des fremden Gottes, Marcion (aus dem zweiten nachchristlichen Jahrhundert), hatte Adolf von Harnack 1920 ein Buch gewidmet, das den vermeintlich bloßen Begründer einer gnostischen Sekte der hohen Gemeinschaft, die von den Propheten über Jesus zu Paulus reicht, diesem als tief innerlichen religiösen Charakter ebenbürtig beigesellt und selbst die Leidenschaftlichkeit, mit der Marcion das Alte Testament ablehnte, vollends für unsere Zeit verteidigt: es als kanonische Urkunde im Protestantismus noch zu konservieren, sei die Folge einer religiösen und kirchlichen Lähmung.

[2] Babylonisches Exil, das von 597 v. Chr. rund siebzig Jahre währte.

[3] Satzschließendes Tonzeichen.

52. Hans Carossa (Bad Tölz 1878 bis 1956 Rittsteig bei Passau) an Ernst Heilborn

Den jungen Arzt Hans Carossa hatte Hugo von Hofmannsthal im Jahre 1910 Anton Kippenberg mit den Worten vorgestellt: »Hier ist ein eigener Ton wie selten in dieser Epoche und hier ist was noch schwerer wiegt eine wirkliche Person dahinter, ein Mensch, der der Mühe wert ist.« Und der Dichter selbst hatte an Kippenberg geschrieben: »Ich möchte meine Gedichte herausgeben und zwar – vergeben Sie mir das kühne Wort! – in Ihrem Verlag oder keinem.« Seitdem ist sein Werk gewachsen und hat auf eine große Leserschar gewirkt. Wie diese anscheinend zeitabgewandten Bücher im Leben standen und »auf die dunkelsten Rufe der Welt von innen helle Antwort« geben konnten, zeigt unmittelbar auch dieser Brief an den Herausgeber der Zeitschrift ›Die Literatur‹.

[München, Frühjahr 1926]

Sehr verehrter Herr Doktor!

In Ihrem freundlichen Brief legten Sie mir nahe, irgendein Motiv meiner inneren Entwicklung den Lesern der ›Literatur‹ zu schildern. Wenige Tage später fragte mich ein Besucher, wie ich eigentlich darauf gekommen wäre, mitten im Kriege ein so zeitabgewandtes Buch wie die ›Kindheit‹ zu schreiben. Auf diese Frage wußte ich nichts Bestimmtes zu erwidern, begann aber, als ich allein war, nachzudenken und merkte nun, wie gar nicht leicht es ist, über das wahre Motiv auch eines ganz einfachen Beginnens etwas auszusagen.

Im August 1914, in der dritten Nacht nach der Kriegserklärung, wurde ich aus dem Schlaf geklingelt und auf die Landstraße bei Seestetten hinausgeholt. Ein Angehöriger der sogenannten Heimatwehr, die sich aus alten Männern der umliegenden Dörfer zusammensetzte, hatte einem von Vilshofen her nach Passau fahrenden Automobil Halt zugerufen und, als der Lenker nicht stoppte, dem Wagen einen Schuß nachgefeuert. Der beginnende Krieg spielte nämlich sonderbar in der Phantasie jener Landleute; durch Zeitungsnachrichten aufgeregt, sahen sie in jedem Fremden einen Spion und vermuteten in jedem Fahrzeug ungeheure Goldsummen, die von Frankreich nach Rußland geschmuggelt werden sollten. Der alte Mann hatte leider gut getroffen und dem Wagenbesitzer, einem jungen Kaufmann aus Plattling, den Bauch durchschossen. Wir trugen den Sterbenden in ein Bauernhaus, wo er nach wenigen Stunden verschied. Während ich der Donau entlang durch dichten Frühnebel heimging, stieg mir unvermittelt die Erinnerung an ein Mädchen auf, das mich als kleinen Knaben einmal klug und liebreich aus peinlicher Verlegenheit gerettet hatte. Ich wollte Kameraden ein paar Taschenspielerkunststücke zeigen, die ich für sehr leicht hielt, weil sie mir mit großer Meisterschaft vorgeführt worden waren, konnte aber mein Unvermögen nicht lange verbergen und geriet in eine schreckliche Lage, die jene mir bis dahin unbekannte Eva auf naiv-durchtriebene Weise gerade noch zum Guten wendete. Fünfundzwanzig Jahre waren seither vergangen; kaum hatte ich jemals wieder an die Szene gedacht; nun aber stand sie klarer und wesenhafter vor mir als die gewaltsame Gegenwart. Ich ging nicht mehr zu Bette, sondern begann den Vorgang aufzuschreiben, damit er mir nicht wieder verlorengehe. Eine Erinnerung weckte die andere; immer wieder gab es etwas aufzuzeichnen, und dieses heimliche Treiben kam auch später, während ich als Infanteriearzt an manchen Fronten diente, nicht zur Ruhe. Ja gerade in Stunden der Arbeit und Gefahr pflegten sich die längst vergessenen Erlebnisse der ersten Jahre unabweisbar aufzudrängen. Doch wurde mir dies im Dienste nie zur Störung, eher zur Förderung. Die zarten Geister, die lange geschlafen hatten, waren sehr frisch und beweglich geworden; sie brachten Wachsamkeit und machten alle Mühe leichter, ja es gab Augenblicke, da sie sich in Schutzgeister zu verwandeln schienen.

Wie nun dies zusammenhängt, wie es geschehen mag, daß auf die dunkelsten Rufe der Welt von innen helle Antwort kommt, dafür wird mancher eine Deutung haben. Eine liegt mir sehr nahe. Das Kind lebt jeden Augenblick seines Daseins ganz; es blickt mit einem Ernst, einer Geradheit, einem hellsichtigen Vertrauen dem Leben entgegen, die wir später fast nur noch im Traum erfahren. Es weiß nichts von der Schwere, nichts von den dunklen Wegen des Erwachsenen, der das Ewige nicht mehr sehen will und immer wieder von sich selbst abfällt, bis ihn plötzlich ein Ereignis in den Kern hinein erschüttert. Da gedenkt er wieder seines Beginns und des ungebrochenen Lichtes, das ihn damals umleuchtete. Wo sonst als in jenen ersten Handlungen und Leiden kann die Grundfigur seines Wesens eingezeichnet sein? Er sehnt sich, den Schutt vieler halbgelebter Jahre wegzuräumen, die geheimnisvolle Inschrift freizulegen und zu lesen, sich an ihr zu prüfen und zu erforschen, ob es nicht etwa doch möglich wäre, nach ihrer Weisung sich neu aufzubauen. Und so hat auch der Dichter Ursache genug, von Zeit zu Zeit die eigene Kindheit zu befragen. Sie sagt ihm unerbittlich, wo er steht, sie weiht ihn zum ewigen Bekenner, und als solcher wird er in Kunst und Leben immer klarer danach trachten, daß er das Menschlich-Freudige zu bekennen habe...

53. Alfred Mombert (Karlsruhe 1872 bis 1942 Winterthur) an Rudolf Pannwitz

Gelegentlich eines Neudrucks seiner Gedichte nach fast einem Vierteljahrhundert schrieb Mombert 1921 seinem Setzer, der einen Schreibfehler des Dichters vermutet hatte: »Vielleicht verschwindet der scheinbare Rechenfehler von 100 Jahren bei folgender Betrachtung: das Buch erschien im Druck zum ersten Mal im Jahre 1897. Wahrhaft für das deutsche Volk ›erschienen‹ sein: ihm Erlebnis sein: ihm Wahrheit und Glück sein: wird es aber erst nach 100 Jahren, also: Im dritten Jahre vor dem Jahr zweitausend (1997).« Schon früher aber hatte Mombert Richard Benz zu bedenken gegeben: »Wenn in einer dieser Welten alle Jahr-Millionen einmal in einem Sekunden-Tausendstel ›reine Freude‹ aufblitzt, ist es ungeheuer viel und lohnt, das Leben daraufhin zu wagen.« Aus solcher Einstellung zum Ewigkeitsrhythmus des längst dem Siderischen zugewandten Dichters und Denkers muß der folgende Zuspruch an den Kulturphilosophen Rudolf Pannwitz (*1881) verstanden werden, dessen Schaffen er lebenslang als ein Wahlverwandter der Nachwelt zu erhalten bemüht blieb.

Heidelberg, 28. Oktober 1926.

Lieber Rudolf Pannwitz!

Das wissen Sie selber genau so gut wie ich: Sie sind als Dichter wie als Denker für die Menschen eine schwer zu erklimmende Hochspitze, eine Art Dent blanche oder Matterhorn oder Finsteraarhorn (um im Europäischen zu bleiben); sehr oft von Wolken und Nebel umzogen, vereist, mit grausigen Steilabstürzen und ständiger Steinschlag-Gefahr, nur den schwindelfreien unbeirrbaren Kletterern und professionellen Waghälsen zugängig. Auf dem Rigi, aufs Gornergrat rennen, reiten und fahren jährlich Hunderttausende. Auf die Dent blanche kommen in manchem Jahr keine Dutzend. Und ohne Steigeisen gehts überhaupt nicht! Ich selber, der ich mich als Dichter in dieses Gleichnis einschließe, möchte keine Drahtseilbahn und kein Hotel auf dem Buckl tragen (nicht mal eine Klubhütte) und fühle mich einigermaßen wohl in der Region ewigen Schnees und ewiger Flamme. Unser Unheil ist nur, daß wir durch Leben und Literatur ständig gezwungen werden, die Tiefland-Bummler auf unsere Gipfel-Existenz aufmerksam zu machen, daß wir vielleicht sogar etwas wie Sehnsucht empfinden, betrampelt zu werden. Nietzsche konnte seine eigene Höhe und dünne Luft kaum ertragen; und er hatte doch die Bummler durchaus nicht nötig! Aber das ist ein (oder das) unendliches Thema; ich stelle für mich niemals Betrachtungen an, sondern schaue und bilde, damit Schluß. – Nun empfangen Sie heute schnellstens herzlichen Glückwunsch zur endlichen

Druckvollendung des Kosmos Atheos! Er hat mich schon wundersam angehaucht, obwohl ich natürlich erst blättern konnte. Seien Sie meines hohen Interesses gewiß!

Das Eiligste ist heute Ihr Brief. Könnte ich nur einigermaßen, wie ich wollte! Ich lebe in vollkommener Einsiedelei. Vielleicht sind zwei Menschen hier, die ich als Freunde bezeichnen kann; aber beide stehen als Geistesarbeiter selber im Lebenskampf; ich sehe sie viele Monate des Jahres nicht. Mit der Universität habe ich nicht die geringste Verbindung. Studenten wagen sich höchst selten zu mir; Dozenten überhaupt nicht. Ich lebe nur hier, weil ich nicht woanders lebe. Kosmos ist hier wie überall – und nirgendwo. Was mir in dieser schlimmen Zeit selber gerade noch möglich ist, tue ich mit Freude und von Herzen. Anliegende Hundert-Note (die freilich wenig »Musik« hat) sei ein Beitrag zu der Summe, die hier aufzutreiben ich keine Möglichkeit sehe. Für Amüsements ist Geld in Deutschland massenweise vorhanden. Viel zu viel! Vgl. die Summen, die das deutsche Volk jährlich bei den Unterhaltungsschriftstellern investiert! Milchkühe nennen alle Verleger diese Schindluder! Es wird nie und nirgendswo je anders gewesen sein.

Noch Eins: Betr. die Vorrede, die ich anbei zurücksende: Ich meine, Sie sollten doch wenigstens ein gedrucktes kurzes Nachwort dem Werk beiheften oder beilegen. Aus ganz irdischen Gründen. Es bestünde doch die Möglichkeit, daß dadurch, wenn nicht der »Eine«, so doch die »Einige« – von den furchtbaren Hindernissen, unter welchen Ihre Werke geschaffen werden, erführen, und Ihre Leiden beendeten. Man sollte eine so seltene Gelegenheit nicht unbenutzt vorübergehen lassen! Zumal die Einstellung aufs Persönliche ja schon im Text des Buches vorhanden ist.

Mit allen guten Grüßen und Wünschen

Ihr Mombert

NB. Des Freiherrn von Thimus »Harmonikale Symbolik des Altertums« ist ein Werk, das ich seit vielen Jahren liebe. Nun finde ich es bei Ihnen wieder erwähnt. Es ist ein höchst gefährliches Buch für einen Dichter! Möge aber der Himmel den Dichter R. P. vor der »Kabbala« bewahren!

54. Peter Wust (Rissental 1884 bis 1940 Münster) an den Abt Ildefons Herwegen

Der zurückgewonnene Glaube, seine »geistige Wiedergeburt« führte den Religionsphilosophen Peter Wust zu Ildefons Herwegen, dem ob seiner unaufdringlich angebotenen gütevollen Weisheit vielbewunderten Abt von Maria Laach, mit dem er hier brieflich über die »Sandbänke des Nurzeitlichen« hinweg Zwiesprache hält.

Köln, den 24. Mai 1929.

Hochwürdigster Herr Abt!

Gerade Ihre freundliche Antwort auf meinen Aufsatz ›Pariser Rechenschaft‹ hat mich besonders beglückt. Ich danke Ihnen herzlichst für Ihre liebenswürdige Einladung und werde gerne kommen. Sie können den Tag ganz nach Ihrem Belieben bestimmen.

Ich möchte Sie nur noch um Eines bitten. Vor mir liegt ein neues Werk von dem Frankfurter Philosophen Fritz Heinemann: ›Neue Wege der Philosophie. Eine Einführung in die Philosophie der Gegenwart.‹ Dieses Werk, das nichts anderes ist als ein erschreckendes Portrait (Selbstportrait) des modernen Menschen, erschüttert mich aufs tiefste. Hier sagt ein Moderner mit ergreifender Ehrlichkeit: unsere Krise ist keine Krise der Kultur, des Geistes, der Wirtschaft usw., unsere Krisis ist eine Krisis des Menschen. Unsere menschliche Relation zur Welt, zu Gott, zu uns selbst ist gestört. Deshalb hat uns der Weg vom Zweifel Descartes' bis zur Verzweiflung Kierkegaards geführt.

Und nun finden Sie in diesem Werk Bilder hingezeichnet von Nietzsche, von Troeltsch, von Scheler (ihn nennt er eine »bestia cupidissima rerum novarum«), von Heidegger, daß einen zuweilen das Entsetzen faßt.

Zweierlei aber fällt noch besonders auf. Erstens nämlich: unsere katholischen Philosophen werden wieder einmal mit Schweigen erledigt. Zweitens: derselbe Mann, der öfters vom gestörten Kontakt mit Gott redet, lehnt doch alle Metaphysik und im Grunde auch alle Religion ab. Scharf lehnt er Christus ab.

Dieses beides vollendet das Portrait des modernen Menschen zum furchtbarsten Selbstportrait. Ehrlichkeit und Zwiespältigkeit, ja, Blindheit, vereinigen sich so im gleichen Werk.

Wenn Sie in aller Ruhe vor meinem Besuch bei Ihnen, Hochwürdigster Herr Abt, dieses Werk einmal lesen wollten, so glaube ich, es ergäbe sich aus unserer gemeinsamen Überschau über dieses geradezu repräsentativ zu nennende Werk eine ganz besondere Diskussionsbasis.

Ich will damit sagen, daß wir Katholiken erst von einem solchen grandiosen Selbstbekenntnis des modernen Menschen aus verstehen können, nicht bloß, was unsere Aufgabe ist, sondern auch, was unsere fortgesetzte, von Tag zu Tag sich erneuernde Schuld vor Gott ist, weil wir nämlich, die wir die Mittel hätten zu helfen, in Wirklichkeit doch zu keiner ganz großen missionarischen Aktion in dieser Welt verzweifelter Menschen übergehen.

Ich habe, selbst Kind überaus frommer, ganz einfacher, armer katholischer Eltern, trotzdem 1905 am Gymnasium in Trier den Glauben verloren. Von 1905 bis 1918 ging ich in dieser Nacht umher, nicht voll Trotz zwar, aber doch das Wissen mehr liebend als den Glauben. Aber von dieser modernen Wanderschaft her kenne ich nun auch die Geheimnisse der modernen Seele, verstehe ich ihre Sprache. Ganz tief in diese moderne Seele konnte ich dann noch einmal hineinschauen, als ich 1921 bis 1928 an Max Schelers Seite lebte.[1] Ihm danke ich meine Rückkehr zu Christus, sonderbarer Weise. Und daher erklärt sich meine ganze Liebe zu ihm, auch nachdem er wieder abbog. Aber erst in dieser Periode seines Abbiegens habe ich dann auch erst die furchtbare Situation eines solchen modernen Menschen erkannt. Jahrelang habe ich oft verzweifelt mit ihm gerungen, manchmal mich selbst gefährdend gegenüber seiner geheimnisvollen Suggestionskraft. Aber ich hatte die letzten Kräfte nicht: ich war geistig zu arm gegenüber seiner Fülle.

Aber von diesem zermürbenden Kampf mit der Seele Schelers stammt mein ganzes grenzenloses Mitleid mit der modernen Seele. Und daher kommt es auch, daß ich in meiner Philosophie ganz die moderne Sprache rede: denn ich weiß, nur so kommen wir an diese Seele heran. Ich weiß, daß man auf katholischer Seite deshalb oft an meiner Art zu philosophieren scharfe Kritik übt. Aber ich weiß auch, daß die Methode des Philosophierens, wie sie bis jetzt noch meistens auf katholischen

---

[1] Max Scheler (1874–1928), als Professor der Philosophie in Köln (später in Frankfurt am Main) wohl die hinreißendste Denkerpersönlichkeit der zwanziger Jahre, der im Anschluß an Husserl die phänomenologische Methode auf die Gebiete der Geisteswissenschaften, der Religionsphilosophie und Soziologie mit stürmischer Überzeugungskraft zu übertragen verstand, um dem Flüchtigen (nach Nicolai Hartmanns schöner Formulierung) im Erfassen und Wiederschenken das Ewige abzugewinnen.

Lehrstühlen geübt wird, niemals ihren Zweck erreichen wird: das Schweigen Heinemanns in seinem Buche ist nicht ganz unberechtigt.

Aber freilich, wir Katholiken brauchten zunächst einmal einen strengkatholischen, religiös und geistig geschlossenen kleinen Intellektuellenkreis, als Quelle neuer Substanzbildung, eine Art katholische Georgegemeinde, in der nicht George, sondern Christus der Mittelpunkt wäre. Aus diesem Kreise heraus müßten wir betend etwas Neues (es wäre inhaltlich das Uralte unserer Väter) mitten in diese verzweifelte Welt hineingestalten, vor dem die anderen plötzlich in Ehrfurcht zurückträten, um schließlich darauf hingerissen zu werden. Es würde lange dauern, bis wir die Früchte sähen. Aber die Früchte würden eines Tages kommen.

Sie haben selbst, hochverehrter, Hochwürdigster Herr Abt, an dem Werk Ihrer Liturgischen Bildung erlebt, wie so etwas wächst und wächst. Nur müßte dieses Werk jetzt noch erweitert werden in dem Sinne, wie es mir in der Idee vorschwebt. Der Gedanke, daß Kultur für den Christen an und für sich gleichgültig sei, ist wohl richtig. Aber er wird gefährlich, wenn die Kultur das Medium des Bösen geworden ist, wie es heute leider der Fall ist. Wir Katholiken, das ist klar, wir müssen zuerst beten und uns selbst reinigen und heiligen. Aber wir müssen auch dann philosophieren, malen, dichten, aus dieser gereinigten Seele heraus, um den modernen Menschen mit einem anderen »objektiven Geist« (in der Sprache Hegels gemeint) zu umstellen. Das ist so etwas wie die heilige List der christlichen Vernunft, eine »List«, die der erlöste moderne Mensch hinterher gern verzeihen würde. Hätten wir einen »katholischen« Hegel oder Kant, einen »katholischen« Goethe usw. – würde es uns da nicht leichter werden, unsere Aufgabe zu erfüllen?

Die Welt ist wie aus den Fugen. Es ist eine Zeit, die an den Eschatologismus eines Joachim von Fiore[1] erinnert. Damals war Franziskus die Erfüllung. Wenn wir uns dafür bereiten, ich glaube, daß uns dann Gott auch heute wieder den Großen schenkt, auf den wir alle hoffen, und vor allem das Große: den Glauben an Christus.

[1] Joachim von Fiore (1145–1202), der vielbeachtete christliche Mystiker, dessen Dreizeitenlehre mit dem Anbruch des dem heiligen Geiste zugeordneten Zeitalters nach großen Umwälzungen das ewige Evangelium verhieß.

Indem ich nun aber schließe, Hochwürdigster Herr Abt, möchte ich noch ganz herzlich um das Geschenk Ihres Gebetes bitten. Denn ich fühle mich immer noch ganz arm vor Gott, und Sie dürfen das im buchstäblichsten Sinne nehmen. Ich leide oft sehr unter dieser Schwachheit meines Menschentums. Bitten Sie Gott um Geduld für mich. Er schenkte mir die schließliche volle Harmonie zwischen Wissen und Glauben. Möge Er mir auch eine glückliche Erfüllung aller meiner Sehnsucht nach Ihm schenken!

Ich verbleibe mit dem Ausdruck aufrichtigster Verehrung, Hochwürdigster Herr Abt,

Ihr ergebenster
Peter Wust

55. Joseph Roth (Schwabendorf bei Brody 1894 bis 1939 Paris) an René Schickele

Wie sehr die Gestalten Joseph Roths, dieses großen österreichischen Erzählers zwischen Schnitzler und Doderer, seinem eigenen Leben entnommen, ja Teile seines Selbst sind – sein ›Hiob‹ gerade so wie sein ›Heiliger Trinker‹ – zeigt dieser Brief an René Schickele, die melancholische Klage eines Getriebenen, den ein Rest von Auflehnung von der endlichen Resignation trennt.

20. Januar 1930

Sehr verehrter lieber Herr René Schickele,

ich danke Ihnen sehr herzlich für Ihren lieben guten Brief und für die liebenswürdige Einladung. Ich nehme sie sehr frohen Herzens an. Ich bin nur noch nicht imstande, Berlin zu verlassen, ehe die Angelegenheit meiner Frau nicht wenigstens so weit geordnet ist, daß ich weiß, wo sie bleibt. Augenblicklich ist sie bei meinem Freund. Jeden Tag muß ich mir die paar Mark zusammenkratzen, die für sie, die Pflegeschwester und anderes notwendig sind. Ich bemühe mich um einen größeren Reiseauftrag, ich lasse dann hier ein paar tausend zurück, zumindest die Aussicht auf sie, und wandere weiter. Mit dem anderen, der seelischen Belastung, muß man allein fertig werden. Und da hilft es leider nicht, daß man selbst ein Schriftsteller ist. Das ist man offiziell, und privat ist man ein ganz kleiner armer Teufel, der schwerer schleppt als ein Straßenbahnschaffner. Die Zeit allein und nicht die Begabung kann uns die Distanz geben, und ich habe nicht viel Zeit mehr.

Zehn Jahre meiner Ehe mit diesem Resultat haben mir vierzig bedeutet, und meine natürliche Neigung, ein Greis zu sein, unterstützt das äußere Unglück in einer schrecklichen Weise. Acht Bücher bis heute, mehr als 1000 Artikel, seit zehn Jahren jeden Tag zehnstündige Arbeit, und heute, wo mir die Haare ausgehen, die Zähne, die Potenz, die primitivste Freudefähigkeit, nicht einmal die Möglichkeit, einen einzigen Monat ohne finanzielle Sorgen zu leben. Und diese Canaille von Literatur! Ich bin noch aus der Zeit, in der man ein Grieche und ein Römer war, wenn man mit Geist was zu tun hatte, und ich stehe fremd inmitten dieses gräßlichen Angelsachsentums, dieses sentimentalen Amerikanismus, der die Welt in Deutschland regiert. Es tut mir sehr weh, daß Sie eine so gräßliche langweilige Sache haben. Gehen Sie zu einem Wundermann, nicht zu Ärzten! Im übrigen bedarf die Sache nur eines »Ausstands«, wie man in Österreich sagt. Es verschwindet eines Tages, ebenso plötzlich, wie es gekommen ist.

Ich werde Ihnen zwei Wochen vorher schreiben, ehe ich komme. Wie lange bleiben Sie in Badenweiler? Fahren Sie nicht weg? Küssen Sie Ihrer lieben Frau für mich die Hand.

In herzlicher Zugetanheit
Ihr trauriger Joseph Roth

56. Louise Dumont (Köln 1862 bis 1932 Düsseldorf) an Herbert Eulenberg

Der andern Neuberin, wie man sie wohl nannte, hat die Nachwelt doch Kränze geflochten: in Düsseldorf wetteifern Denkmal und nach ihr benannte Straße, ihr Andenken wachzuhalten. Das gilt ebensosehr der Tragödin, die als Hebbels Judith ihr Schauspielhaus (das dann unter ihrer und ihres Gatten Gustav Lindemann Leitung nach Immermanns Vorbild zum zweiten Mal Düsseldorfer Musterbühne ward) 1905 eröffnete und es 1932 in ihrer längst der Theatergeschichte angehörenden Inszenierung des ›Faust‹ als Frau Sorge sterbend verließ – wie der Frau, die allzeit Mutter war (wie Zuckmayer ihre Persönlichkeit dichterisch umschrieben hat). Die Antwort an Herbert Eulenberg, der sich zum Fürsprech zeitgenössisch deutscher Dramatik gegenüber einer Beheimatung ausländischer auf deutschen Bühnen gemacht hatte, gibt ein Muster der Art und Kunst dieser immer zeitnah gebliebenen temperamentvollen Briefschreiberin.

[Düsseldorf, Mitte April 1930]
Lieber sehr verehrter Herbert Eulenberg!
Ihr Angriff fordert eine ernste Antwort. Ich war an dem

Tage, an dem Ihr Brief ankam, so überlastet, daß ich Ihnen nicht gleich darauf sagen konnte, was ich sagen muß:

Warum geht Ihre Frage nicht an die hochsubventionierten deutschen Theater, die viele Millionen zur Verfügung haben und also in der Lage sind, ohne Rücksicht auf den Kassenerfolg ihre Spielpläne zu gestalten?

Warum geht Ihre Frage nicht an die Deutsche Dichterakademie? Ich muß die Berechtigung dieser Frage – an uns gerichtet – bestreiten, denn wir müssen den Theaterhaushalt erhalten und haben somit die Pflicht, den Spielplan so zu gestalten, wie ein breites Publikum ihn fordert. Das ist das Äußere, innerlich gesehen steht die Sache aber so:

Wo und wann ist jemals gesagt worden, daß das Schauspielhaus für eine besondere Art Dichtung gegründet worden ist? Daß die unsäglichen persönlichen Opfer, die es gekostet hat, hierfür gebracht werden sollten (vergeblich, wie ich leider zugeben muß). Das Schauspielhaus sollte ein reines Instrument der Schauspielkunst werden, die Wahrheit wieder herstellen in dem von Grund auf verdorbenen deutschen Theater. Hierfür, lieber Herbert Eulenberg, habe ich mein Leben hergegeben. Sie dürfen mir glauben, daß ich als erfolgstarke Schauspielerin mir für mein Leben auch hätte etwas Schöneres vorstellen können. Ich werde sterben, ohne die Riviera, ohne Rom, ohne Neapel und so vieles andere Große und Schöne gesehen zu haben. Das Leben von Lohnsklaven in des Wortes härtester Bedeutung, kompliziert durch Geistesqualen aller Art führen wir in der Tat. Unsere Arbeit läßt uns überhaupt kein privates Leben mehr, und von der Freude, wie sie eine Rivierareise gibt, muß ganz abgesehen werden. Darum – dennoch glücklicher Dichter – Sie dürfen und durften Ihr ganzes Leben lang tun, was Sie wollten. Geistig-menschlich sich Anregung holen, wo immer Ihre Seele es wünschte, wonach sie schmachtete. Unser Werk ist nicht »vollbracht«, ist nichts als ein sauberer Haushalt, der sich, weil wir wie Lohnsklaven Tag und Nacht alle Arbeit selbst machen, selbständig über Wasser hält. Wir sind »arme Teufel«.

Und weiter frage ich: Wo haben denn die deutschen Dichter jemals etwas für das Schauspielhaus getan, ihm seine Existenz auch nur geistig erleichtert? Schmidtbonn, den Sie nennen, hat seiner Zeit, als er zur geistigen Leitung des Schauspielhauses gehörte, bei einem dreitägigen Aufenthalt in Berlin sich an Reinhardt vergeben. Und diesem Beispiel könnte ich noch manche andere hinzufügen, was an ewig schmerzende Narben von tiefen Wunden in meinem Herzen rührt.

Rechten Sie, lieber Dichter, mit dem deutschen Publikum, rechten Sie mit den Behörden, die dem deutschen Volk Millionen und Millionen entziehen für das, was sie Theater nennen. Denken Sie schließlich aber auch einmal daran, wenn Sie das Publikum, das ausländische Stücke bevorzugt, verurteilen, daß auch deutsche Dichter – Gerhart Hauptmann voran – das Ausland mehr lieben als das Vaterland. Italien und Frankreich ist die bevorzugte Heimat der deutschen Dichter, und Sie, lieber verehrter Teurer, sind ja auch lieber in Ascona als auf dem Drachenfels. Ich nehme Ihnen das weiß Gott nicht übel. Wenn ich nicht eine rettungslos philiströse, wirklich deutsche Tagelöhnerin wäre, die nicht den Schwung hat, ihre Stube, die sie putzen muß, zu verlassen – ich möchte auch lieber einmal die Welt im Licht italienischer Sonne sehen als den deutschen Quark immer wieder rühren – ohne Erfolg, ohne Freude, ja auch ohne Genugtuung, den Besten des Volkes genug getan zu haben. Denn in den kargen Ruhestunden gibts Briefe mit Vorwürfen, nicht nur von Ihnen, lieber sehr glücklicher Dichter.

Seien Sie nach diesem, was um der inneren Wahrheit gesagt werden mußte, ebenso aufrichtig gegrüßt von

dem ärmsten Putzweib des deutschen Theaters
Louise Dumont

57. Robert Musil (Klagenfurt 1880 bis 1942 Genf) an Johannes von Allesch

Für Robert Musil waren die Tagebücher »pausenloser Werkkommentar«; ihnen vertraute er mehr an als irgendeinem Menschen, und die Fülle seiner in ihnen niedergelegten Notizen wiegt seine Briefkargheit auf. Auch wenn er sich nach außen an den Zeitgenossen wendet – wie hier an den Kunsthistoriker Allesch, den er zu einem klärenden Essay ermuntern möchte – kreisen seine Gedanken um seinen ›Mann ohne Eigenschaften‹ und die angemessene Aufnahme des Werkes im öffentlichen Bewußtsein.

Wien, 15. März 1931

Lieber Johannes!

Wir sind zwar geographisch näher am Mittelmeer als Ihr, aber moralisch ebenso weit davon. Und was unser Zusammentreffen angeht, so scheint der himmliche Vater mit uns Leih mir die Scher' zu spielen, denn während Du alpine Pläne machst, habe ich mich schon halb und halb verdungen, Mitte September in Ostpreußen an einigen Sendern zu lesen (Ende September lese ich voraussichtlich in Berlin); mit dem herzlichen Vorsatz, Dir dort zu begegnen. Ich möchte darum gerne wissen, ob Du schon ungefähr sagen kannst, wann Dich der Geldmangel wieder nach Norden zurückleiten wird. Denn daß wir Euch im Gebirge begegnen können, ist nicht sicher, wenngleich ich natürlich auch diese erfreuliche Möglichkeit fördern will, wie ich nur kann. Die Hauptschwierigkeit besteht darin, daß ich wahrscheinlich nach Karlsbad muß und für drei Sommerreisen nicht die Mittel habe und auch über meine Zeit nicht so seigneural verfügen kann, denn Rowohlt will Manuskript haben. Darüber kann ich also nichts Abschließendes sagen, sondern nur je nach den Umständen daran denken, Orte überlegen und Dich von dem Wandel der Möglichkeiten unterrichten. Das Eine muß ich schon jetzt sagen, daß ich in der Ortswahl durch Verpflegungsschwierigkeiten etwas beschränkt bin und in erster Linie an größere Orte denken würde wie etwa Mallnitz.

Wenn ich Dich aber nicht sehe, wirst Du dann das Buch gar nicht schreiben? Weißt Du, daß ich sehr besorgt bin, daß Du wieder etwas Neues dazwischenkommen läßt. Erfolgspolitisch würde eine Verzögerung des Erscheinens über den Herbst hinaus für mich schädlich sein, aber auch für Deine Wirkung scheint es mir jetzt an der Zeit zu sein, die Sache anzupacken. Mein letztes Buch hat ein gewisses Aufsehen erregt, sozusagen große Presse gehabt, aber bei dem, was gesagt worden ist, ist das Latein der Öffentlichkeit zu Ende, und eine »Erleuchtung« würde in diesem Zeitpunkt nicht nur nottun, sondern auch Empfänglichkeit antreffen. Wenn ich die Kritik überblicke, sehe ich: erstens die merkwürdige Erscheinung, daß man den Mann o. E. imstande ist, bis aufs höchste zu loben, beinahe ohne daß dabei für den Dichter davon etwas abfällt. Man sagt z. B.: Unter den europäischen Romanen der bedeutendste, oder: Kein zweiter deutscher Roman erreicht diese Höhe; daß ich aber danach zumindest unter den deutschen Dichtern bisher unterschätzt worden sei, davon spricht kein Mensch, so als ob das eine ganz andere Sache wäre. Darum würde es mir wichtig und dankbar erscheinen, den Nachweis dafür zu erbringen, daß der letzte Roman, bloß in breiterer Entfaltung, ja doch nur die anderen Sachen fortsetzt. Zweitens entnehme ich der Kritik – nicht so sehr als formulierte Einwände, wie als Spuren von ausgestandener Schwierigkeit – die große Unsicherheit dem Problem der Gestaltung gegenüber. Der Roman unserer Generation (Th. Mann, Joyce, Proust usw.) hat sich allgemein vor der Schwierigkeit gefunden, daß die alte Naivität des Erzählens der Entwicklung der Intelligenz gegenüber nicht mehr ausreicht. Den ›Zauberberg‹ halte ich in dieser Hinsicht für einen ganz mißglückten Versuch; in seinen »geistigen« Partien ist er wie ein Haifischmagen. Proust und Joyce geben, soviel ich davon gesehen habe, einfach der Auflösung nach, durch einen assoziierenden Stil mit verschwimmenden Grenzen. Dagegen wäre mein Versuch eher konstruktiv und synthetisch zu nennen. Sie schildern etwas Aufgelöstes, aber sie schildern eigentlich gerade so wie früher, wo man an die festen Konturen der Dinge geglaubt hat. Hier wären wir bei der Rolle der Form im geistigen und künstlerischen Ausdruck, und da habe ich Dir doch gar nichts zu sagen, was Du nicht besser wüßtest. Interessant ist besonders, daß die Leute die formale Einheit meines Buchs in verschiedenen Abstufungen empfinden oder nicht empfinden, je nach dem sie mit der Nase am Papier buchstabieren müssen oder nicht. Aber hier, wenn Du die Form des Buchs zeigen würdest und wie sie, so gut ich es eben konnte, in alles faßt, würdest Du mir und dem Verständnis lebhaft nützen. Drittens diskutiert man sehr darüber, was ein Mann ohne Eigenschaften sei. Ich selbst war sehr überrascht davon, daß ich scheinbar einen Zeittypus getroffen habe. Natürlich sind die Männer mit Eigenschaften manchmal auch etwas darüber erstaunt, daß sie keine haben sollen. Verhältnismäßig viele halten das Buch für skeptisch-ironisch, und seine Lehren auszusprechen hieße, das naturwissenschaftlich-philosophische Weltbild plus der Humanität seiner subversiven Zöglinge aussprechen, was Dir doch gewiß keine Schwierigkeiten bereiten kann.

Lieber Johannes, bist Du nicht geneigt, über diese Fragen auch weiter einige Bemerkungen zu wechseln, wobei ich Deinem Geist, wenn er nur wieder in literarische Bewegung gerät, gerne als Boxball und Sparringpartner dienen will. Denn der Sommer ist fern und diese Möglichkeit nah.

Unsere herzlichsten Grüße Dir und Deiner Frau
von Deinem freundschaftlich ergebenen Robert

58. Max Slevogt (Landshut 1868 bis 1932 Neukastel [Pfalz]) an Johannes Guthmann

Die Zeiten, da Slevogt Francesco d'Andrade als Mozarts Don Giovanni malte oder die tanzende Pawlowa; da er dem ›Lederstrumpf‹ oder dem Benvenuto Cellini Illustrationen mitgab, liegen hier hinter ihm; seither hat er sich der Goetheschen Gedankenwelt im ›Faust‹ genähert. Nun möchte er ähnliches für Richard Wagners ›Ring‹ leisten. Was er hier dem Freunde Guthmann anvertraut (für dessen Havel-Besitz in Neu-Kladow er einst märchenduftige Fresken schuf), hat er auch über der neuen Ludwigshafener Aufgabe, die er natürlich aufgreift, nicht vergessen. Eine gute Woche später wird er sich mit demselben ihn bedrängenden Anliegen an Toscanini wenden, der in Bayreuth den ›Ring‹ dirigieren soll: »Die Gewalt des ›Ringes‹ auszulösen, dieses übermenschlichen Werks, das – seltsam zu sagen: so aktuell und doch gleichzeitig dem Bewußtsein der Zeitgenossen am wenigsten ›liegt‹ – dieses Werk wieder auf seine Höhe zu heben, scheint mir für Bayreuths Aufgabe fast entscheidend. Und als Maler darf ich hinzufügen, daß dann auch der Moment gegeben wäre, in dem sich Bayreuth entschließen müßte, der schwankenden Gestaltung des Bühnenbildes – kurz der Stillosigkeit der Dekorationen ein Ende zu bereiten. Auch hierin müßte Bayreuth den Schritt in die Welt tun, den Wagner für seine Zeit suchte und heute als erster wünschen müßte: nicht so sehr auf dem Gebiet der technischen Fortschritte als der Monumentalität.«

Bad Aachen d. 31. August 1931

Lieber Hanns!

Seit 3 Tagen genießen wir hier die Bade- und Trinkkur Karls des Großen! Ihren Brief erhielt ich noch auf Neukastel – Sie haben Recht: warum haben wir in diesem kurzen Leben nicht öfter Bayreuth! Diesmal verließ ich es in ziemlicher und besonderer Melancholie. Der Weg von diesem Walhalla in unsre disproportionierte Zeit läuft auf einem recht schwächlichen, verblasenen Regenbogen, und auch Neukastel ist alt geworden. Die Äpfel der Freia gedeihen nicht. In Wahrheit: man selbst wird alt und grämlich! Die Erkenntnisse solcher geistigen Taxe sind kein Ansporn mehr, kein Enthusiasmus – sondern ein sich Rechenschaft geben nach rückwärts – auch vorwärts – aber – ich will nicht voreilig sein unter dem Druck der diesmaligen Regenstimmung – aber, wie mir scheint, hauptsächlich nach rückwärts!!! So aber erschien es für mich wie ein Abschied. Es kommt dazu, daß ich immer mit dem Gedanken »spielte«, wie Sie wissen, den Bayreuth-Spielen auch bildmäßig ein Besonderes zu geben. Das war ein eigener Anreiz – der mich sogar vom rein Genießenden abzog, aber heimlich mitaktiv machte! Hätte man mich aufgefordert, so wäre ich sicher sofort sehr schwierig geworden und keineswegs dazu gelaunt. Sie werden trotzdem den Widerspruch leicht verstehen können! Diesmal sah ich klarer und – friedvoller – ich selbst habe den ungewollten Plan aufgegeben (der ja wohl durch Parteianschluß zu erreichen wäre) – es wurde mir verständlich, daß mein Trieb dazu nur der unbewußte Hang des Künstlers war, zu einer größeren Gesellschaft in einem allgemein verständlichen Symbol zu sprechen – wozu die Malerei mangels allgemein geteilter Ideale keine Gelegenheit mehr bietet. Dies ist schlecht ausgedrückt – aber wir haben über dieses Thema in anderem Zusammenhang schon gesprochen. Es gäbe heute wohl nur eines: das soziale Allgemein-Symbol! Und dies ist – leider oder Gott sei Dank – meiner Natur nicht eigentlich eigen. Mein menschliches Verständnis setzt sich nicht in Produktionszwang um, wie bei anderen! Mit diesem Mangel muß ich mich bescheiden, hierfür bin ich kein Prophet und Sänger!

»Gräulichen Unsinn kramst Du da aus« – werden Sie denken, lieber Hanns. Folgen der Kur und des Ablaufs der Geschehnisse: denn in demselben Moment, wo ich Bayreuth aufgebe, tritt eine andere Aufgabe dieses Sinnes an mich heran: der Dekan einer neugebauten Kirche in Ludwigshafen will von mir als einzigen Schmuck dieser Kirche (runde moderne Architektur ohne Zierat) ein großes Wand- und Mittelbild 8 m zu 12 m hoch! – Eine Sixtina! Hier verwurzelt sich die Frage nun erst recht! und ich sitze wie ein von vornherein geschlagener Feldherr vor den Trümmern meiner Vorstellungen! Womit soll ich bauen – ein Heide in einer Kirche!? Mir fällt Schwinds Bildchen ein, wo der Teufel die Steine zur Kirche karrt. Andererseits: es ist eine Aufgabe! Wie weit sind wir wieder abgetrieben von unserem Jugendschrei l'art pour l'art – dem wir die beste Kraft gewidmet haben! Ein Narr der Zeit! Was Sie von Dresden berichten, bestätigt es. Corinths Altmeister-Gesinnung und Bildermalerei (der ich jeden Fortschritt abstritt) – er siegt und hält den Hauptsaal – wenn es auch so aussieht, als verdanke er das der freien Malerei! Die Enden dieses Bogens zusammenzuziehen, welchem Odysseus gelingt das. Glückliche Franzosen, die nur die Form beschäftigt! Und so ende ich wieder beim großen Richard und seinem Werk, das uns die schönen Tage aufgegeben hat trotz allem! Addios für heute!

Herzliche Grüße an Sie und Jochen von
Wolfgang und Ihrem Max Slevogt

136

59. Klaus Mann (München 1906 bis 1949 Cannes) an Gottfried Benn

Wir wissen aus den Geständnissen Klaus Manns dem väterlichen Sekretär gegenüber, daß er sich Tag für Tag auf die Tischgespräche mit dem Familienoberhaupt sorgfältig vorbereitete. So ist es zu begreifen, wenn er zu unbelasteterer Aussprache, sobald die Gelegenheit sich ergab, sich lieber an den Doktor Gottfried Benn wandte, der lobend von ihm sagte: »Er hatte die schöne ausgestorbene Eigenschaft, bei Unterhaltungen dem Älteren immer einen gewissen Respekt einzuräumen.« Aber gerade durch diesen »Respekt« mögen gewisse Fragen über die grundsätzliche Einstellung zu den Zeitereignissen untergegangen oder überhaupt unterblieben sein. So wurde, zu spät, die freimütige, große Anfrage an den Dichter Benn unerläßlich. Dieser hat erst über der Niederschrift seines »Doppellebens« nach fünfzehn Jahren das anklagende Sendschreiben Klaus Manns wieder zu Gesicht bekommen und die »vollkommene Verblüffung« darüber zugegeben: »Der Siebenundzwanzigjährige hatte die Situation richtiger beurteilt, die Entwicklung der Dinge genau vorausgesehen, er war klarer denkend als ich.« Und es blieb in diesem Brief manches zurück an modrigem Erdenrest, was Benns feiner Witterung nicht entgangen sein konnte. Trotzdem hat er nicht angestanden, diesen Brief als Ehrung für den Verstorbenen zu veröffentlichen.

Le Lavandou, den 9. Mai 1933

Lieber und verehrter Herr Doktor Benn

erlauben Sie einem leidenschaftlichen und treuen Bewunderer Ihrer Schriften mit einer Frage zu Ihnen zu kommen, zu der ihn an sich nichts berechtigt als eben seine starke Anteilnahme an Ihrer geistigen Existenz? Ich schreibe diese Zeilen nur in der Hoffnung, daß Sie mich als verständnisvollen Leser Ihrer Arbeiten etwas legitimiert finden, eine offene Frage an Sie zu richten. – In den letzten Wochen sind mir verschiedentlich Gerüchte über Ihre Stellungnahme gegenüber den »deutschen Ereignissen« zu Ohren gekommen, die mich bestürzt hätten, wenn ich mich hätte entschließen können, ihnen Glauben zu schenken. Das wollte ich keinesfalls tun. Eine gewisse Bestätigung erfahren diese Gerüchte durch die Tatsache, die mir bekannt wird, daß Sie – eigentlich als *einziger* deutscher Autor, mit dem unsereins gerechnet hatte – Ihren Austritt aus der Akademie *nicht* erklärt haben. Was mich bei der protestantischen . . . nicht verwundert und was ich von . . ., der seine Rolle als der Hindenburg der deutschen Literatur mit einer bemerkenswerten Konsequenz zu Ende spielt, nicht anders erwartet hatte, entsetzt mich in Ihrem Fall. In welcher Gesellschaft befinden Sie sich dort? Was konnte Sie dahin bringen? Ihren Namen, der uns der Inbegriff des höchsten Niveaus und einer geradezu fanatischen Reinheit gewesen ist, denen zur Verfügung zu stellen, deren Niveaulosigkeit absolut beispiellos in der europäischen Geschichte ist und von deren moralischer Unreinheit sich die Welt mit Abscheu abwendet? Wie viele Freunde müssen Sie verlieren, indem Sie solcherart gemeinsame Sache mit den geistig Hassenswürdigen machen – und was für Freunde haben Sie am Ende auf dieser falschen Seite zu gewinnen? Wer versteht Sie denn dort? Wer hat denn dort nur Ohren für Ihre Sprache, deren radikales Pathos den Herren ... und ... höchst befremdlich, wenn nicht als der purste Kulturbolschewismus in den Ohren klingen dürfte? Wo waren denn die, die Ihre Bewunderer sind? Doch nicht etwa im Lager dieses erwachenden Deutschlands? Heute sitzen Ihre jungen Bewunderer, die ich kenne, in den kleinen Hotels von Paris, Zürich und Prag – und Sie, der ihr Abgott gewesen ist, spielen weiter den Akademiker *dieses* Staates. Wenn Ihnen aber an Ihren Verehrern nichts liegt – sehen Sie doch hin, wo die sich aufhalten, die Sie Ihrerseits auf so hinreißende Art bewundert haben. Heinrich Mann, dem Sie wie kein anderer gehuldigt haben, ist doch mit Schanden aus eben derselben Organisation geflogen, in der Sie nun bleiben; mein Vater, den Sie zu zitieren liebten, wird in dem Lande nur noch beschimpft, für dessen Ansehen er in der Welt allerlei geleistet hat – wenn auch nicht so viel, wie seine neuen Herren nun wieder zu zerstören wußten. Die Geister des Auslands, die doch auch Ihnen wichtig gewesen sind, überbieten sich in den schärfsten Protesten – denken Sie doch an André Gide, der gewiß nie zu den platten Marxisten gehört hat, die Sie so schrecklich abstoßend fanden.

Da sind wir ja wohl beim entscheidenden Punkt. Wie gut habe ich Ihre Erbitterung gegen den Typus des marxistischen deutschen Literaten (fatalster Vertreter: ...) immer verstanden, und wie sehr habe ich sie oft geteilt. Wie blöde und schlimm war es, wenn diese Herren in der Frankfurter Zeitung, im Börsencurier oder in ihren verschiedenen Linkskurven Dichtungen auf ihren soziologischen Gehalt hin prüften. Das war ja wirklich zum Kotzen, und niemand hatte mehr unter denen zu leiden als ich. Mit Beunruhigung aber verfolgte ich schon seit Jahren, wie Sie, Gottfried Benn, sich aus Antipathie gegen diese aufgeblasenen Flachköpfe in einen immer grimmigeren *Irrationalismus* retteten. Diese Haltung blieb rein geistig und hatte für mich eine große Verführungskraft, wie ich gestehe – aber das hinderte nicht, daß ich ihre Gefahren spürte. Als ich unlängst in der Weltbühne den Aufsatz über Sie und Ihre »Flucht zu den Schachtelhalmen« las, konnte ich dem, der da gegen Sie polemisierte, beim besten Willen so ganz Unrecht nicht geben – ja: wenn ich genau nachdachte, fiel mir ein, daß ich eigentlich recht ähnliche Dinge ziemlich viel früher über Sie geschrieben hatte. Es scheint ja heute ein beinah zwangsläufiges Gesetz, daß eine zu starke Sympathie mit dem Irrationalen zur politischen Reaktion führt, wenn man nicht höllisch genau Acht gibt. Erst die große Gebärde gegen die ›Zivilisation‹ – eine Gebärde, die, wie ich weiß, den geistigen Menschen nur zu stark anzieht –, plötzlich ist man beim Kultus der Gewalt, und dann schon beim Adolf Hitler. – Ist es nicht doch ein bißchen so, wie ein geistreicher Autor (*kein* Marxist) an dieser Küste neulich zu mir sagte: »Der Benn hat sich einfach so viel über den ... geärgert, daß er schließlich Nazi darüber wurde.« Ich verstehe ja sehr gut, daß man sich ausgiebig über den ... ärgern kann, aber doch nicht gleich bis zu dem Grade, daß man den Geist darüber überhaupt verrät. Mich könnte kein ..., kein ... je so weit bringen. Im Gegenteil: während der ... heute Mittel und Wege findet, sich so ein bißchen fascistisch umzufrisieren – und vielleicht morgen schon bei ihm die »Nation« steht, wo gestern das »Klassenbewußtsein« stand –, weiß ich nun so klar und so genau wie nie, wo mein Platz ist. Kein Vulgärmarxismus kann mich mehr irritieren. Ich weiß doch, daß man kein stumpfsinniger »Materialist« sein muß, um das Vernünftige zu wollen und die hysterische Brutalität aus tiefstem Herzen zu hassen.

Ich habe zu Ihnen geredet, ohne daß Sie mich gefragt hatten; das ist ungehörig, ich muß noch einmal um Entschuldigung bitten. Aber Sie sollen wissen, daß Sie für mich – und einige andere – zu den sehr Wenigen gehören, die wir keinesfalls an die »andere Seite« verlieren möchten. Wer sich aber in dieser Stunde zweideutig verhält, wird für heute und immer nicht mehr zu uns gehören. Aber freilich müssen Sie ja wissen, was Sie für unsere Liebe eintauschen und welchen großen Ersatz man Ihnen drüben dafür bietet; wenn ich kein schlechter Prophet bin, wird es zuletzt Undank und Hohn sein. Denn, wenn einige Geister von Rang immer noch nicht wissen, wohin sie gehören –: die dort drüben wissen ja ganz genau, wer nicht zu ihnen gehört: nämlich der *Geist*.

Ich wäre Ihnen dankbar für jede Antwort.

Meine Adresse:

Hotel de la Tour, SANARY s. m. (VAR)

Ihr Klaus Mann

60. Alfred Mombert (Karlsruhe 1872 bis 1942 Winterthur) an Rudolf G. Binding

Aus dem Todesjahr Momberts stammt der Brief des Kulturphilosophen Leopold Ziegler an Reinhold Schneider: »Er war der letzte ›Sumerer‹, dem Asias Götter sich offenbarten. Sein Ende erfüllt mich mit äußerster Ehrfurcht.« Dem Nationalsozialismus aber war eben deshalb sein Leben und Werk nicht »tragbar«. Mombert wurde aus der Dichterakademie, die ihn erst kurz zuvor berufen hatte, ausgeschlossen. Diesen Vorgängen gegenüber war auch Binding machtlos. Den Brief, den Mombert an den Freund schrieb, der in der Akademie verblieben war, ist ein Zeugnis für die Souveränität und Größe dieses Dichters und für die Schande mancher seiner Zeitgenossen.

Heidelberg, 27. Mai 1933

Sehr verehrter und lieber Rudolf Binding!

Sehr bin ich Ihnen zu Dank verpflichtet für Ihren warmen, liebevollen, eingehenden Brief. Ich hielt es für ganz selbstverständlich, daß Sie auf dem gefährdeten Posten ausharren. Auch ich habe ja doch mit meinem »Ja« zeigen wollen, daß ich dem neuen Régime eine Chance geben wollte; obwohl die Aussichtslosigkeit mir voll bewußt war. Es ist ja töricht, Personen auszutreiben, deren Werke man niemals loswerden kann noch wird, trotz aller diktatorischer Macht-Fülle. Befürchten Sie nicht, diese Kinder-Affäre könne etwa gar meine dichterische Objektivität beeinträchtigen. Ich lebe seit langem in einer geistigen Region, die dem Einbruch der Dämmerung und Dämonen unzugänglich bleibt.

Erlauben Sie mir aber, Ihnen ganz kurz zu erzählen, welche Reminiszenz ein Wort Ihres Briefes bei mir ausgelöst hat. Es ist das Minister-Wort »nicht tragbar« (neuerdings das unentbehrliche Werkzeug für Revolutionäre . . .).

Also: Ich fuhr vor einigen Jahren von Passau die Donau hinunter nach Wien. Dort, in einer Stunde, in der das mineralogische Kabinett geschlossen war, ging ich in Gottes Namen in die offene »weltliche Schatzkammer« in der Burg (mir sonst ziemlich gleichgültig). Zuletzt kam ich in ein Gemach, in dem die ehrwürdigen Insignien des heiligen römischen Reiches deutscher Nation gehütet werden. Auf Purpurkissen ruht dort die alte deutsche Kaiserkrone Rudolfs von Habsburgs. Die Gestalten dreier Männer sind als hohe Schutz-Genien in Gold und Intarsien ihr eingefügt und mit Namensinschrift genannt.

Das sind:

1) Der Jude König David.

2) Der Jude König Salomo.
3) Der Jude Profet Jesaias.

Das ist also die Krone, die den deutschen Kaisern aufs Haupt gesetzt wurde. Sie haben sie getragen. Sie war für sie – »tragbar«... Und das ganze deutsche Volk »trägt«, seit 2000 Jahren bald, das »nichtarische« heilige Schrifttum des Juden-Volkes, genannt die Bibel, in seiner Seele; es wird mit ihm geboren, es stirbt mit ihm. Es ist ihm – »tragbar« ... Vieles wäre zu sagen. Aber es würde zu weit führen. Für heute nur herzlichen Dank und schönsten Gruß Ihres

Alfred Mombert

61./62. Thomas Mann (Lübeck 1875 bis 1955 Zürich) an Ernst Bertram

In der Auseinandersetzung mit einer aus den Fugen geratenen Zeit folgt, nach dem Schreiben Klaus Manns an Gottfried Benn, noch im gleichen Jahr dem Sohn der Vater. Opfer seines Schmerzes ist der ihm nahestehende Literarhistoriker Ernst Bertram (1884–1957), der nun ebenfalls zu den Abtrünnigen zählt. Thomas Mann bleibt selbst unter »erfrischenden Gewittern goldener Rücksichtslosigkeiten« spürbar bemüht, den Weggenossen früherer Jahre mehr zu beraten denn zu verurteilen. Tatsächlich hat er nach Beendigung des Krieges dem Freund den helfenden Zuspruch nicht verweigert.

Küsnacht b. Zürich, den 19. November 1933

Lieber Bertram,

ich dürfte Sie gewiß bitten, es meiner immer noch recht improvisierten und ungeordneten neuen Lebensform zugute zu halten, daß ich für Ihre freundlichen Büchersendungen noch nicht Dank gesagt habe, aber ich will das doch nicht zu Verleugnende nur gestehen, daß noch andere Hemmungen bei dieser Verzögerung im Spiele waren, die notwendig auch diese schließliche Danksagung abkürzen müssen. Zu vieles steht zwischen uns, dessen briefliche Erörterung uferlos, peinlich und nicht einmal ungefährlich wäre. Auch habe ich ja die Entschuldigung, daß Sie selbst mir in Dingen der Mitteilsamkeit nicht gerade mit gutem Beispiel vorangegangen sind. Sie haben mir jetzt zwar Ihre vornehme Wartburg-Lyrik und das nicht weniger edle und liebenswerte kleine Buch von Carossa mit gut gemeinten Eintragungen zugehen lassen, aber in all den vorangegangenen Monaten, den schwersten meines Lebens, da der

Choc des Verlustes von Heim, Habe, Vaterland mir in allen Gliedern saß, haben Sie nicht ein Wort des Zuspruchs und der Anteilnahme gefunden für einen Menschen und Geist, dem Ihre Jugend einiges zu danken hatte, und als Sie im Tessin eine Eisenbahn-Stunde von mir entfernt waren, haben Sie sich nicht überwunden, mich zu besuchen.

Schön war das nicht, aber ich weiß, daß Ihre seelische Spannkraft nie weit gereicht hat. Sie reicht jetzt so weit, daß Sie das mir von Grund aus Abscheuliche bejahen und verherrlichen und mich zugleich herzlich einladen, ebenfalls gemeinsame Sache damit zu machen. Ich kann diese Mahnungen nur als Äußerungen einer etwas gedankenlosen Gutmütigkeit empfinden. Von allem Übrigen abgesehen, kann ich ja nicht gut in einem Lande leben, wo meine Frau Beleidigungen ausgesetzt wäre und meinen Kindern grundsätzlich jede Betätigungsmöglichkeit abgeschnitten ist. Golo, der vor seinem Staatsexamen stand, hat mit Hülfe unserer französischen Freunde eine Stellung als Lektor für Deutsch an dem Lehrerseminar in St. Cloud gefunden. Bibi, ein guter Geiger, ist mit Ehren ins hiesige Konservatorium aufgenommen und sogleich dem ersten Lehrer zugeteilt worden. Er wird seinen Weg machen wie Medi, Ihr Patenkind, die im Sommer ihre Studien auf eigene Hand so fleißig fortgesetzt hat, daß sie hier schon für die Unterprima reif befunden worden ist und das Abitur früher machen wird, als sie überhaupt die Universität beziehen kann. Ich erzähle Ihnen das in Erwiderung dessen, was ich Ihre Gutmütigkeit nannte und zum Zeichen, daß ich Ihnen für diese trotz allem dankbar bin.

Was mich persönlich angeht, so trifft mich der Vorwurf nicht, daß ich Deutschland verlassen hätte. Ich bin daraus verstoßen worden. Beschimpft, angeprangert und ausgeplündert von den fremden Eroberern meines Landes (denn ich bin ein älterer und besserer Deutscher als diese), muß ich zusehen, wie ich mir in einer meinem Wesen freundlicheren Welt eine neue Lebensbasis für meine alten Tage schaffe. Sie ist mir dabei behülflich so gut sie kann. Ihre Achtung vor dem Deutschtum, das ich in ihren Augen darstelle, scheint durch keine Angst und keinen Abscheu vor dem anderen zu erschüttern.

Lieber Bertram, leben Sie wohl in Ihrem völkischen Glashause, geschützt vor der Wahrheit durch eine Brutalität, die so wenig die Ihre ist! Sie wollten sich, sagten Sie, des Rechtbehaltens nicht überheben. Nun, das wäre ja auch verfrüht.

Das Leben geht weiter, und wir werden sehen, – Sie nach menschlichem Ermessen mehr als ich. Wenn ich Ihr freundschaftlich gemeintes Anraten nicht befolgen kann, so setzen Sie es auf Rechnung einer alten Liebe zu dem seelischen Glanz und Stolz, der aus den auch Ihnen wohlvertrauten Versen spricht:

> Doch wer aus voller Seele haßt das Schlechte,
> Auch aus der Heimat wird es ihn verjagen,
> Wenn dort verehrt es wird vom Volk der Knechte.

> Weit klüger ist's, dem Vaterland entsagen,
> Als unter einem kindischen Geschlechte
> Das Joch des blinden Pöbelhasses tragen.

Ihr sehr ergebener
Thomas Mann

An Ernst Bertram

Küsnacht-Zürich, den 9. Januar 1934

Lieber Bertram,

noch weiter soll das Jahr II nun doch nicht vorschreiten, ohne daß ich Ihnen den schuldigen und überfälligen Dank gesagt habe für Ihre große briefliche Bemühung vom November, – dies generöse Opfer an Zeit und Kräften, das Sie unserer alten Freundschaft gebracht haben und das menschlich nicht ganz verloren sein darf, so fremd und bedrückend mir die Geistesrichtung, um nicht zu sagen: Geistesverfassung sein mag, aus der es gebracht wurde. Ich werde mich auf eine notwendig ufer- und aussichtslose Erwiderung und Berichtigung nicht einlassen. Wir sind jetzt zu weit auseinander, und das Hin und Her kann nur zu immer weiterer beiderseitiger Betrübnis führen. Nur das Eine bitte ich Sie zu glauben: Meine Haltung, mein Urteil sind nicht vom Emigrantengeist bestimmt oder beeinflußt. Ich stehe für mich und habe mit dem in der Welt verstreuten deutschen Emigrantentum überhaupt keine Fühlung. Im übrigen hat dieses deutsche Emigrantentum im Sinne irgendwelcher geistigen und politischen Einheit gar keine Existenz. Die individuelle Zersplitterung ist vollkommen, und wenn auch noch nicht überall in der Welt das rechte Verständnis für die Anmut und Würde Ihres Reiches lebendig ist, so kommt dem völlig einflußlosen Emigrantentum keinerlei Schuld oder Verdienst daran zu. Es wäre gut, wenn Sie der gegenteiligen Meinung, die durchaus abergläubisch ist, unter den Ihren entgegenträten.

Nein, ich sehe das neue Deutschland (wenn man es neu nennen kann; die Mächte, unter deren Druck und Drohung wir seit mehr als zehn Jahren leben, sind ja jetzt nur zur absoluten Alleinherrschaft gelangt) – durch kein verzerrendes Medium, sondern, wie ich die Dinge zu sehen gewohnt bin, mit meinen eigenen Augen. Ich kenne seine Gedanken und Werke, seinen Sprech- und Schreibstil, sein in jedem Sinne falsches Deutsch, sein mit erstaunlichem Freimut bekundetes moralisches und geistiges Niveau – und das genügt. Daß auch Ihnen dies Niveau zuweilen eine Verlegenheit ist, davon halte ich mich überzeugt, und wenn Sie es noch so eifrig bestreiten. Ich brauche da aber ein allzu leichtes Wort für am Ende doch lebens- und todesernste Dinge. Ich hoffe im abgekürzten Verfahren Schweizer zu werden und will in der Schweiz begraben sein, wie Stefan George es wollte, der, nach diesem letzten Willen, den gigantischen Regierungskranz, der seinen Hügel ziert, doch wohl nicht so ganz rein verdient hat.

Genug. Ich will meinem Vorsatz einer möglichst heiteren Beschränkung nicht untreu werden. Wenn es zu einem Wiedersehen kommt (aber werden Sie es riskieren, sich an die Luft zu begeben?), so wird sich über den »Bergrutsch eines Jahrhunderts« ja mit der erforderlichen männlichen Selbstbeherrschung reden lassen. Ich werde dann Ihrem eifernden Redestrom mit milder Handbewegung Halt gebieten und Ihnen antworten: »Mein Freund, auch ich glaube an Deutschlands Zukunft . . .« Im Ernst, ich wollte, ich hätte so viel Ähnlichkeit mit Goethe wie Sie mit Luden.

Ich kann es Ihnen sehr empfehlen, der Einladung der Zürcher Studenten zu folgen. Es sind nette, aufgeschlossene junge Leute, und ich habe die beiden von ihnen veranstalteten Abende im großen Hörsaal des Polytechnikums, wo ich aus dem »Joseph« vorlas, in der freundlichsten Erinnerung. Für Anfang Februar steht mir eine Rundreise durch dies ganze Ländchen bevor – zehn Städte, es ist für meine ein wenig mitgenommene Spannkraft etwas reichlich, hat aber sein psychisch Wohltuendes. Auch den Wagner-Vortrag, mit dem ich mich von München verabschiedete, werde ich bei dieser Gelegenheit wieder ein paar mal produzieren – nicht lange mehr, und es jährt sich der Tag, an dem ich ihn im Münchener Auditorium Maximum zum ersten Mal unter dem herzlichsten Beifall hielt. Vossler und Brecht waren auch dabei, und Vossler sagte, es sei der beste Vortrag gewesen, den er je an dieser Stelle gehört habe. Am nächsten Tage reisten wir ab ... Ich schüttle den Kopf, wenn ich's bedenke.

Den Weihnachtsabend haben wir mit den versammelten Kindern und ein paar Freunden eigentlich ganz nach alter Art verbracht. Nun haben die älteren Söhne ihre Arbeit in Amsterdam und St. Cloud wieder aufgenommen, die Kleinen gehen in der Stadt ihren Studien nach, und Moni, die bis Weihnachten in Sanary geblieben war, will ihren Wohnsitz jetzt nach Florenz verlegen, wo sie Freunde hat. Erika bleibt uns, ein Kind, für das meine Bewunderung und Liebe immer gewachsen ist. Sie hat hier mit einem für Zürcher Verhältnisse ganz beispiellosem Erfolg ihr literarisches Cabaret, das ganz allein auf ihrer Energie und Phantasie, ihrer zart melancholischen und doch mutig angreifenden Geistigkeit steht, wieder eröffnet. Das kleine Lokal »Zum Hirschen«, sonst ein recht geringes Beisl, ist Abend für Abend überfüllt, die Automobile der Zürcher Gesellschaft parken davor, das Publikum jubelt, die Presse ist einhellig entzückt. Die Mischung aus Keckheit und Reinheit, die da wirkt, hat sich in Bern, Basel und anderen Schweizer Städten genau ebenso bewährt und wird sich bald in der weiten Welt versuchen. Ich habe an diesem Erfolg mehr Freude als an dem Beifall, den etwa die Jaakobsgeschichten finden. Das ist die unmerklich und schmerzlos sich einschleichende Abdikation meiner Jahre zugunsten der jungen Leute.

Von dem Tode unseres Freundes Wassermann werden Ihre Zeitungen Sie mit zwei Zeilen benachrichtigt haben. Seine Produktion hat mir durch einen gewissen leeren Pomp und ein feierliches Geplapper manchmal ein Lächeln abgenötigt, obwohl ich wohl sah, daß er ein viel größerer Fabulierer war als ich. Auch kannte ich seinen heiligen Ernst, seine leidenschaftliche Vision eines großen Werkes und habe seine persönliche Freundschaft immer wert gehalten. Auf jeden Fall bedeutet sein Leben eine gewaltige und weltwirksame Anstrengung zugunsten des deutschen Romans, und die Kurve dieses Lebens, aus Not und Dunkel sehr hoch und glanzvoll aufsteigend und dann wieder in Nacht und Armut untergehend, hat den großen Romanstil seiner Träume. Die Todesnachricht traf uns nicht unerwartet, da wir ihn vor wenigen Wochen hier gesehen und seinen Verfall hatten feststellen müssen, wirkte aber auf mich, bei meiner gegenwärtigen Empfindlichkeit, doch als ein schwerer Choc. Natürlich fehlte es seinem Ende nicht an Zusammenhang mit dem Bergrutsch des Jahrhunderts. Wer wollte da murren. Wo gehobelt wird, fliegen Späne. Sagen Sie nicht so?

Lesen Sie doch die kleine Ausgrabung, mit der ein Prager Literaturblatt sich da amüsiert! (S. Beilage.) Auf der anderen Seite stehen zwei Worte von mir über mein »Witiko«-Erlebnis, die Sie als meinen Führer zu Adalbert Stifter vielleicht interessieren werden. Sollte ich noch einmal einen größeren Essay schreiben, so würde er diesem Dichter gelten, dessen Wesen mir mit der Zeit immer merkwürdiger geworden ist. Es sei denn, Sie gäben uns nun doch Ihr Werk über ihn heraus – dann würde ich mich freilich hüten.

Mit aufrichtigen Wünschen und Empfehlungen an Ihre Frau Mutter

Ihr ergebener
Thomas Mann

Beilage: 1) Briefkarte von Medi Mann.
2) Zeitungsausschnitt mit einem Auszug aus Thomas Manns Buch ›Pariser Rechenschaft‹: Thomas Mann und Ivan Bunin.

63. Alban Berg (1885 Wien 1935) an Arnold Schönberg

Wie hätte sich wohl Alban Bergs Leben erfüllt, wenn er den Zug nach Straßburg noch erreicht hätte, der ihn zu Hans Pfitzner als künftigem Lehrer hatte bringen sollen? Nun wählte er kurzerhand Arnold Schönberg zu seinem Meister und Führer in Musik und Leben und ist von da ab in dessen Genie verliebt geblieben, wie man gesagt hat. Der vorliegende Brief mit aller sich darin aussprechenden zärtlichen Rücksichtnahme auf den verehrten Freund gibt solcher Auffassung durchaus recht. Aber er offenbart noch mehr: er leuchtet in das Schaffen dieses lauteren Menschen, deutet die labyrinthischen Pfade an, auf denen ihm selbst ein Bruno Walter nicht zu folgen vermochte. So schimmert zwischen den Zeilen auch hindurch, was seine Lebenstragödie wurde: Der Erfolg seiner Büchner-Oper ›Wozzeck‹ (1925) war durch die Hitler-Regierung jäh unterbunden worden, und in Berlin mußte Erich Kleiber seine Stellung als Generalmusikdirektor aufgeben, weil er es im November 1934 gewagt hatte, Teile von Bergs kommender Oper ›Lulu‹ in einem Konzert der Staatsoper uraufzuführen.

Waldhaus, 9. Dezember 1933

Deine soeben eingetroffene Karte vom 21. aus Brooklyn (über die ich mich riesig gefreut habe) gibt mir den Anstoß zu meiner schon längst fälligen und mit bestem Recht von Dir gemahnten Antwort auf Deinen Brief. Wieso es zu der großen Verzögerung kam (und nicht weil ich am End gar, um auf Deinen Scherz einzugehen: Orchestervariationen über das Horst-Wessel-Lied komponiere) will ich Dir vorerst sagen:

Als Dein Brief kam, mit seiner liebevollen Frage, gingen mir gerade verschiedene Pläne durch den Kopf, meine Existenz und Amerika betreffend. Nichts Näherliegendes also, auf Deinen Brief hin, gleich damit auszupacken. Aber gerade davor hatte ich zu diesem Zeitpunkt eine gewisse Scheu. Du standest knapp vor der Abreise nach USA, und ich kann mir vorstellen, wie Du da Deinen Kopf voll hattest. Es wäre mir unbeschreiblich selbstsüchtig erschienen, Dir nun noch mit meinen eigenen Angelegenheiten zu kommen und mit eigenen Plänen, an die Du in Amerika denken solltest, wo Du doch wahrhaftig, abgesehen von den Reisevorbereitungen, übergenug an Deinen Plänen für drüben (wohin Du ja nicht als Vergnügungsreisender gingst!) haben mußtest. Anderseits brachte ich es aber auch nicht übers Herz, Dir auf Dein überaus freundschaftliches Anerbieten ganz einfach zu sagen, daß in Amerika nichts für mich auszurichten sei. Und so zwischen einem Ja und einem Nein schwankend, entschloß ich mich fürs erste zu schweigen. Und das erklärt, wodurch also Dein lieber Brief bis heute unbeantwortet blieb, bis auf die kurze Empfangsbestätigung-Ansichtskarte, die ich gemeinsam mit Webern schrieb, der mich gerade zu der Zeit besucht hatte, und die Du hoffentlich noch vor der Abreise erhalten hast.

Aber wenn ich auch nicht schrieb, so begleiteten doch meine Gedanken ineinemfort – von der sich gottlob später aufklärenden Schreckensbotschaft der französischen Eisenbahnkatastrophe am Tag Eurer Abreise, weiter aber zu der mir aus Wien übermittelten Nachricht von Eurer glücklichen Ankunft usw., bis vor einigen Tagen, wo ich ›Musical America‹ zu Gesicht bekam mit dem über alle Maßen lieben Bild von Euch darin und dem Bericht von Deinem Empfang drüben, dem Lehrauftrag, Feiern und Konzerten. All dies zu wissen und dabei zu ahnen, daß Euch das gewiß viel Freude bereitet, und anzunehmen, daß Du nach all der europäischen Qual nun endlich wieder befreit aufatmen wirst, erfüllt uns mit einem derartigen Glücksgefühl, als hätten wir es erlebt. Ja, da es so ganz das Gegenteil dessen ist von dem, wie wir jetzt leben, erscheint es mir immerfort, wie eine Ergänzung dazu, die erst das Weltbild, so wie es sich in mir spiegelt, erträglich gestaltet.

Wir sind also tatsächlich noch hier in dieser Einöde, seit bald zwei Monaten von Schnee und Eis umgeben, außer der [ein Wort unleserlich] Arbeit an der ›Lulu‹ mit den kleinen und kleinlichen Sorgen eines solchen Aufenthaltes behaftet, wie (um nur ein paar Dinge zu nennen, die den äußerlichen Gegensatz Eures und unseres Lebens illustrieren mögen): welcher Bauer das trockenste Holz hat oder ob heute nacht die Wasserleitung einfrieren wird, ob man eine kleine Autoreise nach Klagenfurt oder Velden unternehmen soll, um sich eines warmen Bades zu erfreuen usw. Dies angedeutet und Dir nochmals wiederholt, daß ich trotzdem lieber hier bin als in Wien, weil ich nur so die Konzentration zum Komponieren finde, wirst Du Dich über die Bezeichnung [ein Wort unleserlich] für unser selbstgewähltes Exil nicht wundern.

Aber zu Tatsachen: die UE[1] hat sich indessen bereit erklärt, mir weiterhin 500 Schilling monatlich zu geben, wodurch ich bis zum Frühjahr der ärgsten Sorgen enthoben bin, allerdings nicht deren, in immer größere Schulden hineinzukommen. Dies war ja auch der Grund, warum ich eine Zeitlang ein paar Amerika betreffende Pläne ventilierte. Eben jene Pläne, die ich mich vor einem Monat zirka scheute, Dir mitzuteilen und Dich damit zu belasten. Ich ventilierte zum Beispiel, ob sich nicht ein Mäzen finden ließe, der sich die Widmung der ›Lulu‹ etwas kosten ließe. Da dachte ich vor allem an Mrs. Coolidge, die solche Kammermusikwidmungen, wie Du ja weißt, von fast allen lebenden Komponisten gesammelt hat, und für die es vielleicht einmal ein Reiz sein könnte, ein abendfüllendes Bühnenwerk ihr eigen zu nennen und es dementsprechend zu honorieren.

Eine andere Idee war dies, daß ich die handschriftliche Partitur des ›Wozzeck‹ einem reichen Manuskriptsammler zum Kauf anbieten könnte. Und für diese drei dicken Bände immerhin eine nette Summe bekommen könnte, von der ich etwa ein Jahr lang, ohne weiter in Schulden zu geraten, leben könnte. Wobei ich mir allerdings der Fragwürdigkeit dieser Pläne immer bewußt war, indem mein vor drei Saisons in Amerika errungener Ruhm indessen längst verraucht sein kann (mit und ohne ›h‹). Trotzdem erzähl ich Dir, lieber Freund, davon und scheue mich heute nicht mehr, es zu tun, nachdem Dich die Kenntnis von diesen Ideen heute, wo Du ja schon einen gewis-

---

[1] Universal Edition, Wiener Musikverlag.

sen Einblick in amerikanische Verhältnisse haben wirst, nicht in der Weise belasten kann, als wenn ich sie Dir noch in Europa unterbreitet hätte. Heute wirst Du, ohne viel nachdenken zu müssen, sofort wissen, ob meine Ideen überhaupt Sinn haben, ob es andere, leichter ausführbare gibt oder gar keine.

Schließlich ist auch das keine Katastrophe. Die Uraufführung 1934/5 an zwei großen Bühnen ist mir ja sicher: und selbst wenn mir Berlin bis dahin nicht ratsam ist, bleibt mir immer noch Wien*. Und solange halte ich schon noch durch. Wenn nur erst wieder das Frühjahr da ist, ist alles leichter und schöner.

Genug, übergenug von mir! Jetzt hab ich nur einen Wunsch, daß Dein angekündigtes Schönberg-Journal nur recht bald eintreffe. Wo Du es auch hinsendest, es wird schleunigst unter all denen kursieren, für die es bestimmt ist.

Und nun leb wohl, mein liebster Freund. Laßt es Euch gut gehen in Amerika, das um Euch beneidet wird von Euren Bergs.

* Apropos: Die nach der Wozzeck-Premiere von Stokowski telegraphisch erbetene Uraufführungsbewilligung für ›Lulu‹ ist indessen zurückgezogen, weil er für das Buch kein Interesse hat.

64. Ernst Barlach (Wedel [Holstein] 1870 bis 1938 Güstrow [Mecklenburg]) an Karl Scheffler

In den Schöpfungen des Bildhauers wie des Dramatikers (der mit den Bühnendichtungen ›Der tote Tag‹, ›Sündflut‹, ›Der arme Vetter‹, ›Die echten Sedemunds‹ und ›Der blaue Boll‹ auf dem Theater der zwanziger Jahre zu Worte kam) setzt sich das Ringen jener fort, die nicht gewillt waren, sich mit der Mechanik des Geistes abzufinden, die das Zeitalter der Weltkriege im Gefolge hatte. Darum mußte ein Lebenswerk, ob nun zuvor als gotische Mystik gepriesen oder als expressionistisches Bekenntnis gerühmt, in Zeitläuften, die nach »entarteter Kunst« fahndeten, als Gespenstersonate ausklingen, aus deren Furioso die im ›Blauen Boll‹ errungene Erkenntnis vernehmbar bleibt: »Leiden und Kämpfen sind Organe des Werdens – Werden vollzieht sich unzeitig, und Weile ist nur sein blöder Schein.« Sein Aufschrei durfte damals bei dem Kunstschriftsteller Karl Scheffler, der seit der Jahrhundertwende für Barlachs Ringen stets Verständnis gezeigt hatte, nur eine Vertröstung auf die Nachwelt wecken.

Es ist nicht nötig, daß Sie dieses lesen. Höchstens, wenn Sie in Nichts damit aufgehalten werden.   E. B.

Lieber Herr Scheffler!

Dieser Brief ist wohl der sonderbarste, den ich je geschrieben – seit Monaten mahnt mich etwas, an Sie zu schreiben – seit Monaten fühlte ich mich drauf und dran und immer wieder unterblieb es, denn schließlich wußte ich doch eigentlich nicht, was zu schreiben wäre. Ihnen für Ihren Aufsatz im Berliner Tageblatt zu danken wäre ein Anlaß, Sie wären auch mit geringeren Anstalten zufrieden gewesen, da ich einmal mich dazu genötigt sah, es hätte unterbleiben können, obzwar ich die Herzlichkeit seines Tons, das Persönliche Ihrer Sätze innig empfand, die Zeit wirft so viel auf einen Haufen, dessen man nicht mehr gedenkt, weil die Kraft des Unterscheidens zwischen Gut und Böse sich verbraucht, das tausendfach Unnötige macht sich so mastig über einem her, man ist ein Schwimmer, der immer noch einmal auftaucht, aber endlich wird er blind und taub, versinkt, vertrinkt. Also warum dieser Brief? Das bleibt wohl unergründet. Das Gefühl, zum letzten Mal zu Jemandem zu sprechen, überkommt mich wohl hin und wieder, ich bin arg mitgenommen, aber der nächste Morgen ist doch wieder frisch und ich lache mir eines über mich selbst. Den Witz oder die Bosheit hat Kerr, mein schlechter Freund, doch nicht gemacht, zu sagen: Barlach ist lachbar, ich habe seit Jahren darauf gelauert. Dafür habe ich irgendwo etwas, was in Verbindung mit einer Grabschrift auf meinem Grabe stehen könnte, notiert – aber alle diese Späße sind jetzt überflüssig geworden. Indessen bleibt es dabei, daß es mit meinen Kräften im letzten Winter reißend bergab gegangen ist, hoffentlich haben Sie nichts gleiches zu spüren bekommen! Die Ausstellung von Sandkuhl hat eine Vorgeschichte, aber eine so weitläufig zu berichtende, daß es nur mündlich geschehen könnte, wenn einmal reichlich Zeit zum Erzählen wäre. Indessen, ich kenne mich in Berliner Verhältnissen nicht mehr aus, ich bin völlig ausstellungsmüde geworden. Es ist unnötig, immer die selben Stücke im Lande herumzuzeigen, aber es ist so, daß die Leute nun gerade, als ob es keinen Andern gäbe, mit mir etwas unternehmen wollen, wobei es immer so herauskommt, daß das Geringere verkauft wird, das Bessere zurückkehrt.

8. Mai [19] 34

Dieses Manifest nimmt nun seinen holperigen Fortgang. Sie müssen denken, ich habe unermeßliche Zeit. Weit gefehlt. Zwar sind alle großen Aufträge annulliert oder *ad calendas graecas* verschoben, aber es scheint ein Gesetz zu geben: je weniger Nötiges, desto mehr Nötigung, nämlich zu Trödel und allem im Namen der Überflüssigkeit Heiligen. Ein Narr, der da nachgibt, solch ein Narr bin ich. Ich las irgendwo einmal und habe es diese Monate gelegentlich zitiert: man muß es so treiben, als ob man ewig lebte. Ich beherzige es nach Krätten, denke immer noch an die 4-5 halbfertigen Dramen, die da durcheinandergeschmissen im Schrank liegen, und mache mir nichts daraus, mir vorzunehmen, als Plastiker womöglich ganz von Neuem anzufangen. Die Kräfte, fast verbraucht, müssen einmal da sein – nun da ich schon manchen Übelwollenden überlebt, so muß mancher andere dieser Kategorie vor mir ins Gras beißen. Wenn dann gewisse Nächte kommen, daß ich denken muß, ich erlebe den Morgen nicht mehr, so tue ich einen Blick auf die Uhr, ist es über 3 hinaus, so geht es wieder bergan, ist es vor 3, so geht es halt wie es nicht anders kann, aber bislang habe ich es immer noch überlebt. Da ich nicht weiß, ob ich diesen Brief überhaupt absenden werde, so sei er wieder unterbrochen, ich bin schon im Zweifel, ob Sie ihn lesen müssen, obgleich ich nicht zweifle, daß er geschrieben werden mußte. Ich würde dem Schreiber nicht grün sein, aber, wie gesagt, es ist nicht nötig, daß Sie ihn lesen. Ich denke an die vielen braven Menschen, denen ich Mitteilung, Zuspruch, irgend ein Zeichen des Verstehens schulde und die warten müssen, bis eine Stunde die richtige ist – oft ist wohl die »Stunde« da, wo die Hexe geschmökt werden kann, aber die Hexe fehlt – und umgekehrt. – Mir bangt nicht wenig vor denen, die mich ausersehen haben, so oder so, etwas ihnen Genehmes zu sein – aber mir bangt nicht davor, daß ich auf Rollen hereinfalle, die man von mir gespielt sehen möchte. Richtiger: mir bangt vor nichts mehr, als daß ich einmal dumm und dösig werde und zu scheinen anfange, was ich nicht bin, denn dann bin ich überhaupt nicht. Vielleicht liegt in dem Gedanken, daß Sie nicht pfuschen können, etwa was in mich hinein, der letzte Grund zu diesem Briefe. Es ist heute bitterschwer, den Rand zu halten, da man jeden Tag explodieren möchte, man begibt sich schon in falsche Situationen, wenn man unverfälschte Gutwilligkeit über sich ergehen läßt, deren Voraussetzung dennoch im Verborgenen eines Mißverständnisses liegt. Grob gesagt, man verkauft eine Arbeit, die jemand ganz anders ansieht als sie gemeint – oder man verlebt einen guten Tag mit einem in »jeder Hinsicht« sympathischen Menschen, der geistreich, ernst und besten Willens ist, dem man sozusagen aus feiger Gutmütigkeit bei jedem Wort nicht widerspricht. Man denkt: er hat für sich Recht und läßt es gut sein, hört zu und spielt ein bißchen den Allesversteher. Schlimmer, wenn man von fremder Weltanschauung aus angesprochen wird und man vor der Aussichtslosigkeit wirklicher Verständigung die Segel streicht. Ich verkrieche mich am liebsten in irgend einen stillen Winkel, um glücklich im bloßen Dasein zu bleiben – muß aber immer wieder vor Fremden antanzen. Ich möchte erzählen, daß Flechtheim mich einmal umarmen wollte, was ich freilich verhinderte, indem ich seine ausgebreiteten Arme festhielt und seine Hände schüttelte. So ähnlich gehts in anderer Art mit unerbetenem Wohlwollen, nur, daß man nicht so drastisch abwehren kann.

10. Mai [19] 34

Genug – ich hoffe, falls Sie lesen, lesen Sie etwas Gutes für uns Beide heraus. Seien Sie herzlich gegrüßt!

Ihr E. Barlach

65. Hans Pfitzner (Moskau 1869 bis 1949 München) an Hermann Göring

Als letzten Romantiker hat die deutsche Musikgeschichte den Tondichter in ihre Chronik aufgenommen: ein bequemes, aber zu billiges Etikett. Denn der mit zweiundzwanzig Jahren das Musikdrama ›Der arme Heinrich‹ schrieb, der über der ›Rose vom Liebesgarten‹ und der Musik zu Kleists ›Käthchen von Heilbronn‹ zu seiner musikalischen Legende ›Palestrina‹ (1917) kam, war auch ein großer Dirigent und ein schöpferischer Opernregisseur. Und sehr unromantisch hat der streitbare Meister vom Leder gezogen, als ihn die Hitler-Regierung 1934 aus seinem Lehramt bei der Akademie der Tonkunst entfernte. Man hatte sich, die Verunglimpfung abzuwehren, mit dem Vorschlage eines Ehrensolds an den damaligen preußischen Ministerpräsidenten gewandt. In Görings Ablehnung an den Freundeskreis war dabei wegwerfend das Wort Schnorrerei gefallen. Pfitzners mutiger Einspruch darauf ist ein bezeichnendes Kulturdokument geworden.

30. Januar 1935

Ich stelle fest, daß Sie mir auf mein Telegramm vom 12. Januar nach Berchtesgaden nicht geantwortet haben. Das bedeutet also, daß ich wehrlos bin gegen die ehrenrührigen Vorwürfe, die Sie im Brief vom 8. Januar völlig grundlos gegen mich zu erheben sich nicht gescheut haben. Ich habe noch die Copie meines Briefes vom 17. Dezember, des einzigen, den ich je an

Sie gerichtet habe. In diesem steht kein Wort davon, daß ich mich in »schweren« oder gar »armseligen« Verhältnissen befinde, wie ich es Ihnen dargestellt haben soll nach Ihrer selbständig »unrichtigen« und geradezu unbegreiflichen Behauptung. Es macht den Eindruck, als hätten Sie meinen Brief gar nicht gelesen.

Eine Copie desselben hebe ich mir gut auf. Aber auch Ihren Brief vom 8. Januar 1935 an mich, der in Inhalt und Ton wie an einen Gauner gerichtet scheint, bewahre ich als Kulturdokument von unschätzbarem Wert und als Seitenstück zu dem Fußtritt, den ein Salzburger Bischof einst dem W. A. Mozart ungestraft erteilen durfte.

Die Schande liegt aber nicht auf Mozart.

Heil Hitler!
Dr. Hans Pfitzner

66. Elisabeth Langgässer (Alzey 1899 bis 1950 Rheinzabern) an eine Frau

»Eine Torheit und ein Ärgernis«: das war für die leidenschaftlich gläubige Halbjüdin Elisabeth Langgässer die einzige Möglichkeit der Existenz des Christentums in unheiler Welt und unheiliger Zeit. In ihrem Brief an eine Hörerin erklärt sie, warum sie das Bild der Ecclesia nur vor dem dunklen Hintergrund der Fleischlichkeit des Menschen, seiner Schuld und Erlösungssehnsucht sehen kann.

Berlin, 23. November 1935

Sehr geehrte, gnädige Frau!

Auf Ihren Brief, den ich gestern erhielt, und von dem Sie sagen, daß er die Meinung der Mehrzahl, also, wenn ich Sie recht verstanden habe: der großen Masse meiner Zuhörerinnen vom 19. November ausgedrückt habe, möchte ich nicht versäumen, eine klare und deutliche Antwort zu geben.

Lassen Sie mich zunächst vom Künstlerischen reden. Hier, gnädige Frau, müssen wir allerdings schon die Maßstäbe der Masse fallen lassen und uns mit der allgemein gültigen Tatsache abfinden, daß Kunst die durchaus aristokratische Angelegenheit einer geistigen Elite ist, die sie sowohl hervorbringt als nachempfindend empfängt. Diesen Satz brauche ich wohl nicht zu beweisen und erkenne Ihnen auch dankbar an, daß Sie die künstlerische Qualität meiner Arbeit nicht bestritten haben. Damit endigt aber allerdings auch schon das Verständnis zwischen uns, bzw. unsere Vorstellung von den sittlichen Qualitäten künstlerischen Schaffens geht ebenso weit auseinander wie diejenige eines Van Gogh und eines Devotionalienhändlers. Denn schon in den nächsten Sätzen verquicken Sie den Vorgang des künstlerischen Schaffens mit ethischen Forderungen, ohne die leiseste Ahnung davon zu haben, daß dieser Vorgang des Schaffens an sich schon ein Höchstmaß von sittlicher Anstrengung voraussetzt, von fanatischem Werkwillen, strengster Objektivität und schlackenloser Glut. Dokumentieren Sie aber damit nicht, daß Sie es in künstlerischer Beziehung immer noch lieber mit der schlecht gemalten Madonna halten wollen als mit dem gut gemalten Kohlkopf?, d. h., daß Ihnen die immanente Unwahrheit der Kitschmadonna erträglicher erscheint als der zwar gut gemalte, aber, ach, wie wenig vornehme Kohlkopf aus dem Marktkorb des Hökerweibes? Mit anderen Worten: richten sich Ihre künstlerischen Maßstäbe, wenn ich Sie richtig verstanden habe, nicht ganz allein nach dem materiellen Inhalt einer Darstellung, nicht aber nach ihren Qualitäten in künstlerischer, noch aber nach ihrem Wahrheitsgehalt in sittlicher Beziehung? Ziehen Sie die romantische Lüge und den kläglich zerronnenen schönen Schein einer, Gottseidank, hinter uns liegenden Epoche nicht der harten Wahrheit und wirklichen Größe des Kunstwerks vor, das zu schaffen und zu empfangen mehr denn je die Angelegenheit des christlichen Abendlands ist?

Vielleicht werden Sie mir nun erwidern, es müsse ja gerade keine schlecht gemalte Madonna sein, die Sie in künstlerischer Hinsicht begeisterte, und es sei doch wohl nicht abzustreiten, daß eine gut gemalte Madonna und ein gut gemalter Kohlkopf auf zwei verschiedenen Wertebenen liegen – mit diesem Einwand aber stoßen wir mitten in das Zentrum der eigentlichen Diskussion. Ja, gewiß liegen diese Gegenstände auf zwei verschiedenen Wertebenen ihrem Inhalt nach – nicht aber von dem sittlichen Einsatz des Künstlers her gesehen; oder glauben Sie etwa, ein Dürer habe seine Akelei mit weniger Demut vor Gottes reiner Schöpfung gemalt als etwa sein Rosenkranzfest? Ein Rembrandt seine Anatomie mit weniger Ehrfurcht als seine Jakobsleiter? Diese Annahme ist wohl allzu oberflächlich, als daß man sie einem denkenden Menschen im Ernst zutrauen könnte – aber auch von dem Inhalt her gesehen, kann ich Ihnen leider nicht zustimmen, denn wie Ihr Brief mit geradezu erschütternder Offenheit beweist, dürften Sie nicht nur von der Realität des Kunstwerks keine zutreffende Vorstellung haben, sondern auch keine von der Realität des Christentums und würden deshalb, Ihrer geistigen Haltung nach, eine wahre Madonna ebenso entsetzt zurückweisen müssen wie einen wahren Gegenstand der Natur.

Das will mit anderen Worten besagen, daß Ihnen, bzw. den Frauen, zu deren Sprecherin Sie sich gemacht haben, bisher die Kernwahrheiten des Christentums, die da Schuld, Erlösung und Gnade heißen, in ihrer ganzen, schauervollen Wirklichkeit überhaupt noch nicht aufgebrochen zu sein scheinen; daß diese Frauen als getaufte, d. h. den Mächten der Finsternis abgewonnene Christinnen, von solchen Mächten höchstens eine symbolische, gewissermaßen an die Kette gelegte Vorstellung haben dürften, und daß sie, da Schuld und Erlösung einander bedingen, auch nur eine höchst sparsame, mit dem Literglas zugemessene Gnade kennen – keinen Wildstrom, nichts, was die Gatter der bürgerlichen Gesellschaft auf seinem Weg mitreißen könnte. »Gut«, sagen Sie: »Sünde« – und meinen damit einen theologischen Begriff ohne vorgestellten Inhalt; Sie sagen »Sünder«, wie man »Korbblütler« oder »Säugetier« sagt, d. h. Sie bezeichnen damit eine Gattung, eine trockene Kategorie – aber wehe, wenn dieser Sünder es wagen sollte, Ihnen als konkrete Erscheinung: als Lustmörder, Wucherer, Ehebrecher unter die Augen zu kommen, zerlumpt und von seinen Lastern wie von Kleiderläusen zerbissen! Sie würden sich aufs äußerste schockiert von ihm abwenden, vielleicht aber, käme der Mann im Smoking, ihn überhaupt nicht erkennen; denn es ist nun einmal so, daß sich noch immer die Vorstellung der christlichen »guten Gesellschaft« von Sünder, Sünde und Erlösung zu der Lehre des Evangeliums verhält wie die Badewanne zur Taufe. Oder haben diese Frauen wirklich schon einmal erwogen, was jenes seltsame Wort der Osterliturgie bedeutet, welches Adams Schuld eine »glückliche« nennt, weil sie nach einem solchen Erlöser verlangte? Fühlen sie nicht, wie feige, unwürdig und begrenzt sie von diesem Erlöser denken, wenn sie die Schuld verkleinern und verharmlosen wollen, um derentwillen er Fleisch werden mußte? Ja, steht nicht nach den Worten des Evangeliums Schuld und Erlösung in engstem Zusammenhang, wenn Christus immer wieder betont, daß er nicht zu den Gerechten gekommen sei, sondern zu den verlorenen Schafen des Hauses Israel; wenn er sogar in der Verteidigung seiner ausgezeichneten Freundin, der früheren Heereshure von Jerusalem, sagt, »daß ihr viel vergeben werde, weil sie viel geliebt habe« -und danach das furchtbar dunkle und in die Geheimnisse der göttlichen Gnade hinableuchtende Wort sagt: »wem aber weniger vergeben wird, der liebt auch weniger.« Nein! einen solchen Sünder und eine solche Erlösung haben sich diese Frauen noch nicht vorstellen können; sie haben nicht hingehört, als in den ersten Worten des letzten Romankapitels schon jenes Thema aufklang: »daß Gott nämlich auch aus der Lava (d. h. aus dem Auswurf der Erde) seine Dome erbauen könne«; nicht hingehört, als erzählt wurde, wie »jede Begierde tropfengleich ablief« von einem Manne, der in den Augen der armen Dirne den unschuldigen Glanz seines kleinen Freundes aufleuchten sieht; nicht hingehört, als ihre Reuetränen, das Bad ihrer Wiedergeburt, ausführlich geschildert wurden: jene Tränen, welche so wirklich waren, daß die Bilder an den Wänden »fürchteten abgewaschen zu werden«. Muß ich nach allem noch einmal betonen, daß es sich hier nicht um eine Bordellszene gehandelt hat, sondern um die Ausbreitung des Erlösungsgeschehens in dem schwarzen Verließ der Sünde? Oder aber ist selbst dieses Thema in den Ohren Ihrer Mitschwestern noch anstößig, gnädige Frau? Dann freilich dürfen wir uns über große christliche Literatur überhaupt nicht mehr unterhalten – angefangen von Dantes Höllenvisionen und Wolfram von Eschenbachs »Parcival« bis zu den christusgläubigen Russen, zu der unerbittlichen Undset, dem französischen Mystiker Bernanos und dem dunklen Melancholiker Julien Green. Dann wollen wir es bei den edlen und rührenden Kitschgestalten einer »Rosa von Tannenburg« belassen und ängstlich beiseite treten, wenn die großen Vorreiter der Menschheit, die Paladine des Christentums vorübersprengen. Dann allerdings wird sich aber auch eine junge, real denkende und real kämpfende Generation von uns abwenden – ganz radikal abwenden! –, denn was soll sie mit einem Christentum anfangen, das dieser verlorenen, abgründigen und satanischen Welt nichts andres zu bieten weiß als die zarten und erhebenden Ideale einer Gesellschaftsschicht, deren Gipsfassaden täglich und stündlich heruntergeschlagen werden: unaufhaltsam, unwiederbringlich und ohne Hoffnung auf Renovation? Nichts bleibt außer dem »Eckstein Christus«, dem Erlöser der Menschheit, die sich aus Gesunden und Kranken zusammensetzt, aus Gerechten und Ungerechten, vor allem aber aus Ungerechten: aus Huren, Ehebrechern, Pharisäern,

Fallsüchtigen, Wasserköpfen, Idioten, Aussätzigen und vielen, vielen andren, die weder aus der Kraft des Blutes, noch durch die Befolgung gesellschaftlicher Anstandsregeln erlöst werden können, sondern einzig und allein durch jenen, der ein Wurm und kein Mensch genannt wurde, eine Torheit und ein Ärgernis.

In seinem Namen habe ich Ihnen und allen, die sich mit mir und Ihnen durch gemeinsamen Glauben verbunden fühlen, geschrieben. In diesem Namen will ich auch jene ungeheuerliche und dem christlichen Inhalt Ihres Briefes diametral entgegengesetzte Beleidigung, daß nur reine Herzen und Hände ein solches Thema anrühren dürften, als ungesagt betrachten.

Mit vorzüglicher Hochachtung
Ihre Elisabeth Langgässer

67. Gottfried Benn (Mansfeld [West-Prignitz] 1886 bis 1956 Berlin) an Frank Maraun

Schon vor dem Erscheinen der ›Ausgewählten Gedichte‹ anläßlich seines fünfzigsten Geburtstages war Gottfried Benn von der nationalsozialistischen Presse offen und versteckt als »entarteter Künstler« bezeichnet worden. Er mußte Schlimmeres befürchten und kündigte dem jungen Feuilletonredakteur des Berliner 8-Uhr-Abendblattes, Frank Maraun, den neuen Band mit den Worten an: »Falls Sie das zum Anlaß einer kurzen Bemerkung machen könnten, wäre es sehr schön. Aber ich muß Sie gleich darauf aufmerksam machen, daß es seine Schwierigkeiten haben wird. Der Band beginnt mit einem Prolog, gereimte Weltanschauung à la Benn, der gänzlich im Gegensatz steht zum Reichskultursenat und zu allem, was heute als Kunst und Aufbau gilt. Er beginnt: Verfeinerung, Abstieg, Trauer – er führt dies als schöpferisches Prinzip vor.« – Maraun, jugendlich-unerschrocken, suchte sofort dem Unheil zuvorzukommen: mit einem Aufsatz ›Heroischer Nihilismus‹ in der Berliner Börsen-Zeitung, damals offiziöse Stimme der Wehrmacht (der als Oberstarzt Benn bereits wieder angehörte). Dennoch mißlang der Versuch. Benn konnte zwölf Jahre lang nur noch für die Schublade schreiben, aber der Aufsatz in der Berliner Börsen-Zeitung hatte dem Dichter damals wenigstens seine Stellung als Militärarzt gerettet. Als 1948 seine seit dieser Zeit entstandenen ›Statischen Gedichte‹ erschienen, war Benn für junge Leser ein neuer Dichter. Seine einzigartige Fähigkeit, die Erscheinungen unserer gegenwärtigen Welt beim Namen zu nennen, machte ihn zu einem Vorbild einer neuen Generation von Lyrikern und über Deutschlands Grenzen hinaus bekannt.

[Berlin,] 11. Mai [19]36

Lieber Herr Maraun,

ich habe Ihnen viel zu danken. Für Ihr Telegramm, Ihre Wünsche und Ihren Aufsatz. Dieser wird mir vielleicht die

157

Existenz retten. Sie haben wohl die letzte Nummer vom ›Schwarzen Korps‹ gelesen, wohl auch die schwerer wiegende Übernahme des Angriffs vom V[ölkischen] B[eobachter] vom 8. 5. Das bedeutet natürlich für einen Offizier den Abschied, wenn er sich nicht rehabilitieren kann. Wer soll mich in dem Fall rehabilitieren? Wer will Offizieren klar machen und beweisen, daß meine Gedichte keine Ferkeleien sind sondern wertvoll? Ist schon je jemandem solche Aufgabe gestellt worden? Nun, ich bin dabei, sie zu lösen, um meine Existenz, die ich mir hier mühsam aufgebaut habe, zu behalten.

Was bedeutet dieser Angriff eigentlich in seiner brutalen, eigentlich unerklärlichen Schwere? Er bedeutet doch nur, hier ist *Kunst* und wenn das Kunst ist und die deutsche Öffentlichkeit das als Kunst ansehen darf, dann ist das keine, die wir propagieren, angeblich »züchten«, die nordische, sieghafte, die aber erst kommen soll. Es ist wohl ein Stoß von Rosenbergs Seite her, ähnlich der Bekämpfung von Barlach, Hindemith u. s. w.

In meiner Abwehr habe ich Ihren Aufsatz vielen Dienststellen vorgelegt, er ist zur Zeit im Kriegsministerium Gegenstand großer Aufmerksamkeit. Ich muß sagen: die Militärs benehmen sich *fabelhaft*. Sie können natürlich mir nicht folgen, nicht alles »verstehen«, aber sie haben Respekt vor Haltung, Leistung, Ernst und tiefen Abscheu vor gemeinen, hundsföttischen Angriffen. Was daraus wird, ist noch nicht zu übersehen. Gutes kann nicht viel herauskommen. Entweder legt mich die SS um oder ich muß doch hier gehen. Eine tolle Lage! Wo halten wir eigentlich? Furtwängler dirigiert nicht mehr. Hindemith ist in Ankara. Poelzig geht nach Ankara. Ein Buch über Barlach wurde verboten. Ich bin ein öffentliches Ferkel. Eine Corinth-Ausstellung in Basel erregt wegen ihres großen Erfolges den Haß, den unauslöschlichen Haß dieser Kreise, weil Corinth zu »jener« Gruppe der Kunst gehört. Man kann natürlich auch einfach sagen: weil es Kunst ist. Den einen bekämpft man, weil er ostisch ist, den anderen, weil er mediterran ist, den dritten, weil er humanistisch ist, den vierten, weil er christlich ist – alles bekämpfen sie, bloß selber leisten, das können sie nicht. Ausmerzen, abtöten, niederhalten, diese Seite der Züchtung beherrschen sie, aber die andere: die Schöpfungskraft ahnend führen und erweitern, schweigend sie leiten, im Dunkel sie gebären lassen, das ist nicht sieghaft genug, unnordisch, davon ahnen sie nichts. Preise für Dilettanten, durchgehend *nur* für

Dilettanten, Förderung von Epigonen, Phrasen für Unvermögen, Verschleierungen von Impotenzen, wenn es sich nur um *ihre* Leute handelt, das ist ihre Stärke. Wo aber Kunst auftritt, da werden sie moralisch, plötzlich verantwortungsbewußt und patriotisch, nämlich s. o.

Ich dachte neulich, was geschähe, wenn heute die Penthesilea erschiene. Eine Frau, die einen Mann liebt, Achill, ihn tötet und mit den Zähnen zerreißt! Zerfleischt! Sind wir denn Hunde, nein wir sind Germanen! Perverser Adliger wagt seine vertierte Brunst Germanenfrauen vorzusetzen! Degenerierte Offiziers- und Junkerkaste besudelt mit schmutzigsten Orgasmen keusches Heldenweib! U. s. w. Kurz: Kleist lebte nicht lange. Ich schreibe Ihnen das alles nicht aus persönlichem Ressentiment über das blöde Schw. K., nein ich schreibe es aus Trauer. Sicher wird man Deutschland geistig nicht ruinieren können, aber man schlägt ihm doch tiefe Wunden. Man beraubt es sehr. Aus Theorie, was auch wieder sehr deutsch ist, aus der nordischen Theorie. Für die es keine Unterlagen gibt, sondern nur Hoffnungen und zwar solche, die ich für fehlgeleitet halte. Ich bin gerne bereit, mich belehren zu lassen, aber ich sehe keine Ansätze für diese Belehrung. Ich sehe, daß alles, was noch da ist, *das Alte* ist. Was Goethe nährte, Schiller glühte, Herder und Humboldt fand und weitete, Nietzsche auf letzte Formeln brachte und sie dem neuen Jahrhundert übergab. Diese deutsche Erziehung trägt noch alles. Diese deutsche Tiefe ermöglicht es überhaupt, daß die jetzige Flachheit und Frechheit nicht längst zur Katastrophe wurde. Dieser geniale Strom gemischten Europas, Zwischenstromland, ungelöstes Spannungserbe, unheimlichen Reichtums an Talent und Traum umzieht noch Tag und Nacht diese Rudimente und Alraune, die sich eine neue Art und Anfang dünken. Sie, lieber Herr Maraun, sind viel jünger als ich und werden mehr davon erleben. Vielleicht werden Sie erleben, daß ich mich irrte. Ich sehe es nur *so*. »Kriton, mein lieber Freund, dies, glaube mir, ist es und etwas anderes vermag ich nicht zu vernehmen.« Also ich schließe mit Platon.

Dankbar:
Ihr Benn

68. Stefan Zweig (Wien 1881 bis 1942 Petropolis [Brasilien]) an Sigmund Freud

Der Novellist, Essayist und einfühlende Psychologe Zweig schreibt hier, vorangegangen in die Emigration, an den großen Arzt, dessen neuer Wissenschaft er vieles verdankt: ein Stück Resignation und Abschied vom eigenen Werk stellt sich beim bewundernden Aufblick zur Leistung des andern ein.

London, 49 Hallam Street
15. November 1937

Lieber, verehrter Herr Professor,

nur dies will ich Ihnen sagen, wie glücklich ich war, Ihre Schrift zu sehen und mit wie viel Liebe und Treue ich an Sie denke (ich sprach lange hier mit Arnold Zweig von Ihnen). Und noch Eines – eine solche Freude ist unendlich kostbar heute. Ich vermag Ihnen nicht zu sagen, wie sehr ich an der Zeit leide, mir hat ein schlimmer Gott die Gabe zugetan, vieles vorauszusehen, und was jetzt hereinbricht, spüre ich in den Nerven seit vier Jahren. Hätte ich nicht hier gelebt, ich hätte nicht arbeiten können, – wohl denen, die mit Illusionen gesegnet sind! Sie bekommen dieser Tage noch ein Nebenbuch, den ›Magellan‹; ich arbeite aber an einem schon sehr schweren Roman, der ›Mord durch Mitleid‹ heißen will und dartun, daß die Schwäche, daß das halbe Mitleid, das nicht bis zum letzten Opfer geht, mörderischer ist als die Gewalt. Es ist eine Rückkehr in Ihre Welt, und das Buch spielt ins Medizinische hinein – es ist mein Trost. Das eigentliche Buch, das man schreiben müßte, wäre die Tragödie des Judentums, aber ich fürchte, die Realität wird, indes man es zu größten Intensitäten steigerte, unsere verwegenste Phantasie noch übertreffen. Ihnen ist der Trost gegeben: Sie haben Ihr Werk getan, unvergeßbar und unerschütterbar, Sie haben bezeugt, daß wir nicht ganz vergeblich waren, indes unsere Aussage vielleicht übertönt wird – dennoch bleibt die Pflicht, sein Bestes zu versuchen.

Wenn ich an Wien denke und düster werde, denke ich oft an Sie! Von Jahr zu Jahr wird mir Ihre dunkle Strenge vorbildlicher, und ich fühle mich immer dankbarer Ihnen verbunden.

In Verehrung getreu Ihr
Stefan Zweig

69. Rudolf Borchardt (Königsberg [Preußen] 1877 bis 1945 Trins [Tirol]) an Fritz Ernst

Dieser Brief an den Schweizer Essayisten Fritz Ernst (1889–1958) von nur scheinbar zeitfremder Beschaulichkeit gibt einen Eindruck von Borchardts besonderer
Schaffensart und Haltung. Der schöpferisch-verstehende Freund Rudolf Alexander
Schröders und Hofmannsthals – sein Briefaustausch mit diesem ist Ergänzung zu
beider Werk – hatte früh seine eigene Berufung zur Erneuerung des Alten aus
modernem Geist erkannt. So sammelt er den ›Ewigen Vorrat deutscher Poesie‹,
übersetzt Pindar und die Griechen, die Troubadours und Dante. Sein ›Gespräch über
Formen‹, seine ›Rede über Hofmannsthal‹, seine Kritik an Georges ›Siebentem Ring‹
und einige eigene Gedichte suchen eine kanonische Geistestradition fortzusetzen.

Verehrter Herr Ernst,

Sie haben mir vor mehreren Jahren, gelegentlich einer meiner Erzählungen die Ihnen gelungen schien, einen Brief geschrieben – als Unbekannter der sich auf diese nur ihm selber
eigene Weise bekannt macht –, für den Sie keinen Dank gehabt haben, es sei denn denjenigen, mit dem jeder spontane
Akt unseres Charakters sich selber lohnt. Es ist eine mir ein-
geborene Schwäche, auf solche im Grunde unverdankbare
Äußerungen des Lebens, in denen das Verhältnis des Autors
zur äußeren Welt, – ein so unsichtbares, wie die Luft zugleich
sehr wirklich und sehr unwirklich ist –, als plötzlicher liebe-
voller Körper hervortritt – auf solche Briefe kaum antworten
zu können, und um so weniger, je tiefer sie mich betroffen
haben. Ich besitze ein kleines Bündel, in den Jahren zusam-
mengelaufen, solcher Blätter fremder und halbfremder, vorzüglicher und hochgeschätzter Personen, und ich fürchte, sie
sind alle unbeantwortet.

Da der Nachdenkliche einen Gedanken einer Entschuldigung vorziehen wird, so lassen Sie mich so viel sagen, daß es
im tieferen Wesen hervorbringender Menschen – naturartig
aus sich selber hervorbringender – liegen muß, sich im Akte
der Hervorbringung unwillkürlich auf eine Ebene zu versetzen, die sie außerhalb des Bereichs von Dank und Undank
stellt – was ich bitte viel bescheidener lesen zu wollen als es
geschrieben scheint, denn es bezieht sich auf jenen Akt oder
Vorgang selber, der ja ein zugleich sich selbst genügender und
bezielender, unaufhörlicher und an alle Tabus der innersten
Zartheit und Verletzlichkeit geknüpfter ist. Daß das Produkt
auch Adressaten hat, zu diesen Adressaten in ein unabsehbares
Verhältnis tritt oder treten wird, überhaupt ein eigenes wirk-

liches Leben hat, wird der Hervorbringende wohl subintendiern, aber gewissermaßen hinter seinem eigenen Rücken, und mit dem halben Neugiersschauder begleiten, mit dem mancher sich wünscht, er könne abgeschieden aus einem Mausloche seiner eigenen Grabrede zuhören, und nicht ganz unglücklich darüber, daß das nicht gehen wird. Denn ein höheres Werk ist nun einmal der Stammvater einer Reihe von Söhnen, Enkeln bis Urenkeln, der kurze Menschenausschnitt, den die Lebensspanne des Autors überdeckt, besagt so wenig, trägt so wenig aus und so wenig ab, und ich darf versichern, daß an das Hervortreten eines solchen Werkes, im Innern dessen, der es hergibt, sich fast nur verzichtende Gedanken knüpfen – schenkende höchstens im Sinne einer frommen Entelechie. Diese konstitutionelle Uneigennützigkeit, die mit dem Bewußtsein der organischen Produktivität hervortritt, hat in sich durchaus nichts Schmerzliches, da sie sich ja obendrein noch in der Heiterkeit der privaten und bürgerlichen Persönlichkeit balanciert, – und da die Welt in ihrer eigenen Heiterkeit und Unbekümmertheit nicht daran denkt, diese unsere private Person durch eine heftige Bewegung der Neigung gewissermaßen zu demaskieren. Aber eine solche individuelle, ihrem Grunde nach leidenschaftliche Bewegung auf unser Inneres zu, wie solche Briefe, ist allerdings geeignet, einen ganz tiefgehenden Zusammenhang des Innern zu einem Erklingen zu bringen, an dem auch die Schmerzen nicht ohne Anteil sind, und erst wenn das Leben, das immer nur plündert und pfändet, sich für einen Augenblick in einer schönen Bewegung, ans Zahlen zu machen scheint, kann es uns wohl mit einem Schlage gegenwärtig machen, was es uns sub specie aeterni schuldig geblieben ist, und indem wir diese Vorstellung verwinden, legen wir das, was sie hervorrief, still beiseite.

Daß ich schreibe, was sonst nur dem Freunde gesagt wird, ist ein Symbol nicht nur meines verspäteten Dankes, sondern der engen Gemeinschaft, die mich, ohne daß ich es je geäußert hätte, mit Ihren Schriften verbindet. Das Bodmerbuch, das der Verlag mir zugehn läßt, gibt mir nur den mittelbaren Anlaß, es auszusprechen, daß ich nicht ohne Stolz mein Zeitalter der deutenden Literatur um eine so goldene und unzerstörbare Feder wie die Ihre bereichert sehe, wir haben dank Ihnen den andern Nationen auf einem Felde, das wir seit langer Zeit nur noch durch Raubbau oder durch Unkraut verunehren, nichts mehr zu beneiden, ja wir dürfen ihnen einen europäischen

Kritiker unserer Sprache zeigen, der mit dem, was er von ihnen gelernt hat, sie heut wenigstens alle überbietet. Sie vermögen das durch den festen Grund unserer Forschung. Es ist mir jedesmal ein neuer kräftiger Genuß, durch die feinfühligen Fäden ihrer Wertbestimmungen und der sie präzisierenden Meisterschaft der Stilmittel hindurch auf die ehernen Träger dieser Aufsätze hindurchzudringen, – die von Quelle zu Quelle und neuer Quelle steigende Tiefe der geschichtlichen Auffassung, von der nicht zu ahnen braucht, wer sich nur in die durchsichtigen Oberbauten laden läßt.

Ich wünsche Ihnen, was ich mir selber, indem ich es mir wünsche, bereits erfülle, eine Arbeit, in deren Herzen Sie aufhören, Zeitgenosse dieser Zeit zu sein, und drücke Ihnen die Hand. Ihr

R. Borchardt

70. Jochen Klepper (Beuthen 1903 bis 1942 Berlin) an Kurt Meschke

In seine Tagebücher ist Jochen Klepper mit all seinem Leid, aber auch mit seinem dichterischen Vorhaben geflüchtet, und wer den ringenden Menschen kennenlernen will, wird zuerst danach greifen müssen: der Dichter des ›Vaters‹, der die göttliche Ordnung im verzerrenden Abglanz des Lebens zu sichern wünschte, spricht hier in fast jeder Eintragung mit unverwechselbarer Stimme. Hier kommt der kämpfende Protestant zu Wort, hier der Schriftsteller, der mit seinem Werk der abgründigen Zeit Halt gebieten möchte, hier auch der Sucher, der aus der Begegnung mit größeren Gleichstrebenden Befreiung und Erlösung ersehnt. Dagegen sind seine Briefe vielfach nur Tagesbericht an ähnlich verstrickte Freunde – Klepper war mit einer gläubigen Jüdin verheiratet, die schließlich mit ihren Töchtern zu seinem Glauben übertrat –, die sich rechtzeitig ins Ausland hatten retten können. Ihnen möchte er seine Sorgen mitteilen, die ihn bis zum bitteren Abschluß des ungleichen Kampfes gegen Hitlers Schergen im Freitod der ganzen Familie nicht verließen. Seine Hilfsbereitschaft hat er auch in diesem gehetzten Leben nicht verloren.

4. November 1939

Lieber Kurt.

Wir sind sehr erfreut und gerührt über das Vortragsthema, das Du Dir gewählt hast, freuen uns aber vor allem über diese neue Möglichkeit der Arbeit und des Wirkens für Dich. Den Aufsatz über die Entstehung des ›Vater‹ schicke ich Dir mit gleicher Post zu; ich erbitte ihn zurück. Es ist natürlich noch mehr gewesen als das Bedürfnis, die »Heimat« zu finden:

nämlich das Bedürfnis nach der Ordnung. Dann der Wunsch nach zentralen Themen: »Vater«, »Haus«. Scheu vor »Erfundenem«. Schröders Arbeitsgebiet war riesig: Maler, Architekt, Innenarchitekt (Er stattete auch Dampfer des Norddeutschen Lloyd aus), Homer-Übersetzer, Übersetzer aus vielen modernen Sprachen, Lyriker, Mitbegründer der »Insel« – nun im Alter eigentlich nur noch mit Theologie und Kirchenlied befaßt. Gegenwärtig sitzen wir zu 8 über der Auslegung des Vaterunser: Schröder, ich, Schneider, Löscher (der mir eben sein neues Buch schickte), Winnig, Taube, Goes und Stehmann. Zurück zu Schröder: immer national gewesen; dabei – neben Schneider – der »letzte Europäer« und zwar ausgesprochen protestantischer Prägung. Den Nachbarvölkern hat er ihre verschollenen Kirchen-Dichter wiederentdeckt. Europäisch anerkannter Humanist. Aus »großem« christlichem Bremer Hause; dann »unchristlich«, im Altern die Umkehr. Den D. theol. beim 60. Geburtstag abgelehnt, weil es nicht belohnt werden könne, daß er so spät erst zum eigentlichen Stoff der Dichtung, dem Christlichen, gekommen sei. – Er kannte ungefähr das ganze geistig bedeutende Europa von 1900 bis zur Gegenwart nahe. Zwei Stichworte: Grandseigneur – Wanderer. (Steht allein.) Hanseat, der in Oberbayern lebt. Odyssee-Übersetzung. Ilias-Übersetzung. Ein Prosabuch (norddeutsche Landschaft): ›Der Wanderer und die Heimat‹. – Dann ›Gedichte‹ – ›Mitte des Lebens‹, ›Lobgesang‹, ›Ballade vom Wandersmann‹, ›Kreuzgespräch‹ – ›Weihnachtslied‹, ›Osterspiel‹, ›Dichtung und Dichter der Kirche‹.

Er hat alles geprüft, alles reich und glücklich genossen, alles gekannt, vieles getrieben: geblieben ist er bei dem Protestantismus als dem Thema seines Lebensabends. Einer der wirklich, dankbar und unbelastet, die Welt kannte und bei der Kirche blieb.

Werden die Stichworte genügen? Die Zeit bis zum 10. 11. ist so kurz, sonst hätte ich Dir Material geschickt: ›Werke und Tage‹ und das einzigartige humanistisch-reformatorisch-europäische Werk der zwei Bände ›Aufsätze und Reden‹! Außer dem ›Lobgesang‹ hat keins seiner Bücher zwei Auflagen erlebt: ohne Publikumserfolg ein international berühmter, dabei durch und durch nationaler Mann.

Wir leben weiter friedlich, arbeiten intensiv, sind glücklich über das Haus, leben allein in ihm und seiner engsten Umwelt, denken bei den Seenspaziergängen nach Schweden.

Die Bilder von Euch und den Kindern haben uns an Hannis Geburtstag so sehr gefreut. Wie nett, daß Ihr mit Luftpost schriebt. Ihr wart die einzigen Gratulanten. Den Geburtstag haben wir ganz still verlebt. Hanni bekam einen herrlichen Frühbarockleuchter als Leselampe und 30 Bücher, die ich selbst geschenkt erhielt. Sie hat jetzt einen Schreib-, Lese- und Nähtisch in meinem Zimmer.

Herzlichste Grüße Euch allen
Dein Jochen

71. Leopold Ziegler (Karlsruhe 1881 bis 1958 Überlingen) an Reinhold Schneider

Von verschiedenen Ansatzpunkten aus – in der Schau des heiligen Reiches (Ziegler) und des wieder zu heiligenden Reiches (Schneider) nahmen diese beiden Schriftsteller ihr Gespräch über die Zeiten auf. Ihre weltanschaulich bedingte Verschiedenheit hat sie nicht gehindert, unvoreingenommen der Vorstellungswelt des andern nachzusinnen und sie auf ihre Unzerstörbarkeit zu überprüfen. Daraus entspann sich jene Aussprache, die der eigenen oft allzu streng abgeschirmten Menschlichkeit beider lösend und befreiend entgegenkam. Bezeichnend dafür ist auch Zieglers Wunsch, in der Furchtbarkeit der Kriegsereignisse die kosmische Rechnung ohne Rest aufgehen zu lassen, während Schneider den anthropologischen Rechenfehler behutsam herausstellt.

Überlingen 8. Juni 1940
Mein lieber und verehrter Herr Reinhold Schneider,
Noch immer liegt Ihr Brief vom März unbeantwortet auf meinem Tisch, und nun mahnt mich ein zweiter, gestern eingetroffen, die alte Schuld endlich zu begleichen. Um das Persönliche vorwegzunehmen – es ging bei uns und geht immer noch nicht gut. Im Februar ist meine liebe Frau auf einem Fußboden ausgeglitten und schwer gestürzt, was einen schlimmen Rückfall brachte. Und seit Mitte April sind wachsende Schwierigkeiten der Ernährung aufgetreten, krampfartige Entleerungen der Speicheldrüsen, die von den Ärzten auf eine Übererregbarkeit der sympathetischen Nerven zurückgeführt und, als Folge von Kalkarmut, mit Kalkeinspritzungen bekämpft werden. So waren diese für eine lange Zukunft entscheidungsträchtigen Monate fast im Übermaß durch tägliche Sorgen ausgefüllt, und ein Bewußtsein des Ungeheuern, das sich teils vollendet, teils anbahnt, konnte sich leider nicht abklären. Ganz

allgemein kann ich nur sagen, daß die Ereignisse meiner Überzeugung, daß diesmal der Zug der Geschichte, ja des Geschehens mit Deutschland sei, in einem phantastischen Ausmaße recht gaben, und daß die früher ausgearbeiteten historischen Kategorien offenbar nicht mehr ausreichen, die Vorgänge geistig zu durchdringen oder gar zu ordnen. Was jetzt geschieht, mit der Wucht und Unwiderruflichkeit eines Fatums, scheint, mit anderen Worten, erst von einer (uns noch unbekannten, aber vielleicht ahnbaren) Zukunft her begreiflich zu werden: aber nicht von der Vergangenheit her begreiflich zu sein. Wer nicht erkannt hat, wie sehr der Schöpfer-Gott auch Zerstörer-Gott ist und sein muß, eben um sich als Schöpfer immer wieder zu erweisen – der Vorhang darüber wurde, soviel ich sehe, in allen Überlieferungen nur ein einziges Mal gelüftet in der Epiphanie Wischnu-Krischnas der Bhagavad-Gîtâ! –, wer ständig sich verhehlte, daß Neu-Schöpfung bei pflanzlichen und tierischen Arten wie beim Einbruch neuer Geschichtszeiten oder Weltalter lediglich um den Preis entsprechender Vernichtungen möglich sei: der wird jetzt bis zur Fassungslosigkeit verwirrt, in manchen Fällen vielleicht sogar bis zum Wahnsinn. Das aber ist die härteste Probe wohl, die uns letzten »Rittern vom Geiste« auferlegt ist, uns, die wir die Arten und Gattungen und Weltgebilde Gottes in der Vergangenheit lieben, zu innig, zu zärtlich und vielleicht auch ein wenig zu selbstisch lieben – daß wir nicht irre werden sollen und dürfen. Ordo magnus, ordo major nascitur, auch wenn dieser Ordo zunächst schreckhafte und unmenschliche Züge aufweist. Dieser Generation ist es wohl befohlen, einen Rahmen zu schaffen, in dem erst künftige Generationen von unvorstellbar anderer Beschaffenheit das Bild hineinmalen werden. Und mein Glaube ist unumstößlich, daß dieses späte Bild wieder Eben-Bild viel eher sein wird als Gegen-Bild. Nun aber muß erst ein blutig Werk getan sein, denn vermutlich werden die Völker, die in den letzten Jahrhunderten seit der Reformation besonders geschichtlich »aktiv« waren, mehr in die Latenz gedrängt, und umgekehrt.

Der Kampf zwischen England und Deutschland erscheint mir trotz allem und unter diesem Gesichtswinkel »providentiell«. Das britische Weltreich wird in dem Augenblick geboren, da unser deutsches Weltreich stirbt, indem seine letzte große Dynastie in eine spanische und deutsche Linie aufgespalten wird und jene seine immensen Siedlungen an ein größeres

Britannien verliert. (Grob gesprochen und sehr à peu près . . .)
Dann hört Deutschland auf, Reich zu sein und wird ein »Begriff«, bis es sich als »nationaler Staat« sowohl vereinigt wie erneuert. Eine der Konsequenzen aus dem Nationalitäten-Prinzip des vorigen Jahrhunderts zieht der Nationalsozialismus und seine Revolution. Theoretisch und propagandistisch in vieler Hinsicht der absolute Verzicht auf das »Reich«, praktisch und in der Konsequenz seiner eigenen Dialektik aber das vollziehende Organ des Reiches: ihn stößt die Geschichte, ohne daß er es wollte! genau in die verlorenen und preisgegebenen Räume (wozu man die Politik der »Achse« sehr mit zu bedenken hätte)! Kurz, nicht Männer machen Geschichte, sondern Mächte machen sie, heute zwingender denn je, und diese Mächte wollen jetzt erraten werden, gleichgültig, wo unsere Sympathien, Antipathien oder überhaupt »Pathien« sind.

Aber genug!! Leben Sie wohl und seien innig und freundschaftlich gegrüßt von dem Ihrigen:

Ziegler

72. Reinhold Schneider (Baden-Baden 1903 bis 1958 Freiburg) an Leopold Ziegler

Reinhold Schneider war seiner Mitwelt ein »Ratwalter«, wie er den Namen deutete, den er nach dem heiligen Reinholdus trug. In diesem Sinn durfte Ziegler ihm sagen: »Der in Ihnen mit fast grausamer Strenge wirksame Zug zur äußersten Wahrhaftigkeit nötigte Sie, gewissermaßen stellvertretender Gerichtsherr in eigener Sache zu werden und so die von unserem Volk geradezu bejubelte Ver- und Zerbrecherherrschaft mit Worten zu ahnden, die wie aus einer geheimen Vollmacht gesprochen sind.«

Bad Kissingen 16. Juni 1940

Hochverehrter, lieber Herr Dr. Ziegler,

für Ihren überaus wertvollen Brief könnte ich wohl nur im Gespräch auf gebührende Weise danken; auf dieses hoffe ich fest, denn ich bin eben auf der Reise nach Freiburg und denke von dort aus doch einmal an den Bodensee zu kommen. Sehr schmerzlich ist es für mich, daß Sie die große Aufgabe, die Ihnen die Zeit aufbürdet – über welche Aufgabe es ja nicht angemessen wäre zu klagen – mit so schweren persönlichen Sorgen tragen müssen. Ihrer verehrten Frau wünsche ich von ganzem Herzen Linderung ihres Leidens und Ihnen die Erleichterung der Sorgen, die Sie sich leider noch immer machen müssen.

Ihre Worte haben mir viel geholfen und vieles geklärt; ich danke Ihnen sehr für diese Hilfe. Ganz gewiß geht es um das Walten der Mächte, nicht der Männer, wie Sie sagen; ganz gewiß taucht der Umriß des Reiches mit einer erschütternden Gewalt wieder auf, um unser Volk und die Völker einzufordern. Aber für mich, der ich die große Übersicht aus der Ferne – eben diese bewundere ich so sehr an Ihrem Brief – nicht gewinne; für mich, der ich mich sehr tief verstrickt fühle in das geschichtliche Sein, ist die Frage nach der Haltung die dringendste Frage geblieben. Und nun frage ich mich, ob man unter einem anderen Zeichen siegen darf als man herrschen soll; ob man den Sieg erkaufen darf von einer Gewalt, die darauf folgende Ordnung aber von Gott, und ich kann nur mit nein auf diese Frage antworten. Gott schlägt und straft durch die Gewalt; daß er der Zerstörung sich bediene, um Neues zu schaffen, ist mir gegen Glauben und Gefühl. So sehe ich nur ein Gericht; und wer heute nicht gerichtet wird, der bereitet sich das Gericht vielleicht für morgen. Wer kann sagen, er sei ohne Schuld? Aber hinter dem Gericht steht eine Versuchung ungeheuerster Art: dies alles will ich dir geben für deine Seele.

Sie sehen, ich ringe nur in der Geschichte; ich bin nicht zum Betrachten der Geschichte geboren. Aber dies leuchtet mir wieder ein, daß über die Formen und Werte, die im 16. Jahrhundert die Geschichte an sich gerissen haben, das Schicksal kommt; und ganz einig darf ich mich mit Ihnen fühlen in der Hoffnung, daß das »späte Bild« eher »Eben-Bild« als »Gegen-Bild« sein werde. Ein geheimes Trachten nach diesem Bild geht durch die Zeit und ist vielleicht ihr tiefster Schmerz.

Endlich werden all diese Erschütterungen doch mithelfen, Werke des Geistes zu erbauen; es ist ein so tiefer Zusammenhang zwischen dem Innen und Außen, daß wir der Zeit auf keine Weise uns entziehen können. Das gibt mir eine gewisse Hoffnung gerade in Bezug auf Ihre Arbeit; möge nur die Ruhe der nächsten Umwelt Ihnen erhalten bleiben.

Mit innigen Wünschen in der herzlichsten, dankbarsten Ergebenheit

Ihr Reinhold Schneider

73. Max Reinhardt (Baden bei Wien 1873 bis 1943 New York) an Albert Bassermann

»Es schwebt Max Reinhardt eine tiefgreifende Veredelung der Massenvergnügungen vor, die naturgemäß die versumpfenden und die Menge verderbenden Schundtheater einschränken und treffen soll«, schrieb Carl Hauptmann 1913 über den Vierzigjährigen an Carl Duisberg, den Gebieter der chemischen Industrie in Leverkusen, um ihn mit andern Industriellen für die damaligen Reformabsichten des mächtigsten deutschen Regisseurs zu gewinnen. Hätte das Schreiben ein Echo gefunden, wir besäßen vielleicht eigene programmatische Äußerungen Reinhardts darüber. Statt dessen kam es dazu erst, als man ihn von seinem Arbeitsplatz verdrängt hatte und er dadurch Zeit und Anlaß fand zu einem Rechenschaftsbericht, den er von Oxford aus am 16. Juni 1933 der Nationalsozialistischen Regierung nach Berlin übersandte. Persönlich aber hat er von der Wanderschaft, die schon, wie er bitter scherzte, seinen leiblichen und beruflichen Urgroßvätern auferlegt gewesen sei, zum 75. Geburtstag Bassermanns seinen vielleicht schönsten, weil aus allen Quellen seiner Persönlichkeit gespeisten Brief geschrieben, der mit dem geliebten und bewunderten Schauspieler auch sein eigenes, einst so sicher beherrschtes Zauberreich noch einmal auferstehen läßt.

New York   Zum 7. September 1942
Lieber Albert Bassermann.

Ihr Geburtstag ist ein willkommener Anlaß, Sie mit vielen Glückwünschen zu grüßen. Es ist ein theatergeschichtlicher Geburtstag, zu dem sich die zahllosen Beschenkten selbst beglückwünschen und Ihnen danken müssen. Dieser Tag hat dem Theater ein Wunder geschenkt, das Wunder Ihrer reinen adeligen Persönlichkeit.

Aus der Persönlichkeit, dem höchsten Glück der Erdenkinder, aus ihrer irdischen Seelenwanderung in andere Menschen, die der Dichter nach seinem Ebenbild schafft, besteht seit Jahrtausenden ihr ewiges Spielzeug, das Theater.

Es ist ein auch hier verbreiteter Aberglaube, daß eine schauspielerische Persönlichkeit nur sich selbst spielen kann, immer wieder in eine einmal erfolgreiche Form gezwängt werden soll und daher bald erschöpft sein muß.

Sie haben mit der Fruchtbarkeit Ihrer Natur mehr als hundert Geburtstage geschaffen, an denen leibhaftige Menschen zu dauerndem Leben erwachten. Alle waren grundverschieden von einander und tragen doch Ihre unverkennbaren Züge: Ihre innere und äußere Haltung, Ihre rauhe Stimme, Ihre Augen, die Unsagbares sagen können, sogar Ihren eigenwilligen Tonfall, der noch den entferntesten Schemen die Melodie der Wirklichkeit und Erdhaftigkeit gibt. Die Bühne unserer Zeit wimmelt von Gestalten, die von dem Saft Ihres Wesens strotzen.

Der wahre Schauspieler ist von der unbändigen Lust getrieben, sich unaufhörlich in andere Menschen zu verwandeln, um in den Anderen am Ende sich selbst zu entdecken.

Wenn Sie als König Philipp auftraten und im Gedränge Ihres Hofstaates so entsetzlich allein waren, Mitmenschen hinrichten ließen, weil Sie keinen Mitmenschen finden konnten, wenn Sie als Lear mit dem Sturm der Heide Ihr Herz rasen, mit dem unbarmherzigen Regen Ihre Augen weinen ließen, wenn Sie als Petruchio und Benedict im lustigen Gelächter funkelten, wenn Sie die Narrheit des Malvolio vermenschlichten, die zeitgemäße Tragik des Shylock, die unzeitgemäße Wahrheit des Nathan offenbarten, in dem Wetterleuchten Strindbergs, in der Macht der Finsternis Tolstojs den Weg zur Erlösung gingen, als der Ibsen'sche Volksfeind für den Segen der Wahrheit, als Hjalmar für den Segen der Lüge plaidierten und in vielen anderen Gestalten immer ein vollkommen neuer Mensch wurden und doch zugleich der einmalige Bassermann blieben, dem eben nichts Menschliches fremd ist – dann jubelte ich jedesmal über die Grenzenlosigkeit des großen Schauspielers, über das Phänomen seiner Einbildungskraft, die dem Wunder der blutenden Stigmata so nahe ist.

Besessen von der professionellen Besetzungswut aller Theaterleute, wußte ich keine Rolle, die ich nicht mit Ihnen hätte besetzen wollen.

Sie selbst haben eine Grenze gezogen vor dem absolut Gemeinen und Niedrigen. Ich erinnere mich, daß Sie mir einmal eine große klassische Rolle zurückgaben mit der Begründung, »daß der Kerl doch Dreck am Stecken hat«. Deshalb würden Sie zweifellos manche unserer Zeitgenossen, so groß ihre Rolle auch sein mag, nicht spielen wollen. Sie könnten sie nicht vermenschlichen.

Noch in der verkommensten Gestalt blieben Sie, was Sie sind: ein Edelmann. Immer war es eine helle Freude, mit Ihnen zu spielen. Und wenn die Erschütterung am tiefsten ging, sahen wir uns an. Wir mußten beide lachen. Es war ganz grundlos. Grundlos wie alles wahre Glück.

Friedrich Haase hat Ihnen, als dem besten deutschen Schauspieler, den Iffland-Ring übergeben. Daß der alte Herr Sie so früh erkannte, ließ uns ihn spät erkennen. Es war das schönste seiner berühmten Kabinetts-Stücke und eine Ehre für ihn. Für

Sie ist der Ring, der die wundervolle Lessing'sche Parabel einschließt, nur ein Symbol.

Sie selbst haben die Gabe, sich vor Gott und Menschen angenehm zu machen.

Ich liebe Sie.

Ihr Max Reinhardt

74. Ernst Reuter (Apenrade 1889 bis 1953 Berlin) an Thomas Mann

Der Name Ernst Reuters wird aus der Geschichte der umdrohten Stadt Berlin, der er ein unbeugsamer Oberbürgermeister und in dunkelsten Jahren verläßlicher Lichtbringer war, niemals wegzudenken sein. Seine sorgenden Gedanken aber galten letztlich dem ganzen Lande, und nach seinen Erfahrungen im ersten Weltkrieg, die ihn gelehrt hatten, welche Opfer Sozialismus und Kommunismus vom einzelnen heischen, war das leidvolle Erleben des Hitlerregimes – erneuter Bedrohung mit einem Zwangslager war er 1935 in die Türkei ausgewichen, in Ankara nun als Regierungsberater und Professor der Kommunalwissenschaften neuen Aufgaben zugewandt – erst recht nicht imstande, ihn seinem deutschen Pflichtenkreise zu entfremden. Je drückender die Lage daheim, desto dringlicher wurde das Erfordernis, Deutschland nicht in abgründige Mutlosigkeit versinken zu lassen. Ein zeitentsprechendes Krümpersystem rettender Abwehr sollte aufgezogen werden, die in aller Welt verstreute deutsche Diaspora sollte dem in der Hitlerfestung eingeschlossenen Fähnlein der Aufrechten zu Hilfe kommen. Als stimmgewaltiger Herold solchen Zusammenschlusses war Thomas Mann vorgesehen: Reuter wußte keinen überzeugenderen Namen, und seine ausgewogenen Darlegungen hätten sich wohl in politische Tat umsetzen lassen. Aber Thomas Mann war gerade als ›Unpolitischer‹ besonders eigenwillig, und überdies ehe noch Reuters Brief ihn erreichte, hatte er just begonnen, sich auf seine Weise mit Deutschland zu beschäftigen: am 23. Mai 1943 wurden die ersten Seiten des ›Doktor Faustus‹ niedergeschrieben. Das großgedachte Vorhaben Reuters unterblieb somit. Aber irgendwie gehört auch die zerschlagene Absicht in die Erinnerung an den erschütternden Untergang der Opfer des Attentats vom 20. Juli 1944. Und die Worte Reuters, die er acht Jahre später bei der Grundsteinlegung eines Gedenksteins in der Bendlerstraße zu Berlin zu ihren Ehren sprach, klingen wie eine, gewiß unbeabsichtigte, schlichte Rechtfertigung seiner eigenen Absichten: »Groß ist in der Geschichte eines Volkes allein die menschliche Leistung und die menschliche Haltung.«

Ankara (Türkei) Bahçeli Evler
Üçüncü Inis 14, den 17. März 1943

Sehr verehrter Herr Thomas Mann!

Es wird Ihnen eine geläufige Erscheinung sein, daß Ihnen Unbekannte sich an Sie wenden. Aber die Zeitverhältnisse dürften einen solchen Schritt auch ohne allzu eingehende Begründung rechtfertigen. Ich darf mich Ihnen gegenüber daher kurz damit legitimieren, daß ich nach jahrelanger Tätigkeit als Leiter des Berliner Verkehrswesens (Gründung der B. V. G.), bis 1933 Oberbürgermeister der Stadt Magdeburg und im letzten Jahre vor der Hitlerschen Machtergreifung auch Reichstagsabgeordneter im Wahlkreis Magdeburg für die S. P. D. war, der ich übrigens seit 1912 angehöre. Ich hatte zweimal die Ehre, im Konzentrationslager zu sein. Das erste Mal von Juni 1933 bis Januar 1934, das zweite Mal von Juni 1934 bis September 1934. Nur durch Vermittlung englischer Quäker-Freunde, die damals noch einen gewissen Einfluß ausüben konnten, kam es zur zweiten Entlassung. Eine dritte Verhaftung wäre sicher bald erfolgt, da meine eindeutige und unwiderrufliche Ablehnung der Nazibarbarei der Gestapo viel zu sehr bekannt war und außerdem alle Versuche, das Vertrauen der Bevölkerung in mich durch Verleumdungen und ähnliche Mittel zu untergraben, fehlgeschlagen waren. Ich habe ursprünglich den Wunsch gehabt, nicht zu emigrieren. Das Gefühl der Verpflichtung band mich in dem Ort meiner früheren Tätigkeit an die vielen Menschen, die mir jahrelang ein großes Vertrauen erwiesen hatten. Aber ich war schließlich doch gezwungen, Deutschland zu verlassen. Ein drittes Konzentrationslager würde ich auch nicht überlebt haben.

Nach einer verhältnismäßig sehr kurzen Zwischenzeit habe ich im Frühjahr 1935 von London aus eine neue Tätigkeit als Berater des Türkischen Wirtschaftsministeriums gefunden und arbeite jetzt seit 1938 als Professor für Kommunalwissenschaft an der Hochschule für Politik in Ankara, der Ausbildungshochschule der hiesigen höheren Regierungsbeamten. Ich habe in den Jahren meines Aufenthalts hier mich zwar gemäß meiner vertraglichen Verpflichtung gegenüber der Regierung jeder politischen öffentlichen Tätigkeit enthalten müssen, aber über meine Stellung niemals irgend jemand gegenüber den geringsten Zweifel gelassen und keinerlei Beziehung zu den amtlichen Stellen (außer der obligaten Paßerneuerung) unterhalten. Daß ich immer noch einen deutschen Paß besitze, ist, wie man mir sagt, das »Verdienst« unseres Herrn Papen, der offensichtlich Wert darauf legt, sich auf solche und andere billige Weise moralische »Alibis« zu verschaffen.

Wir alle, die wir in der »Verbannung« zu leben gezwungen sind, empfinden es immer mehr als einen *unerträglichen Zustand*, daß wir hier tatenlos einer Entwicklung zusehen müssen, die unser Land in ein Schicksal hineinzutreiben droht, wie es schlimmer nicht gedacht werden kann. Wir haben zwar alle seit der sogenannten »Machtergreifung« durch die nationalsozialistische Verbrecherbande gewußt, daß die unvermeidliche Folge dieses Abenteuers, in das uns der Herr von Papen hineingeritten hat, der Revanchekrieg und danach eine katastrophale Niederlage Deutschlands sein müsse. Wir mußten leider erleben, daß das Ausland sich dieser so klaren Konsequenz der Dinge gegenüber blind zeigte, sie nicht wahr haben wollte, und zum Teil auch durch sein Verhalten an den Ereignissen mitschuldig wurde. Zum Teil wollen dieselben Kreise jetzt dem deutschen Volke die Alleinverantwortung für alles aufbürden, was auch sie durch Trägheit des Herzens, durch sozialreaktionäre Tendenzen und durch manche aktive Ermunterung mitverschuldet haben. Wir haben uns alle im einzelnen, im Tempo und in den Besonderheiten des Ganges der Ereignisse geirrt. In der großen Linie aber sind die Dinge so gelaufen, wie sie laufen mußten. An dem Ausgang wird wohl keiner mehr noch den geringsten Zweifel haben.

Ich glaube: dies ist der Moment, in dem wir alle, die früher hier und dort, jeder an seinem Platze und in seiner Art, auf unser Volk Einfluß gehabt haben, versuchen müssen, uns von neuem Gehör zu verschaffen. Jede neue Nachricht, die wir aus Deutschland erhalten, bestätigt uns, daß dort alle denkenden Menschen anfangen, jede Hoffnung auf einen guten Ausgang zu verlieren. Jeder weiß um das kommende Ende und fühlt es mit Schrecken nahen. Die Menschen werden von einer Art dumpfer fatalistischer Verzweiflung erfaßt. Sie wissen, daß das Ende nur der Zusammenbruch sein kann. Aber das wird ein Zusammenbruch sein, der alles in Schatten stellen wird, was wir in unserer nationalen Geschichte bisher erlebt haben. Niemand kann sich vorstellen, wie er vor sich gehen wird und wie nach diesem Zusammenbruch ein Wiederaufbau erfolgen könnte. Die jahrelange Isolierung aller Deutschen, auch derjenigen, die im Inneren genau so denken wie wir, die scheinbar vollständige Vernichtung (wenigstens nach außen hin) aller andersdenkenden Kräfte haben dazu geführt, daß der Phantasie der allermeisten jede Vorstellung darüber fehlt, wie nach dem Sturze der verhaßten Peiniger eine neue, bessere Welt aufgebaut werden könnte. Jede Stimme, die aus Deutschland zu uns gelangt, zeugt davon, daß diese Frage: *Was soll werden*? in aller Sinne ist, auch wenn nicht die Nazis auf ihre Art eine negative Antwort immer wieder dem Volke einzuhämmern versuchten.

Auf diese Frage muß eine Antwort gegeben werden, wenn der Absprung dem deutschen Volke und auch denen, die technisch ihn vielleicht in gegebener Zeit herbeiführen könnten, ermöglicht werden soll. Auf diese Frage müssen zwei Kräftefaktoren antworten: das uns scheinbar feindliche Ausland und wir Deutschen selber, mindestens wir Deutschen, die wir im Ausland uns zusammenschließen und sprechen können.

Wir haben keine Vollmacht, für das Ausland zu sprechen. Wir verkennen auch nicht die ungeheuren Schwierigkeiten, die der Wiedereingliederung Deutschlands in ein Konzert friedlicher und gemeinsam arbeitender Mächte entgegenstehen, aber wir hoffen zuversichtlich, daß die Stimmen der Vernunft stark genug sein werden, um einem von der Nazipest gereinigten Deutschland wieder den Platz im Kreise der Völker zu geben, auf den es immer Anspruch haben wird. Die Lehren der Vergangenheit sind zu eindringlich, als daß sie übergangen werden könnten. Wichtiger ist für uns die Frage, *was wir selber zu tun haben und was wir tun können*.

Darauf kann es nur eine Antwort geben. Wir müssen alle erkennen, daß die Heilung der Wunden, die Wiederaufrichtung unseres Landes, unseres Rechts und Erziehungssystems, unserer Wirtschaft, der Wiederentwicklung unserer einst so blühenden Selbstverwaltung, unserer Universitäten, der Wiederaufbau aller wahren Manifestationen deutscher Kultur nur möglich sein wird, wenn alle diejenigen, die sich Sauberkeit und Anständigkeit erhalten haben, die sich von der Nazipest fernhielten und die niemals an dem guten Kern unseres Volkes gezweifelt haben, heute, schon jetzt, gemeinsam erklären, daß sie bereit sind, sich zu gemeinsamer Arbeit zusammenzuschließen. Wir wissen gut genug, daß es auch in Deutschland unendlich viele Menschen gibt, die diese Vorbedingung erfüllen, unendlich viel mehr, als hinter dem Nebel der Nazipropaganda dem Fernerstehenden wahrscheinlich zu sein scheint. Wir wissen, daß sie alle nur auf den Tag warten, an dem sie als Deutsche wieder frei atmen können. Die Zäsur, die diesmal durch Deutschland gehen wird, wird gewiß größer und vor allem härter sein müssen als je zuvor. Der gesamte leitende Verwaltungsapparat, die gesamte Rechtsprechung, das Erziehungswesen, die Spitzen der wirtschaftlichen Leitung müssen neu gebildet werden. Den Luxus überflüssiger Rechthaberei und Denkens in alten Schablonen werden wir uns nicht leisten können. *Wir müssen alle bereit sein*, ganz gleich, wie die Dinge im einzelnen laufen werden, an einem solchen Neubau mit allen unseren Kräften mitzuarbeiten. *Wir müssen diese unsere Bereitwilligkeit jetzt schon erklären.* Wir müssen sie *laut und vernehmlich* erklären, und wir müssen sie *gemeinsam* erklären, da sie nur dadurch auf die in Deutschland, die es angeht, Eindruck machen wird. Wir wissen, daß unendlich viele in Deutschland darauf warten, unsere gemeinsame Stimme zu hören. Nur das kann ihnen den so lang entbehrten Rückhalt geben, kann sie glauben machen, daß die Geschichte nicht zu Ende ist, wenn die Pforten der Hölle sich für ihre Peiniger aufgetan haben werden, daß vielmehr ein neues und besseres Kapitel unserer nationalen Geschichte dann erst beginnen wird, ein Kapitel, in dem die durch den harten Druck der geschichtlichen Erfahrung zusammengeschweißten Kräfte aller anständigen Deutschen sich zu gemeinsamer Arbeit zusammenfinden. Ein solches gemeinsames Auftreten aller im Ausland lebenden Deutschen wird seine Wirkung nicht verfehlen. *Es kann auch vom Regime nicht verschwiegen werden.* Es ist auch wichtiger als irgend welche farblosen Programme. Über das Programm wird man sich, wenn die Stunde kommt, unter vernünftigen Menschen verhältnismäßig schnell einigen. Es wird in stärkstem Maße durch die Not der Stunde diktiert werden. Die Zusammenarbeit mit allen anderen Völkern wird gebieterisch notwendig werden. Es wird weder ein einfaches Zurück zu den früheren Zuständen, eine einfache und bequeme Reaktion geben, wie sie vielleicht doch noch manchen in Verkennung der unwiderruflich gewordenen Veränderungen vorschweben mag, und es wird auch nicht einfach etwa eine sinnlose Zerstörung alles Vorhandenen möglich sein. Auch in der Friedenswirtschaft, deren Erreichung erst in Jahren möglich sein wird, werden wir einen stärkeren Einfluß des Staates und der Gesamtheit, einen starken sozialistischen Einschlag nicht vermeiden können. Auch die sogenannten konservativen Kräfte unseres Volkes sind sich darüber wohl nicht mehr im unklaren, und wenn ja, dann würden sie bald durch die Berührung mit der übrigen Welt eines Besseren belehrt werden. Aber alle Menschen in Deutschland wollen wissen, daß sie weder auf russische Weise noch nach irgend einem andern Zwangsrecept gesotten werden sollen, daß Deutschland sich vielmehr nach seinen eigenen Bedürfnissen entwickeln kann. Es muß nur endgültig darauf verzichten, dem verhängnisvollen Traum einer Weltbeherrschung und einer angeblichen Überlegenheit über andere nachjagen zu wollen. Es wird darum auch das offizielle Geschichtsbild seiner letzten Vergangenheit, nicht nur der Hitlerschen Periode neu überprüfen müssen. Sonst aber besteht ihr Satz zu Recht: »Deutschland braucht die Welt, und die Welt braucht Deutschland.« In diesem Rahmen müssen wir die Elementarbegriffe eines Rechtsstaates wieder herstellen und jedem einzelnen wieder Mut und Hoffnung zu neuem Leben erwecken. Im Grunde fühlt, wie wir wissen, heute schon jeder in Deutschland, was ihm und uns allen not tut, und darum kann es nicht schwer sein, um ein solches Wiederaufbau- und Wiedergutmachungsprogramm (denn auch das muß geschehen) alle Einsichtigen zu sammeln. In der immer wieder zu uns gelangenden Frage: »Was soll werden« schwingt – oft unbewußt – auch meistens die Frage mit: »Wer soll das leisten?« Geben wir Deutschen im Ausland, die man noch kennt und auf die man auch noch hören wird, auf diese Frage die Antwort: »Wir wollen zusammen mit Euch daran arbeiten. Wir, die wir früher Euer Vertrauen genossen haben, denen man im Ausland vertraut, weil man uns als gute Deutsche kennt, und mit Euch zusammen wollen an die neue Aufgabe gehen!«

Sie, Thomas Mann, können einen solchen Appell an alle Deutschen in der Welt richten, die sich noch frei äußern können. Die Zeit ist reif für einen solchen Aufruf, der heute noch seine Wirkung tun kann. Ihre Stimme dringt durch den Äther überall hin, es ist die Stimme des geistigen, freien, menschlichen Deutschlands.

Es kann nicht anders sein, als daß ein solcher Appell, eine solche Sammlung des besseren Deutschlands, wenn sie auf einer breiten Front, getragen von dem einheitlichen Willen vorurteilsloser und aufrichtiger deutscher Patrioten, erfolgt, ihre *Wirkung* in *Deutschland* haben muß. Einmal muß und wird unsere Stimme, wenn wir sie durch gemeinsames Zusammenstehen verstärken, zu den Herzen aller derer in Deutschland dringen, die ihre Liebe zu Deutschland, dem alten wahren Deutschland des Geistes und der Freiheit noch nicht verloren haben.

Ich enthalte mich jedes Vorschlags einer Formulierung, denn in wessen Händen sollte diese Aufgabe besser aufgehoben sein als in den Ihrigen! Wir haben Ihre Worte nicht vergessen, mit denen Sie an den Dekan der Bonner Philosophischen Fakultät schon vor Jahren Deutschlands Schicksal beschworen haben.

Meine Bitte, unsere Bitte an Sie, Thomas Mann, ist die: versuchen Sie es, alle Deutschen, deren Stimme in Deutschland beachtet werden wird, unter einem gemeinsamen Appell an das deutsche Volk zu sammeln. Sie haben dazu auch die technischen Möglichkeiten, die uns hier fehlen. Ihre Stimme wird gehört werden, und wenn wir uns alle in gemeinsamem Aufruf mit Ihnen vereinen, werden unsere, vereinzelt zu schwachen Stimmen, verdoppelt und vertausendfacht die Kraft gewinnen, die notwendig ist, um die Eisschollen in Bewegung zu bringen, deren reißender Strom die verhaßte Barbarei mit sich fortreißen wird.

Dieser Brief ist gewiß zunächst nur ein persönlicher Brief. Aber wie Sie sicher wissen werden, leben in der Türkei, einem wegen seiner Neutralität und relativen Deutschlandnähe nicht unwichtigen Lande, zahllose Deutsche, deren Namen einen guten Klang haben, die genau so denken wie ich, und die sich einem solchen Aufruf an Deutschland auch mit ihrem Namen zur Verfügung stellen werden. Was in Amerika, in England und anderen Ländern lebt, ist für Sie leicht zu erreichen. Uns fehlen dazu die unmittelbaren technischen Möglichkeiten.

Es wird für mich und viele meiner Freunde ein glücklicher Tag sein, wenn wir von Ihnen hören dürfen, daß diese Stimme zu Ihnen gelangte und daß Sie auf diese oder andere Weise den hier entwickelten Gedankengängen geneigt sind.

In aufrichtiger Verehrung bin ich

Ihr Ihnen sehr ergebener
Ernst Reuter

75. Carl Goerdeler (Schneidemühl 1884 bis 1945 Berlin-Plötzensee) an General der Infanterie Friedrich Olbricht

Goerdelers Gestalt, gezeichnet von den humanistischen Zügen Humboldtscher Staatsgesinnung, bleibt in ihren letzten Absichten vielfach undeutbar. Wie in seinem bemerkenswerten Aufstieg zum Leipziger Oberbürgermeister und Reichskommissar für die Preisbildung muß er »frisch, klar, aktiv« gewirkt haben, wie ihn gewiß nicht nur der Botschafter Ulrich von Hassell empfand, den es bei vielen Einwendungen eine Wohltat dünkte, mit einem Mann zu sprechen, der zum Handeln drängte. Den Eindruck bestätigt Goerdelers Schreiben an den Leiter des Heeresamtes: rückhaltlos und klug spricht daraus ein Ritter trotz Tod und Teufel, der darum auch vertrauen konnte, als wiedererstandener Bürger von Calais im feindlichen Lager aufrecht zu bestehen. Als künftiger Kanzler einer aus den erfahrensten Verschworenen zu bildenden Regierung ersehnte er um jeden Preis, seinem Lande wenigstens den Zusammenbruch zu ersparen. Doch ihm war nur ein Märtyrerschicksal auf dem Passionswege seines Volkes vorgesehen.

Leipzig, 17. Mai [19]44

Hochverehrter Herr General,
    immer wieder habe ich mir die Auffassung überlegt, es müsse erst der psychologisch richtige Moment abgewartet werden.

Wenn man darunter den Zeitpunkt versteht, in dem die Ereignisse Handlungen auslösen, dann fällt er mit dem Beginn des Niederbruchs zusammen; für eine politische Auswertung würde die Handlung dann zu spät kommen. Inzwischen wären unersetzliche Kulturwerte, die wichtigsten Wirtschaftszentren Trümmerhaufen, wäre die Verantwortung der militärischen Führer mit kostbaren Menschenleben überlastet. Deshalb darf das Nahen des »psychologisch richtigen« Zeitpunktes nicht abgewartet, es muß *herbeigeführt* werden. Denn wir sind uns sicher einig, daß Führung ohne vorausschauendes richtiges Handeln nicht möglich ist.

Von ihr möchte ich im Interesse der Zukunft unseres Vaterlandes die in Jahrhunderten herangebildete Intelligenzschicht nicht ausgeschlossen wissen; in ihr sollten aus gleichem Grunde die erfahrenen führenden Köpfe unserer Soldaten nicht fehlen.

Stalingrad und Tunis sind so schwere Niederlagen, wie sie in der deutschen Geschichte seit Jena und Auerstädt nicht zu verzeichnen sind. In beiden Fällen ist dem deutschen Volke gesagt, daß entscheidende Gründe verlangt hätten, Armeen zu opfern. Daß das unwahr ist, wissen wir; denn Soldat und Politiker können nur solche Opfer als notwendig vertreten, die auf anderen Gebieten einen das Opfer überwiegenden Erfolg verbürgen. In Wahrheit liegt unfähige gewissenlose Führung vor; bei rechter Führung wären beide Opfertragödien vermieden und damit eine günstigere militärische und politische Lage hergestellt.

Die Zahl der auf Befehl vor und in diesem Kriege zum Tode gebrachten Zivilisten, Männer, Frauen und Kinder der verschiedenen Völker sowie der russischen Kriegsgefangenen übersteigt weit eine Million. Die Art und Weise ihrer Beseitigung ist ungeheuerlich und hat mit Ritterlichkeit, Menschlichkeit, ja mit den primitivsten Anstandsbegriffen wilder Völker nichts zu tun. Dem deutschen Volke aber wird wahrheitswidrig dargestellt, als ob die russischen Bolschewisten es sind, die laufend ungeheure Verbrechen an Unschuldigen begangen hätten.

Die Liste solcher Tatsachen ließe sich fast beliebig vermehren. Ich habe nur diese beiden Vorgänge herausgegriffen, weil sie Schulbeispiele für die sittliche Vergiftung des Volkes sind und zusammen mit einer in der deutschen Geschichte noch nicht dagewesenen Korruption sowie mit der Vernichtung des Rechts jede Möglichkeit bieten, den »psychologisch richtigen« Zeitpunkt zu *schaffen*. Gewiß, die große Mehrheit des deutschen Volkes, fast die gesamte Arbeiterschaft, weiß heute, daß dieser Krieg kein gutes Ende mehr nimmt.

Dem gegenüber erscheint die Geduld des Volkes unerklärlich. Aber diese Perversität beruht nur auf der Tatsache, daß Terror Geheimhaltung, Lüge und Verbrechen schützt. Die Perversität schwindet sofort, wenn das Volk sieht, daß dem Terror zu Leibe gerückt, der Korruption Vernichtung angesagt und an Stelle des Geheimnisses und der Lüge Offenheit und Wahrheit gesetzt werden. In derselben Stunde wird jeder Deutsche wieder zurecht gerückt, der Anständige wie der Unanständige; jeder wird die Handlung, die er gestern noch, weil sie heimlich blieb, ungehindert vornahm oder unbeanstandet ließ, heute ablehnen und verurteilen, weil Jener Anstand, Dieser Verantwortung vor sich stehen sieht.

Finden wir keinen anderen Weg, so bin ich bereit, alles zu tun, um zu einer Aussprache mit Hitler zu gelangen. Ich würde ihm sagen, was zu sagen ist, insbesondere daß sein Rücktritt vom Lebensinteresse des Volkes erfordert wird.

Es ist nicht gesagt, daß eine solche Aussprache, wenn sie herbeigeführt werden kann, böse enden muß; Überraschungen sind möglich, nicht wahrscheinlich, aber das Risiko muß gewagt werden. Nur ist es wohl nicht unbescheiden, wenn ich Sicherheit verlange, daß dann unmittelbar gehandelt wird.

Die politischen Voraussetzungen hierzu sind einsatzbereit. Ich bitte Sie, hochverehrter Herr General, dringend, nochmals zu prüfen, ob sich nicht auch die den technischen Maßnahmen entgegenstehenden Schwierigkeiten überwinden lassen. Ich bitte, auch das von mir vorgeschlagene Verfahren zu überdenken und mir nach meiner Rückkehr Gelegenheit zu ruhiger Besprechung der Lage und Möglichkeiten zu geben. Mit herzlichem Gruß

Ihr Goerdeler

76. Erwin Rommel (Heidenheim 1891 bis 1944 Herrlingen bei Ulm) an Adolf Hitler

Aus dem mit dem Pour le mérite ausgezeichneten jugendlichen Infanteristen des ersten Weltkrieges ist im zweiten Weltkrieg auf dem Tripolitanischen Schauplatz der legendäre Wüstenfuchs geworden, der dem Gegner so zu schaffen machte, daß der britische Generalissimus in einem Tagesbefehl feststellen mußte: »Es besteht die höchst greifbare Gefahr, daß unser Freund Rommel bei unseren Truppen, die viel zu viel über ihn reden, zu einer Art Magier und Kinderschreck wird. Rommel ist keineswegs ein Übermensch, wenn ihm auch niemand seine Energie und Tüchtigkeit abstreiten kann . . . Ich ersuche darum, mit allen Mitteln die Vorstellung zu zerstreuen, daß Rommel vom üblichen Typ deutscher Generale abweicht.« Nach der Landung der Verbündeten in Frankreich mußte sich Rommel mit der Führung einer Heeresgruppe bescheiden. Den Überblick über die Gesamtlage konnte ihm auch diese bewußte Zurücksetzung nicht beengen, und er hat nichts unterlassen, seinem Lande den völligen Ruin vielleicht doch zu ersparen. Die unmißverständliche Deutlichkeit, zu der Rommel in letzter Minute seine Zuflucht nahm, hat ihm das Todesurteil gesprochen – kaum genesen von einer zwei Tage danach erlittenen schweren Verwundung, starb er am 14. Oktober an dem ihm von Hitler übersandten Gift. Ein für ihn angeordnetes Staatsbegräbnis hat die Wahrheit nicht mit einsargen können.

15. Juli 1944

Die Lage an der Front der Normandie wird von Tag zu Tag schwieriger, sie nähert sich einer schweren Krise.

Die eigenen Verluste sind bei der Härte der Kämpfe, dem außergewöhnlich starken Materialeinsatz des Gegners vor allem an Artillerie und Panzern und bei der Wirkung der den Kampfraum unumschränkt beherrschenden feindlichen Luftwaffe derartig hoch, daß die Kampfkraft der Divisionen rasch absinkt. Ersatz aus der Heimat kommt nur sehr spärlich und erreicht bei der schwierigen Transportlage die Front erst nach Wochen. Rund 97000 Mann an Verlusten, darunter 2160 Offiziere, unter ihnen 28 Generale und 354 Kommandeure, also durchschnittlich pro Tag 2500 bis 3000 Mann, stehen bis jetzt insgesamt 6000 Mann Ersatz gegenüber. Auch die materiellen Verluste der eingesetzten Truppen sind außerordentlich hoch und konnten bisher nur in ganz geringem Umfang ersetzt werden, z. B. von 225 Panzern bisher nur 17.

Die neu zugeführten Divisionen sind kampfungewohnt und bei der geringen Ausstattung mit Artillerie, panzerbrechenden Waffen und Panzerbekämpfungsmitteln nicht imstande, feindliche Großangriffe nach mehrstündigem Trommelfeuer und starken Bombenangriffen auf die Dauer erfolgreich abzuwehren. Wie die Kämpfe gezeigt haben, wird bei dem feindlichen Materialeinsatz auch die tapferste Truppe Stück für Stück zerschlagen.

Die Nachschubverhältnisse sind durch die Zerstörungen des Bahnnetzes, die starke Gefährdung der Straßen und Wege bis zu 150 km hinter der Front durch die feindliche Luftwaffe derart schwierig, daß nur das Allernötigste herangebracht werden kann und vor allem mit Artillerie- und Werfermunition überall äußerst gespart werden muß.

Neue nennenswerte Kräfte können der Front in der Normandie nicht mehr zugeführt werden. Auf der Feindseite fließen Tag für Tag neue Kräfte und Mengen an Kriegsmaterial der Front zu. Der feindliche Nachschub wird von unserer eigenen Luftwaffe nicht gestört. Der feindliche Druck wird immer stärker.

Unter diesen Umständen muß damit gerechnet werden, daß es dem Feind in absehbarer Zeit – 14 Tage bis drei Wochen – gelingt, die eigene dünne Front, vor allem bei der 7. Armee zu durchbrechen und in die Weite des französischen Raumes zu stoßen. Die Folgen werden unübersehbar sein.

Die Truppe kämpft allerorts heldenmütig, jedoch der ungleiche Kampf neigt dem Ende entgegen. Ich muß Sie bitten, die Folgerungen aus dieser Lage unverzüglich zu ziehen. Ich fühle mich verpflichtet, als Oberbefehlshaber der Heeresgruppe dies klar auszusprechen.

Rommel, Feldmarschall

77. Alfred Delp S. J. (Lampertheim 1907 bis 1945 Berlin-Plötzensee) an sein Patenkind

Zum Kreisauer Kreis, in dem Graf Helmuth James Moltke auf seinem schlesischen Besitz Gleichgesinnte vereinte, um gemeinsam Mittel und Wege zu finden, die Deutschland doch noch vor dem Zusammenbruch zu bewahren vermöchten, gehörte der junge Jesuitenpater, der nach dem mißglückten Attentat des Grafen Stauffenberg vom 20. Juli 1944 verhaftet und ins Gefängnis Tegel gebracht wurde. Am 9. Januar 1945 wurde er u. a. mit Moltke zum Tode am Galgen verurteilt. Sein Zellennachbar Eugen Gerstenmaier, der spätere Präsident des Deutschen Bundestags, hat das »überdimensionale Duell« geschildert, in dem Pater Delp gegen Freisler, den blutdurstigen Präsidenten des Deutschen Volksgerichtshofes, unerschrocken das Christentum verteidigte, der Gefängnisseelsorger Buchholz Delps Fassung und Ruhe gerühmt, daß er lieber *zu ihm* als *für ihn* beten mochte.

Lieber Alfred Sebastian,

als große Freude und Ermunterung erhielt ich heute die Nachricht von Deiner Geburt. Ich habe Dir gleich mit meinen gebundenen Händen einen kräftigen Segen geschickt, und da ich nicht weiß, ob ich Dich im Leben je sehen werde, will ich Dir diesen Brief schreiben, von dem ich aber auch nicht weiß, ob er je zu Dir kommen wird.

Du hast Dir für den Anfang Deines Lebens eine harte Zeit ausgesucht. Aber das macht nichts. Ein guter Kerl wird mit allem fertig. Du hast gute Eltern, die werden Dich schon lehren, wie man die Dinge anpackt und meistert.

Und Du hast Dir zwei gute Namen geben lassen. Alfred, das war ein König, der für sein Volk viel betete, viel arbeitete und viele harte Kämpfe gewann, die Menschen haben ihn nicht immer verstanden und ihn oft arg bekämpft. Später haben sie erkannt, was er für sein Volk getan hat und haben ihn den Großen geheißen. Das Volk Gottes aber nannte ihn den Heiligen. Vor Gott und vor den Menschen hat er sich bewährt. Sebastian, das war ein tapferer Offizier des Kaisers und des Herrgotts, da aber der Kaiser von Gott nichts wissen wollte, machte er aus seiner Torheit spitze Pfeile des Hasses und des Mißtrauens und ließ damit seinen Offizier zusammenschießen. Sebastian kam noch einmal zu sich, mit zerschundenem Körper und ungebrochenem Geist. Er hielt dem Kaiser seine Torheit vor, der ihn für seinen Freimut erschlagen ließ. Das aber kannst Du ja überall lesen, und Deine Eltern werden es Dir längst erzählt haben, liebes kleines Patenkind. Ich will Dich nur daran erinnern, daß in Deinen Namen eine hohe Pflicht liegt, man trägt seinen Namen würdig und ehrenhaft, mutig und zäh, und standhaft mußt Du werden, wenn Deine Namen Wahrheit werden sollen in Deinem Leben.

Ja, mein Lieber, ich möchte Deinem Namen auch noch eine Last, ein Erbe zufügen. Du trägst ja auch meinen Namen. Und ich möchte, daß Du das verstehst, was ich gewollt habe, wenn wir uns nicht richtig kennen lernen sollten in diesem Leben; das war der Sinn, den ich meinem Leben setzte, besser, der ihm gesetzt wurde: die Rühmung und Anbetung Gottes vermehren; helfen, daß die Menschen nach Gottes Ordnung und in Gottes Freiheit leben und Menschen sein können. Ich wollte helfen und will helfen einen Ausweg zu finden aus der großen Not, in die wir Menschen geraten sind, und in der wir das Recht verloren, Menschen zu sein. Nur der Anbetende, der Liebende, der nach Gottes Ordnung Lebende ist Mensch und ist frei und lebensfähig. Damit habe ich Dir etwas gesagt, was ich Dir an Einsicht und Aufgabe und Auftrag wünsche.

Lieber Alfred Sebastian, es ist viel, was ein Mensch in seinem Leben leisten muß. Fleisch und Blut allein schaffen es nicht. Wenn ich jetzt in München wäre, würde ich Dich in diesen Tagen taufen, das heißt: ich würde Dich teilhaft machen der göttlichen Würde, zu der wir berufen sind. Die Liebe Gottes, einmal in uns, adelt und wandelt uns. Wir sind von da an mehr als Menschen, die Kraft Gottes steht uns zur Verfügung, Gott selbst lebt unser Leben mit, das soll so bleiben und immer mehr werden, Kind. Daran hängt es auch, ob ein Mensch einen endgültigen Wert hat oder nicht. Und er wird ein wertvoller Mensch werden.

Ich lebe hier auf einem sehr hohen Berg, lieber Alfred Sebastian. Was man so leben nennt, das ist weit unten, in verschwommener und verworrener Schwärze. Hier oben treffen sich die menschliche und göttliche Einsamkeit zu ernster Zwiesprache. Man muß helle Augen haben, sonst hält man das Licht hier nicht aus. Man muß gute Lungen haben, sonst bekommt man keinen Atem mehr. Man muß schwindelfrei sein, der einsamen, schmalen Höhe fähig, sonst stürzt man ab und wird ein Opfer der Kleinheit und Tücke. Das sind meine Wünsche für Dein Leben, Alfred Sebastian: helle Augen, gute Lungen und die Fähigkeit, die freie Höhe zu gewinnen und auszuhalten. Das wünsche ich nicht nur Deinem Körper und Deinen äußeren Entwicklungen und Schicksalen, das wünsche ich viel mehr Deinem innersten Selbst, daß Du Dein Leben mit Gott lebst als Mensch in der Anbetung, in der Liebe, im freien Dienst.

Es segne und führe Dich der allmächtige Gott, der Vater, der Sohn und der Heilige Geist.

Dein Patenonkel Alfred Delp

Das habe ich mit gefesselten Händen geschrieben; diese gefesselten Hände vermach' ich Dir nicht, aber die Freiheit, die die Fesseln trägt und in ihnen sich selbst treu bleibt, die sei Dir schöner und zarter und geborgener geschenkt.

78. Klaus Bonhoeffer (Breslau 1901 bis 1945 Berlin) an seine Kinder Cornelie, Thomas und Walter

Der Abschiedsbrief des Rechtsanwalts Klaus Bonhoeffer, der sich wie sein Bruder, der Geistliche Dietrich Bonhoeffer, vor der blindwütenden Vernichtung nicht mehr retten konnte und wollte, ist in dem Chaos der letzten Tage vor dem Zusammenbruch eine erschütternde Offenbarung menschlicher Untadligkeit und Unantastbarkeit und ein verpflichtendes Vermächtnis.

Ostern 1945

Meine lieben Kinder!

Ich werde nicht mehr lange leben und will nun von Euch Abschied nehmen. Das wird mir sehr schwer; denn ich habe jeden von Euch so sehr lieb und Ihr habt mir nur immer Freude gemacht. Ich werde nun nicht mehr sehen, wie Ihr heranwachst und selbständige Menschen werdet. Ich bin aber ganz zuversichtlich, daß Ihr an Mamas Hand den rechten Weg geht und dann auch von Verwandten und Freunden Rat und Beistand finden werdet. Liebe Kinder, ich habe viel gesehen und noch mehr erlebt. Meine väterlichen Erfahrungen können Euch aber nicht mehr leiten. Ich möchte Euch deshalb noch einiges sagen, was für Euer Leben wichtig ist, wenn Euch auch manches erst später aufgehen wird.

Vor allem haltet weiter in Liebe, Vertrauen, Ritterlichkeit und Sorge fest zu Mama, so lange Gott sie Euch erhält. Denkt immer, ob Ihr ihr nicht irgendeine Freude machen könnt. Wenn Ihr einmal groß seid, wünsche ich Euch, daß Ihr Eurer Mutter so herzlich nahe bleibt, wie ich meinen Eltern nahe geblieben bin. So recht versteht man seine Eltern nämlich erst, wenn man selbst erwachsen ist. Ich habe Mama gebeten, bis zum Ende bei mir zu bleiben. Es waren schwere aber herrliche Monate. Sie waren auf das Wesentliche gerichtet und von der Liebe und der starken Seele Eurer Mutter getragen. Ihr werdet das erst später verstehen.

Haltet auch Ihr Geschwister fest und immer fester zusammen. Daß Ihr so verschieden seid, ist jetzt noch manchmal der Anlaß zum Zank. Wenn Ihr erst älter seid, werdet Ihr dafür Euch um so mehr geben können. Mal ein Zank ist nicht so schlimm. Tragt ihn aber nicht mit Euch herum. Denkt dann an mich und gebt Euch schnell wieder vergnügt die Hand. Helft Euch, wo Ihr könnt. Ist einer traurig oder mißmutig, kümmert Euch, bis er wieder heiter ist. Lauft nicht auseinander. Pflegt, was Euch zusammenführt. Spielt, singt und tanzt miteinander, wie wir es so oft gemacht haben. Schließt Euch mit Euren Freunden nicht ab, wenn Ihr die Geschwister teilnehmen lassen könnt. Das festigt auch die Freundschaft.

Ich trage an meiner rechten Hand den Ring, mit dem mich Mama glücklich gemacht hat. Es ist das Zeichen, daß ich ihr und auch Euch gehöre. Der Wappenring an meiner Linken mahnt an die Familie, der wir angehören, an die Vor- und Nachfahren. Er sagt: Höre die Stimme der Vergangenheit. Verliere dich nicht selbstherrlich an die flüchtige Gegenwart. Sei treu der guten Art deiner Familie und überliefere sie Kindern und Enkeln. Liebe Kinder, versteht nun diese besondere Verpflichtung recht. Die Ehrfurcht vor der Vergangenheit und die Verantwortung gegenüber der Zukunft geben fürs Leben die rechte Haltung. Haltet stolz zu Eurer Familie, aus der solche Kräfte wachsen. Stellt Ansprüche an Euch und Eure Freunde. Nach Anerkennung streben macht Euch unfrei, wenn Ihr sie nicht mit Anmut auch entbehren könnt, und das gelingt nicht jedem. Hört nicht auf billigen Beifall.

Die Menschen, die Euch sonst begegnen, nehmt, wie sie sind. Stoßt Euch nicht gleich an dem, was fremd ist oder Euch mißfällt und schaut auf die guten Seiten. Dann seid Ihr nicht nur gerechter, sondern bewahrt Euch selbst vor Engherzigkeit. Im Garten wachsen viele Blumen. Die Tulpe blüht schön, aber duftet nicht, und die Rose hat ihre Dornen. Ein offenes Auge aber freut sich auch am unscheinbaren Grün. So entdeckt man bei den Menschen meist verborgene erfreuliche Seiten, wenn man sich erst einmal in sie hineinversetzt. Wer nur mit sich beschäftigt ist, hat dafür keinen Sinn. Glaubt mir aber, liebe Kinder, das Leben erschließt sich Euch erst dann im kleinen Kreise und im Großen, wenn Ihr nicht nur an Euch, sondern auch an die andern denkt, sie miterlebt. Wer beim Musizieren sich nur an seine Stimme klammert oder gar nur sich selbst hören will, dem entgeht das Ganze. Wer es aber recht erfühlt, lebt auch beim edlen Verklingen seines Instruments mit in den andern Stimmen. Wenn Ihr Euer Leben so einstellt, wird es von diesem weiten Geiste ganz und gar durchdrungen. Es geht nicht nur darum, hin und wieder hilfsbereit einzuspringen. Das macht gewiß viel Freude. Wer aber herzlich dankbar annimmt, gibt oft mehr. Den Menschen gerecht zu werden, gehört dazu, und wohlwollend an ihnen teilzunehmen, nie Spielverderber sein. Aus diesem Geiste entspringt dann ganz natürlich als

Form des Umgangs auch die Höflichkeit, die Euch die Menschen gewinnt. Pflegt sie als feine, lebenskluge Kunst des Herzens. – Wer es versteht, die Menschen, die von Macht und Einfluß sind, recht zu nehmen, ohne an innerer Freiheit einzubüßen, kann damit viel Gutes wirken. Es wäre töricht, seine Weltgewandtheit zu verachten. Ist sie Euch nicht gegeben, so haltet Euch in aller Unbefangenheit zurück. Doch das hat lange Zeit. Nur weil ich dann nicht mehr bin, spreche ich jetzt davon.

Hoffentlich lassen die Verhältnisse Euch die Ruhe und eine lange Zeit, einen jeden in seiner Art geistig auszuwachsen und noch viel zu lernen, damit Ihr einmal an dem unerschöpflichen Glück einer lebendigen Bildung teilhabt. Sucht aber nicht den Wert der Bildung in den höheren Leistungen, zu denen sie Euch befähigt, sondern darin, daß sie den Menschen adelt durch die innere Freiheit und Würde, die sie ihm verleiht. Sie weitet Euch den Horizont von Raum und Zeit. Die Berührung mit dem Edelen und Großen veredelt Anstand, Urteil und Gefühl und entzündet die nie erlöschende Begeisterung, die kein dürftiges Alltagsleben kennt. So werdet Ihr Könige! Beherrscht nun auch Euch selbst. Entwickelt Eure Gaben aus dieser Kraft zum Können und zur Tüchtigkeit. Wenn dann die Zeit Euch hold ist, wird sie den Menschen und nicht nur die Leistung schätzen.

Ich wünsche Euch, daß Ihr, solang Ihr jung seid, recht viel im Lande wandert und es in vollen Zügen und mit offenen Sinnen in Euch aufnehmt. Beim Wandern hat man noch die rechte Muße, sich der Landschaft und den Eindrücken von Menschen, Dörfern und den schönen alten Städten ganz zu überlassen. Wenn dann beim Wandern und bei Liedern die Phantasie von unseren Tagen in vergangene Zeiten schweift, entsteht vor Euch versonnen, unergründlich das Bild vom schönen deutschen Lande, in dem sich unser eigenes Wesen findet. Dann wendet Euch nach Süden. Im nie erfüllten, sehnsuchtsvollen Drange nach besonnter Klarheit liegt unsere Kraft und unser Schicksal. Die Zeiten des Grauens, der Zerstörung und des Sterbens, in denen Ihr, liebe Kinder, aufwachst, führen den Menschen die Vergänglichkeit alles Irdischen vor Augen; denn alle Herrlichkeit des Menschen ist wie des Grases Blume. Unter diesem Erlebnis führen wir unser Leben im Bewußtsein seiner Vergänglichkeit. Hier beginnt aber alle Weisheit und Frömmigkeit, die sich vom Vergänglichen dem Ewigen zuwendet. Das ist der Segen dieser Zeit. Überlaßt Euch nun nicht allein den frommen Stimmungen, die solche Erschütterungen hervorrufen oder die in der Hast und Verwirrung dieser Welt aus einem Gefühl der Leere ab und zu hervorbrechen, sondern vertieft und festigt sie. Bleibt nicht im Halbdunkel, sondern ringt nach Klarheit, ohne das Zarte zu verletzen und das Unnahbare zu entweihen. Dringt in die Bibel ein und ergreift selbst von dieser Welt Besitz, in der nur gilt, was Ihr erfahren und Euch selbst in letzter Ehrlichkeit erworben habt. Dann wird Euer Leben gesegnet und glücklich sein. Lebt wohl! Gott schütze Euch!

> In treuer Liebe umarmt Euch
> Euer Papa

79. Hermann Broch (Wien 1886 bis 1951 New Haven [Connecticut, USA]) an Albert Einstein

»Dichtung ist Ungeduld nach Erkenntnis« – in dieser Formulierung Brochs ist sein gesamtes Werk beschlossen. Vielseitige Interessen, die mit der Dichtung Wirtschaft, Technik und Mathematik umfassen und ihn selbst bis in sein Mannesalter in wirtschaftlich leitender Stellung festhalten, führen ihn bereits in seinem ersten Roman, der Trilogie ›Die Schlafwandler‹ (1930/31), zu der Erkenntnis von einer Aufspaltung des Lebens und Erlebens und später zu seinen Werttheorien, die den metaphysisch ausgestoßenen Menschen nur noch vom Irrationalen her bestimmbar zeigen. Später, im nachgelassenen Romanfragment ›Der Versucher‹, wird in Stifters Nachfolge die Massenpsychologie beschworen. Dann aber reift unter dem Zwang von Hitlers Gewaltherrschaft die fruchtbare Einsicht, daß »das Antlitz des Todes auch der große Erwecker« sei: trotz seiner vielschichtigen wissenschaftlichen Werkarbeit in den Vereinigten Staaten, wo er nun eine Zuflucht gefunden hat, gelingt dem Dichter in ›Tod des Vergil‹ durch die bezwingende Allegorie vom Sterben eines Dichters seines Volkes die läuternde Bewältigung jenes entsetzlichen Nachtmahrs, der die jüdische Welt umklammert hält. Nicht von ungefähr hat Albert Einstein sogleich verstanden, was im dichterischen Gleichnis hier geboten ward: »Ich bin fasziniert von Ihrem Vergil und wehre mich beständig gegen ihn. Es zeigt mir das Buch deutlich, vor was ich geflohen bin, als ich mich mit Haut und Haar der Wissenschaft verschrieb; es war mir schon vorher bewußt, wenn auch nicht so deutlich; was Sie in Ihrem Brief über das Intuitive gesagt haben, ist mir aus der Seele gesprochen. Die logische Form erschöpft nämlich das Wesen des Erkennens so wenig wie das Versmaß das Wesen der Poesie oder die Lehre von Rhythmus und Akkordfolge das Wesen der Musik. Das Wesentliche bleibt mysteriös und wird es immer bleiben, kann nur erfühlt, aber nicht erfaßt werden.« Broch hat mit der ihm zu Gebote stehenden Grazie dem verehrten genialen Manne dafür gedankt.

> Princeton, N. J. 6. September [19]45

Verehrter, lieber Herr Professor,

daß Sie meine Schreiberei mit Ihrem eigenen Werk überhaupt in einem Atem nennen, ist mir ein wenig unheimlich.

Was ich dazu fühle, kann ich noch am ehesten an Hand einer jüdischen Parabel ausdrücken, nämlich an der vom Wiescielczer Wunderrabbi, der angeblich imstande war, Blinde sehend zu machen. Denn da geschah es, daß ein Jud, einen grünen Schirm vor den Augen und einen Tappstock in der Hand, auf der Landstraße nach Wiescielcze dahergewandert kam. Trifft ihn ein anderer: »Weh, was ist geschehen mit dein Augenlicht?« »Ich geh auf Wilczitz zum Rabbi.« »Weh, bist du geworden blind?« »Ich bin nicht geworden blind.« »Wenn du nicht geworden bist blind, was gehste dann zum Rabbi?« »Vor ihm werd ich sein blind.« Einfacher läßt sich die Befangenheit, die man vor allem Großen in der Welt hat, nicht ausdrücken: der Unterschied zwischen Sehen und Sehen.

Aber da man in der Befangenheit leichter in Versen als in normaler Rede spricht (erinnern Sie sich der Szene bei Nestroy, in der der Lehrbub auf die Bühne stürzt, vor Aufregung nicht reden kann, bis der Meister ihn anschreit »Also sing!«, und er anfängt »Der Spiritus im Keller brennt und alles steht in Flammen . . .«), da es also in Versen leichter geht, lassen Sie mich zum Kapitel Intuition ein Gedicht zitieren, das mir kürzlich eingefallen ist, als ich nach dem eigentlichen Inhalt des Vergil gefragt wurde:

Wer nur weiß, was er weiß, kann es nicht aussprechen;
Erst wenn Wissen über sich selbst hinausreicht, wird es zum
Erst im Unaussprechbaren wird Sprache geboren.   [Wort.
Und es muß der Mensch, dem das Göttliche auferlegt ist,
Stets aufs neu die Grenze überschreiten und hinabsteigen
Zu dem Ort jenseits des Menschhaften, ein Schatten
Am Ort des wissenden Vergessens, aus dem die Rückkehr
Und nur wenigen gelingt.   [schwer wird
Aber die Gestaltung des Irdischen ist jenen aufgetragen,
Die im Dunkel gewesen sind und dennoch sich losgerissen
Orphisch zu schmerzlicher Rückkehr.   [haben

Mir ist nämlich auf- und eingefallen, daß Vergil den Abstieg zum Hades nicht weniger als dreimal geschildert hat, daß also dies bei einem Menschen, der sich, wie er, immerzu so viel Gedanken über sein Dichtergewerbe machte, etwas zu bedeuten hatte, und so fühlte ich mich berechtigt, ihm den obigen Gedichtinhalt hinein zu geheimnissen. (Im übrigen steckt auch hierin das – eben uralte – Blindheitsmotiv; neben der Problemkonstanz und der – logischen – Formkonstanz gibt es halt auch eine Inhalts- und Darstellungskonstanz.)

Ich war erst überrascht, als ich die gleichen und ähnlichen Impulse in den Massen-Motiven wiederfand; erst fragte ich mich mißtrauisch, ob dies nicht auf die Personalunion der Autorschaft zurückzuführen wäre, aber dann beruhigte ich mich an der nahezu unveränderlichen Einheitlichkeit der Menschenseele: sie hat natürlich – im wahrsten Wortsinn natürlich – überall die gleichen Reaktionen zu produzieren. Leider ist das Gebiet der Massenpsychologie ein »geisteswissenschaftliches«, also neblig. Man muß sozusagen nach allen Seiten zugleich vorwärtsschreiten, und dabei gerät man stets auf neue Tücken und Fallstricke. Und oftmals ist es wie ein Schwimmen in einem See oder Sumpf von mashed potatoes.

Und so lassen Sie mich noch, ausgerüstet mit Augenschirm und Tappstock, Ihnen und dem ganzen Haus alles Gute und Schöne zum neuen Jahr wünschen

in verehrungsvoller Herzlichkeit
Ihr H. Broch

80. Heinrich George (Stettin 1893 bis 1946 Sachsenhausen) an Berta Drews

Auf dem Steinplatz zu Berlin hat man den Opfern sowohl des Nationalsozialismus wie auch des Stalinismus Gedenksteine errichtet. In dieser dokumentarischen Sammlung, in der so viele Briefe aus Gefängnissen den düsteren Untergrund des Jahrhunderts spiegeln, soll auch dieses Todes hinter Stacheldraht gedacht werden: Heinrich George, einer unserer eindringlichsten Schauspieler, erlag im nunmehr russischen Konzentrationslager Sachsenhausen einer zu spät behandelten Blinddarmentzündung. Er ist unvergessen als blauer Boll in der Fehling-Inszenierung dieses Barlachschen Dramas, als Kurfürst in Kleists ›Prinz von Homburg‹, als Calderons Richter von Zalamea und als immer schöpferischer Darsteller vieler anderer Bühnengestalten.

[7. Dezember 1945]

Liebste Frau!

Wie qualvoll es ist, unfrei zu sein, wenn man einer der freiesten und gelöstesten Menschen war, haben wir beide heute zu spüren bekommen. Und trotz alledem gehören die paar Minuten, in denen ich Dich wieder zu sehen glaubte, zu den schönsten der letzten Monate, die schwer, sehr schwer waren. Jetzt weiß ich wieder, daß wir leben müssen, selbst wenn man uns die härtesten Fesseln anlegen sollte. Ich schreibe dies nach Stunden der Traurigkeit und Verlassenheit um drei Uhr nachts.

Was ist alles passiert, was vertan? Das ist das Schrecklichste, dieses unschöpferische Dahinvegetieren, und was könnte man alles schaffen? Unwiederbringliche, verlorene Zeit! Hast Du meine Rollenbücher retten können? Ach, unsere schönen Dinge, meine Bücher, meine Sammlungen, unsere erinnerungsreichen Möbel! Manchmal krampft sich mir das Herz zusammen, und trotzdem, wenn ich Dich und die Kinder behalte, weine ich keinem, noch so unersetzlichen Ding nach. »Laß fahren dahin, wenn sie gierig sind – wir bleiben rein.« Wir haben so viel vertan und fangen wieder von vorne an. Ich habe noch so viel Kraft, wenn sie mich nur lassen. Ich denke so oft an Gott, was bereitet sich vor, was treibt und wächst in einem? Vielleicht läßt man mich bald wieder heraus oder schickt mich nach Moskau. Bitte, mit Euch, Karascho!! Es ist so und so egal. Hast Du mich noch lieb? Na, dann ist's gut. Herrgott, laß mich bald heraus aus diesem Käfig! Wenn ich Dir nur etwas von meiner Kraft geben könnte! Mich erschüttert nichts. Das Leben in seiner splitterfaserigen, verlausten, stinkigen Nacktheit kann meine Phantasie nicht erreichen. Und tröste Dich: es gibt so viel härtere Lose. Ich habe hier einiges kennen gelernt an tragischen Schicksalen, denn alles kommt zu mir, um sich Trost zu holen. Man erfährt hier im Lager Fälle, die an Grausamkeit und Schamlosigkeit nichts zu wünschen übrig lassen. Wie überhaupt die Menschheit einem Verrohungsprozeß unterworfen ist, der mich tief deprimiert. Ich glaube, wir werden noch allerhand erleben. Ich arbeite und versuche, mich zu bewähren und gut zu bleiben und der gequälten Menschheit zu helfen. Sie macht es einem manchmal schwer.

Bitte, bitte, halte Dich gesund. Keine quälenden Gedanken. Ich komme bald, und wenn sie mich nicht spielen lassen, machen wir ein Lokal auf und ich spreche Dir nachts meine Rollen vor.

Arme Duschka!
Ganz Dein H.

81. Karl Wolfskehl (Darmstadt 1869 bis 1948 Auckland [Neu-Seeland]) an Emil Preetorius

»Wer jemals eine Stunde mit Karl Wolfskehl verbracht hat, wird eingestehen, daß er, auf edle Weise beunruhigt, von ihm fortgegangen ist, daß er eine neue Art des Unterscheidens durch ihn kennen gelernt und eine solche Sehnsucht nach den Urgründen unserer deutschen Sprache mit auf den Weg genommen hat, wie man sie nach den Tiefen des Universums empfindet, wenn ein Astronom von Spiralnebeln und Lichtjahren erzählt.« (Hans Carossa) In der Hitlerzeit galt dieses Urteil nichts, und der stürmische Vorkämpfer für altdeutsche Dichtung, der älteste Gefolgsmann Stefan Georges, mußte die deutsche Heimaterde verlassen, aus der er doch seine schöpferischsten Kräfte gezogen hatte. Im Exil in Neu-Seeland hat Wolfskehl mit zunehmender Erblindung die Wunder seiner Dichterwelt sich nur tiefer erschlossen, aber in unermüdlicher Brieferörterung auch Gerichtstag gehalten über die gespenstischen Vorgänge letzter Vergangenheit, die ihm bis an sein Lebensende drückende Gegenwart war. So erklärt sich das beschwörende Schreiben an den in Kunst und Leben einst mitverschworenen Freund.

17. März 1947

Du, wie soll ich Dich anreden? Ich weiß es noch nicht. Vielleicht kommst Du mir später ins Wort. Vielleicht auch wäre es besser gewesen, Du hättest das Schweigen nicht aufgestört, in dem Du selbst durch mehr als zehn Jahre Dich Deinem liebsten Freund gegenüber verhieltest. Auch das weiß ich noch nicht.

Etwas aber weiß ich: Du verstehst immer noch nicht, was ich Dir vorwerfe, immer noch nicht, weshalb ich Dich einen Verräter genannt habe an unsrer Freundschaft, an Dir somit wie an mir. Die »Weltferne« (Dein Wort!) zwischen uns besteht wirklich. Es ist eine wahrhaftige Ferne, eine schreckliche Ferne, keine von außen meßbare. Kann sie je wegschmelzen? – Einige haben ihren Meister verraten. Schmachvoll haben sie ihn verraten, indem sie ans Phantom zu glauben sich abzwangen, indem sie der fürchterlichen Blasphemie verfielen, den Namen, die Würde, die Macht des Meisters mißbrauchten zum Dienst vorm Phantom. Das war Verrat im letzten, es war Verrat am Geist.

Zu diesen zählst Du nicht. Niemals warst Du dem Meister verpflichtet, niemals im Bann dieser Idee. Aber, merk auf! Mit Karl Wolfskehl warst Du verbunden, so eng verbunden, daß das Ich hinschwand in dieser Einheit. Du warst mir Nächster, und ich nahm von Dir, was man kaum von sich selber nimmt. Und ich, ich gab Dir alles, dessen ich zu geben fähig war, bin. War das so, Du?

Und dann, Du, traf Dich das Schicksal, das mich stärker traf als Dich, Schicksal der Entscheidung. Auch Du warst vor eine

Wahl gestellt. Vor die Wahl zwischen dem Absoluten und dem Bedingten, dem Ja–oder–Nein und dem Immerhin, dem Wenn–Auch, dem Dennoch, dem Vielleicht. Indem, was dort »das wirkliche Leben« genannt wird, sah die Frage so aus: stehst Du zu Karl Wolfskehl bedingungslos oder verbleibst Du im Zwischenreich, diesmal dem der Lüge, des Widergeists, der Vernichtung?

Du, was hat diese Entscheidung damit zu tun, daß Du trotz »großer, weithin sichtbarer äußerer Position« im Verdacht standst, dem Zwischenreich doch nicht ganz zuzustimmen? Was hat das damit zu tun, daß Du mit israelitischen Herren und Damen in verschiedenen Auslandsplätzen in Korrespondenz bliebst? Und daß es Dir gelang, israelitische Herren und Damen vor dem Sechs-Millionen-Mord zu bewahren dank Deiner Beziehungen zu Königshäusern? Was hat das alles überhaupt mit mir zu tun, mit Dir und mit mir? Mit wem verwechselst Du mich eben? Bin ich ein Hilfskomitee? Eine Rechtfertigungsbehörde? Werfe ich Dir etwa vor, daß Du damals Dich von Zweien beschämen ließest, von Zweien, die meiner Person gar nicht nahe waren, die aber sofort aus dem Klub austraten, als Rotary München mich hinauswarf? Während es Dir in den Kram gepaßt hat, damals noch in den Kram gepaßt hat, drinzubleiben? Werfe ich Dir vor, daß alles, was durch die Post von Dir mir zukam, nur mit dem Initial des Vornamens – »man kann nie wissen!« – gezeichnet war? Und ausnahmslos nur abgesandt wurde, wenn Du Dich im vermeintlich gesicherten Ausland befandest? ...

Über alles das habe ich damals gelächelt, heute beacht ichs gar nicht mehr. Von menschlichen Schwächen macht man kein Aufhebens. Aber um der Ehre eines Toten willen halte ich Dir doch in diesem lappalischen Kontext vor, was ich an einem Andern erfahren habe, an einem, mit dem Du, damals verstand ichs nicht, Dich nicht oder ungern abfandest. Einem großen Freund, unbeugsam und wahrhaft: Oswald Spengler, der ja ebenfalls, und sehr mit Recht, »in Verdacht stand«, hat zeitlebens nicht aufgehört, mit mir Post zu tauschen, geschriebne wie gedruckte. Seine letzte Karte, ein ergreifendes Bekenntnis zur Freundschaft, das dieser wortkargen, verhaltenen, wirklich deutschen Natur wie der Vorahnung sich enthub, erhielt ich einen Monat vor seinem Tode. Seine Postadresse aber war und blieb München! Aber nochmals, Du, an einer ganz andern Stelle vollzog sich, was mir von Dir angetan wurde. Am Punkte der Entscheidung. Mag sein, heut noch ist Dir unklar, was eine Freundschaft mit einer Laufbahn zu tun haben könnte, und wieso man sich in diesem Falle vor ein Entweder-Oder gestellt sah. Gewiß, dieser Karl Wolfskehl war mir der Liebste, aber das ist doch bloß ein Gewichtsunterschied, ich hatte und habe ja noch so viele, teils gute, teils einflußreiche Freunde und Bekannte in allen Lagern, und die verstanden ausnahmslos, der mehr, der weniger, keiner aber gar nicht, das Heikle meiner Umstände, das Verzwickte meiner Situation. Und wer hätte nicht meine Hilfsbereitschaft anerkannt und verdankt, jene Bereitschaft, mit der ich mich in Gefahr begab, hätte nicht um jenes innere »Ach«, »Aber« oder »Dennoch« gewußt, damit ich mich bewahrte, abwandte, säuberte? Ja es ist so, und es muß so sein: nur vor mir hattest und hast Du unbedingt zu sein, denn nur ich war Dein Andrer, Du!

Auch hier zeige Dir ein Beispiel wovon ich spreche. Am End ahnst Dus dadurch. Im selben München, dem München Oswald Spenglers, lebt ein Mädchen, die war einmal meine Geliebte. Wir sind uns nah geblieben. Selbstverständlich. Die hat nicht gewartet, bis sie, zwei Jahre nach dem Ende, per Zufall meine Anschrift erfuhr. Auf waghalsigem Weg, den ich Dir nicht ansage, gelangs ihr schon '44, zu mir zu sprechen. Wieder wars eine Postkarte. Auf der stand, ganz einfach, ganz selbstverständlich und ohne alle Beteurungen: »Bei allem, was ich tat und erfuhr, die ganze Zeit durch, hab ich mich gefragt: was würde Carlo dazu sagen? Danach habe ich mich verhalten, danach gelebt!« Sie hatte und hat freilich keine weithin sichtbare Position. Aber eine Aufgabe ward ihr auch, und diese Aufgabe löst sie, daß ich selber stumm davor werde in Ehrfurcht. Nun weißt Du, wie ich zum Erlebnis Freundschaft mit Dir stand, und was mich dabei bis ins Innerste traf. Fast wünsch ich Dir, Du mögest es nicht nachspüren oder daß Du es, wahrscheinlich, als »übertrieben« ablehnst, Dich tröstest, Dir bleibt noch viel.

Das ist ein aufrichtiger Wunsch. Denn ich höre nicht auf, Dich lieb zu haben – wie könnte das geschehen? Es hat mich erschüttert, wie ich vernahm, daß Du in mannigfachen Gefahren warst . . .

Ich, der Dichter, möchte ins Gedächtnis rufen, daß ich kein Bezüglicher bin und kein Bezogener, weithin kein Schallender und kein Mundstück der Zeit. Auch gehören sonst gern gebrauchte Wendungen wie die vom Pharisäertum oder vom päpstlicher sein als der Papst vielleicht doch nicht in ein mir

Zugeschriebenes. Hier gehts vielleicht um mehr als um eine Stilfrage, freilich nicht um so viel, daß meine Teilnahme an Deinem Erleiden dadurch gemindert wäre. Nur das kann mich nicht sehr ins Mitschwingen versetzen, daß Du »nahezu« alles verloren hast, denn mir scheint, Du meinst hier irdischen, wenn auch köstlichen Besitz. Das läßt mich auch in Deinem Fall kühler, weil ich selbst, wie Dir ja bekannt ist, mit einem Handkoffer über die Grenze bin und, wie ich Dir jetzt sage, aber Du konntest Dirs wohl denken, auch heute noch nicht mehr Hab und Gut mein Eigen nenne – sondern hör zu, Du, weil ich alles verloren habe. Ich habe nämlich die Heimat verloren. Weißt Du, was das heißt für einen Dichter? Kannst du Dir das ins Bild rücken oder herausschnitzen aus mancherlei Analogien und historischen Reminiszenzen? Ich habe die Heimat verloren, darin ich, ich meine das Geschlecht, dem ich entstamme, seit Karl dem Großen im gleichen Rhein-Main-Eck ansaß. Ich habe den Rhein in mir, so wie das Mittelmeer, dem ich entstamme, dem ich neu verbunden ward, rundend den Kreis. Aber ich habe noch mehr Heimat verloren. Ich habe die Stätte verloren, wo ich gewirkt habe ein langes Menschenalter durch, die Stätte der Arbeit, der Freundschaft, der Liebe, des Überschwangs. Ich habe mir selber Welt werden müssen, Geistraum, Wiege des Wortes. Weißt Du, was all dies bedeutet in Ja und Nein?

Dort völlig vergessen, hier völlig vereinsamt. Das ist mein Dasein im neunten Jahr. Zwei, drei nahe Seelen, eine, die mein Schicksal teilt, die andern durch ein Lächeln des sonst so strengen Fugs an mich Gerückte, wärmen nach Vermag das Eis der Entrückung. Doch über all das, selbst übers Du hinaus, ruf ich es aus: ich preise mein Schicksal, ich liebe, was mir widerfuhr, ich lebe das Fatum.

Und eines hält mich noch im Licht. Noch bin ich ein Schaffender, ein Kündender, ein Bildner. Das Werk geht weiter.

Aber es ist wahr, ich habe Dich lieb. Ich kanns mir nicht absprechen, ich will es auch gar nicht. Und so gehen Wünsche zu Dir, und das Herz pocht. Ich verwehre auch nicht, daß Du wieder Dich herwendest. Wenn Du es kannst nach alledem, wenn, was Ihr so »Ehrgefühl« nennt, wenn das Besserwissen, der gekränkte Stolz und jenes übliche »wie mißversteht man mich« Dirs nicht verbieten. Das mache ab mit Dir selbst, am Ende mit Deinem echten Selbst.

Unvergessen bist Du, auch das Herz weiß um Dich.

Quellennachweis

Hugo Eckener, Graf Zeppelin, Stuttgart 1938, Cotta

Herzl, – Briefe, herausgegeben und eingeleitet von Manfred Georg, Berlin 1935, Brandussche Buchhandlung

W. C. Röntgen, Briefe an L. Zehnder, hg. von Ludwig Zehnder. Zürich 1935, Rascher

Theodor Fontane, Briefe an Georg Friedländer, hg. und erläutert von Kurt Schreinert. Heidelberg 1953, Quelle u. Meyer

1. Rilke, Briefe und Tagebücher aus der Frühzeit. 1899 bis 1902. Leipzig 1931, Insel
2. Ebenda
3. Briefwechsel zwischen George und Hofmannsthal, 2. Aufl. Düsseldorf-München 1953, Helmut Küpper, vorm. Georg Bondi
4. Oskar von Miller, Nach eigenen Aufzeichnungen, Reden und Briefen, hg. von Walther von Miller. München 1932, F. Bruckmann
5. Franz Kafka, Briefe an Freunde, 1900–1924. Frankfurt a. M. 1957, S. Fischer. Lizenzausg. von Schocken Books, New York
6. Hans Thoma, Aus achtzig Lebensjahren, hg. von Jos. Aug. Beringer. Leipzig 1929, Koehlers Verlagsgesellschaft, Biberach/Riß
7. Hermann Bahr, Glossen zum Wiener Theater (1903–1906) Berlin 1907, S. Fischer
8. Friedrich von Holstein, Lebensbekenntnis in Briefen an eine Frau, hg. von Helmuth Rogge. Berlin 1932, Ullstein
9. Carl Seelig, Albert Einstein. Leben und Werk eines Genies unserer Zeit. Stark erweiterte Neuaufl. Zürich 1960, Europa Verlag
10. Felix Klee, ›Paul Klee. Leben und Werk in Dokumenten‹, mit 162 Reproduktionen von zum Teil bisher unveröffentlichten Bildern, Zeichnungen, Fotos und Briefen. Zürich 1960, Diogenes Verlag
11. Heinrich Heiß, Elias Metschnikow, Leben und Werk. Jena 1932, Gustav Fischer Verlag
12. Ebenda
13. Sigmund Freud, Briefe 1873–1939. Frankfurt a. M. 1960, S. Fischer
14. Christian Morgenstern. Ein Leben in Briefen, hg. von Margareta Morgenstern. Wiesbaden 1952, Insel
15. Julius Bab, Albert Bassermann. Berlin 1928, Erich Weibezahl

16. Else Lasker-Schüler, Briefe an Karl Kraus, hg. u. eingeleitet von Astrid Gehlhoff-Claes. Köln 1959, Kiepenheuer & Witsch

17. Harry Graf Kessler, Walther Rathenau. Berlin 1928, Hermann Klemm (jetzt Erich Seemann, Recklinghausen)

18. In alls gedultig. Briefe Wilhelm Raabes, hg. von Wilhelm Fehse. Berlin 1940, G. Grote'sche Verlagsbuchhandlung, Rastatt

19. Georg Heym, Dichtungen und Schriften. Gesamtausgabe, hg. von Karl Ludwig Schneider
Bd. 3: Tagebücher, Träume, Briefe. München 1960, Heinrich Ellermann

20. Künstlerbriefe aus dem 19. Jahrhundert, hg. von Else Cassirer. Berlin 1919, Bruno Cassirer, Oxford

21. Richard Strauß und Hugo von Hofmannsthal. Briefwechsel. Gesamtausg., hg. von Franz und Alice Strauß. Bearb. von Willi Schuh. Zürich 1952, Atlantis-Verlag

22. Ebenda

23. Otto Brahm, Kritische Schriften. Berlin 1913, S. Fischer

24. Bernhard von der Marwitz und Götz von Seckendorff. Eine Jugend in Dichtung in Briefen, hg. von Otto Grautoff. Dresden 1923, Sibyllen Verlag

25. Ebenda

26. Erinnerung an Georg Trakl. Zeugnisse und Briefe. Hg. von Wolfgang Schneditz. 2. Auflage 1959. Salzburg, Otto Müller

27. Carl Benz und sein Lebenswerk. Dokumente und Berichte, hg. von der Daimler-Benz-Aktien-Gesellschaft. Stuttgart 1953

28. Faksimiledruck im Völkischen Beobachter, Nr. 242. 1934

29. Katalog Nr. 7, ›Expressionismus, Literatur und Kunst 1910–1923‹ der Sonderausstellung des Schiller-Nationalmuseums, Marbach a. N.

30. Hans Kollwitz, Käthe Kollwitz. Berlin 1948, Gebr. Mann

31. Franz Marc, Briefe 1914–1916. Berlin 1959, Rembrandt-Verlag

32. Felix Klee, Paul Klee, Zürich 1960. Diogenes

33. Katalog Nr. 7, ›Expressionismus, Literatur und Kunst 1910–1923‹ der Sonderausstellung des Schiller-Nationalmuseums Marbach a. N.

34. Franz Marc, Briefe 1914–1916. Berlin 1959, Rembrandt-Verlag

35. Ebenda

36. Ebenda

37. Otto Braun, Aus nachgelassenen Schriften eines Frühvollendeten, hg. von Julie Vogelstein. Berlin 1922, Erich Seemann, Recklinghausen

38. Rosa Luxemburg, Briefe aus dem Gefängnis. Berlin 1953, Dietz Verlag

39. Aus einem Brief an Gerhard Scholem. Original im Besitz von Gershom Scholem, Jerusalem. Veröffentlicht mit Genehmigung des Suhrkamp-Verlages

40. Erinnerungen des Kronprinzen Wilhelm, hg. von Karl Rosner. Stuttgart 1922, Cotta

41. Die Neue Zeitung, Nr. 121, Berlin, 26. Mai 1950. (Mit Genehmigung der C. H. Beck'schen Verlagsbuchhandlung, München)

42. Otto Hammann, Bilder aus der letzten Kaiserzeit. Berlin 1922, Reimar Hobbing, Essen

43. R. M. Rilke, Briefe an seinen Verleger. Neue erweiterte Ausgabe Bd. 2. Wiesbaden 1949, Insel

44. Die Neue Rundschau, 66. Jahrg. Heft 1, Januar 1955. S. Fischer

45. Harry Graf Kessler, Walther Rathenau. Berlin 1928, Hermann Klemm (jetzt Erich Seemann, Recklinghausen)

46. Briefe des jungen Brecht an Herbert Ihering. In: Sinn und Form, Beiträge zur Literatur, hg. von der Deutschen Akademie der Künste. 1958, erstes Heft. Rütten & Loening, Berlin

47. Ebenda

48. Arnold Schönberg, Briefe. Ausgewählt und hg. von Erwin Stein. Mainz 1958, B. Schott's Söhne

49. Ebenda

50. Hans Mayer, Studien zur deutschen Literaturgeschichte. Mit Genehmigung des Verlags S. Fischer

51. Franz Rosenzweig, Briefe, unter Mitwirkung von Erich Simon ausgewählt und herausgegeben von Edith Rosenzweig. Berlin 1935, Schocken Verlag, Schocken Books Inc., New York

52. Die Literatur. Stuttgart, Mai 1926

53. Alfred Mombert, Briefe 1893–1942, hg. von B. J. Morse. Veröffentlichungen der Deutschen Akademie für Sprache und Dichtung. 1961, Lambert Schneider, Heidelberg

54. Wege einer Freundschaft. Briefwechsel Peter Wust – Marianne Weber, hg. von Walter Theodor Cleve. Heidelberg 1951, Verlag F. H. Kerle

55. Mit Genehmigung von Frau Anna Schickele und des Verlags Kiepenheuer & Witsch

56. Hedda Eulenberg, Im Doppelglück von Kunst und Leben. Düsseldorf 1952, Die Fähre

57. Robert Musil, ›Prosa, Dramen, späte Briefe‹ Hamburg 1957, Rowohlt

58. Max Slevogt, Briefe an Johannes Guthmann, hg. von Hans Jürgen Imiela. St. Ingbert/Saar. 1960, Franz Josef Kohl-Weigand

59. Gottfried Benn, Doppelleben. Zwei Selbstdarstellungen. 3. Aufl. Wiesbaden 1958, Limes. Mit Genehmigung des Verlags S. Fischer

60. Alfred Mombert, Briefe 1893–1942, hg. von B. J. Morse. Veröffentlichungen der Deutschen Akademie für Sprache und Dichtung. Heidelberg 1961, Lambert Schneider

61. Thomas Mann an Ernst Bertram. Briefe aus den Jahren 1910 bis 1955. Pfullingen 1960, Neske

62. Ebenda
63. Neue Zürcher Zeitung, Blatt 10. 13. Febr. 1960. Mit Genehmigung von Frau Alban Berg
64. Karl Scheffler, Die fetten und die mageren Jahre. München 1948, Paul List
65. Hans Pfitzner, Reden, Schriften und Briefe, hg. von Walter Abendroth. Berlin 1955, Hermann Luchterhand, Neuwied
66. Elisabeth Langgässer ›. . . soviel berauschende Vergänglichkeit‹ Briefe 1926–1950, hg. von Wilh. Hoffmann 2. Aufl. Hamburg 1955, Claassen
67. Mit Genehmigung des Limes Verlages, Wiesbaden
68. S. Fischer-Almanach. Das 74. Jahr. 1960
69. Neue Zürcher Zeitung. 14. 6. 1959
70. Jochen Klepper, Gast und Fremdling. Briefe an Freunde, hg. von Eva-Juliane Meschke. Witten 1960, Eckart-Verlag
71. Briefwechsel Reinhold Schneider und Leopold Ziegler. München 1960, Kösel
72. Ebenda
73. Nach dem Original aus dem einstigen Besitz von Frau Else Bassermann-Schiff in Wien. Jetzt: Theaterwissenschaftliches Institut der Freien Universität Berlin
74. Nach dem Original im Berliner Ernst-Reuter-Archiv mit Zustimmung von Frau Hanna Reuter
75. Nach dem Faksimile in Gerhard Ritter, Carl Goerdeler und die deutsche Widerstandsbewegung. Stuttgart 1954, Deutsche Verlags-Anstalt. Mit Zustimmung von Frau Anneliese Goerdeler
76. Text nach Mitteilung von Manfred E. Rommel, Stuttgart-Sillenbuch
77. Alfred Delp S. J., Kämpfer, Beter, Zeuge. Letzte Briefe und Beiträge von Freunden. Berlin 1955, Morus-Verlag
78. Dietrich und Klaus Bonhoeffer, Auf dem Wege zur Freiheit. Gedichte und Briefe aus der Haft, hg. von Pastor Eberhard Bethge, 5. Aufl. Berlin 1954, Lettner-Verlag
79. Hermann Broch, Briefe, Band 8 der Gesammelten Werke in 10 Bänden, hg. von Robert Pick, Hannah Arendt, Erich Kahler, Wolfgang Rothe, Ernst Schönwiese, Felix Stössinger und Hermann Weigand. Zürich 1957, Rhein-Verlag
80. Berta Drews, Heinrich George. Hamburg 1959, Rowohlt
81. Karl Wolfskehl, Zehn Jahre Exil. Briefe aus Neuseeland. 1938 bis 1948, hg. von Margot Ruben. Heidelberg/Darmstadt 1959, Lambert Schneider

Verzeichnis der Briefe

Am Vorabend des Jahrhunderts

Briefe des 20. Jahrhunderts

Register der Schreiber und Empfänger

DAS BUCH DEUTSCHER BRIEFE

Herausgegeben von Walter Heynen. 400 Briefe. 976 Seiten.
In Leinen DM 22,–, in Halbleder DM 27,–

»Meinen Glückwunsch zu den ›Deutschen Briefen‹, die ja
viel mehr sind, als der Titel zugibt, nämlich die Geistes-,
Seelen- und Kulturgeschichte einer ganzen Nation und
deren politische Geschichte dazu. Ein ganz außerordent-
liches Buch!«   *Werner Bergengruen*

DAS BUCH DEUTSCHER REDEN UND RUFE

Erstmals herausgegeben von Anton Kippenberg und Friedrich von der Leyen. Neue erweiterte Ausgabe von Friedrich
von der Leyen. 552 Seiten. In Leinen DM 16,80, in Halbleder DM 22,–

»Der Band bietet dem Leser ein großartiges Panorama deutscher Rhetorik, von Luther bis zur Gegenwart, zugleich
eine Entwicklungsgeschichte des Redestils und ein Spek-
trum deutschen Geistes der Neuzeit.«   *Rheinischer Merkur*

Beide Bände in Kassette: In Leinen DM 36,80, in Halbleder
DM 47,–

DIE JUGEND GROSSER DEUTSCHER

Von ihnen selbst erzählt. Herausgegeben von Rudolf
K. Goldschmit-Jentner. 468 Seiten. Mit 10 Bildtafeln. In
Leinen DM 18,50, in Halbleder DM 25,–

DEUTSCHE ERZÄHLER

Ausgewählt und eingeleitet von Hugo von Hofmannsthal.
In einem Band 996 Seiten. 55. Tausend. In Leinen DM 19,80.
In zwei Bänden 1004 Seiten. In Halbleder DM 30,–

Das INSELSCHIFF ist eine Zeitschrift für alle Freunde
der Literatur und des schönen Buches. Interessenten erhalten sie zweimal jährlich kostenlos vom Insel-Verlag
Frankfurt/Main, Postfach 3001. Unsere Bücher sind nur
über eine Buchhandlung zu beziehen.

INSEL-VERLAG FRANKFURT AM MAIN

Als große unabhängige Tageszeitung

genießt die WELT überall in der Bundesrepublik

und im Ausland hohes Ansehen.

Ihre Nachrichten, Leitartikel und Kommentare, ihre Darstellung

von Zusammenhängen und Hintergründen

geben anspruchsvollen Zeitungslesern eine zuverlässige Orientierung

und eine sichere Grundlage für die eigene Meinungsbildung.

Die WELT wird von denjenigen bevorzugt, die –

bedingt durch ihre berufliche und gesellschaftliche Stellung –

täglich umfassend informiert sein müssen.

Sie ist eine deutsche

Stimme, die in der Welt gehört und beachtet wird.

DIE WELT

UNABHÄNGIGE TAGESZEITUNG FÜR DEUTSCHLAND

FRANKFURTER HEFTE Zeitschrift für Kultur und Politik

Die Frankfurter Hefte glauben an eine Vollendung der Aufklärung – nicht in einem falschen, sondern in einem nüchternen Optimismus – und damit auch an eine Wiederbegegnung der Geister verschiedener Herkunft und verschiedenen Standortes, sofern sie nur echt sind und sich den Glauben bewahrt haben, daß der Mensch die Kraft hat, das Gute als das Richtige anzustreben.

Die Frankfurter Hefte sind durch jede Buchhandlung, durch die Post und direkt vom Verlag zu beziehen. Einzelheft DM 3.–; im Abonnement DM 32.–. Schriftleitung und Verlag: Frankfurt am Main, Leipziger Str. 17, Tel. 77 83 09.

*Der Freund von Kunst und Literatur,
von Musik, Theater und Film findet im
anerkannten Feuilleton des
MÜNCHNER MERKUR eine tägliche
Überschau und fundierte Kritik des
gesamten Kulturlebens.*

*Namhafte Mitarbeiter schreiben ihre
Beiträge, Besprechungen und Kritiken aus
dem Geist der Kunststadt München —
kunstverständig, sachkundig und den
Strömungen der Zeit aufgeschlossen.*

*Der Merkur am Sonntag bietet Unterhaltung
von Niveau.*

*Als eine der großen Zeitungen Deutschlands
ist sich der MÜNCHNER MERKUR
seiner kulturellen Verpflichtung bewußt.*

Belletristik
Philosophie
Essays

dtv

das Taschenbuch
für
Anspruchsvolle

Deutscher
Taschenbuch Verlag
München 13

Normalband	DM 2.50
Großband••	DM 3.60
Doppelband•••	DM 4.80

Belletristik
Philosophie
dtv-dokumente

 das Taschenbuch
für
Anspruchsvolle

dtv-dokumente

Deutscher	Normalband	DM 2.50
Taschenbuch Verlag	Großband	DM 3.60
München 13	Doppelband	DM 4.80

dtv-dokumente
dtv-wissen
sonderreihe dtv

dtv

das Taschenbuch
für
Anspruchsvolle

dtv-wissen

sonderreihe dtv

Die »sonderreihe dtv« ist eine exklusive Bibliothek der zeitge-
nössischen Dichtung und Essayistik. Sie bringt avantgardistische
Werke der Gegenwart und der literarisch-revolutionären Bewegungen des zwanzigsten Jahrhunderts in sorgfältiger Auswahl
und fachkundiger Edition.

Deutscher	Normalband	DM 2.50
Taschenbuch Verlag	Großband··	DM 3.60
München 13	Doppelband···	DM 4.80